誰的博物館？

讓殖民史現形，揭開頂尖博物館避而不談的
暗黑故事 & 觀看思辨

艾莉絲・普洛特——著　吳莉君——譯

— *The* —
Whole Picture

The colonial story of the art in our museums
& why we need to talk about it

Alice Procter

PAVILLON SULLY

1 愛瑪・漢米爾頓夫人擺出她的某次「姿態」
圖片取自佛里德里希・雷伯格（Friedrich
Rehberg）｜《在那不勒斯的忠實寫生畫》
（*Drawings Faithfully Copied from Nature at
Naples*）｜托瑪索・皮羅利（Tommaso Piroli）
製版｜1979

2 傑克森（M Jackson）的版畫｜約
翰・索恩博物館的「墓室」內部｜
林肯律師公會廣場｜倫敦｜刊登於
《倫敦新聞畫報》（*The Illustrated
London News*），1864年6月25日

3 斯皮里狄翁・羅瑪（Spiridione Roma）｜《東方向不列顛妮雅進貢》｜1778
寓言天棚畫｜東印度大樓稅務廳（今日外交部）｜倫敦

4 聖荊棘聖物匣｜約1400｜30.5×15×7公分｜沃德斯登遺贈｜大英博物館｜倫敦
黃金、荊棘、搪瓷、水晶、珍珠、紅寶石和藍寶石

5 希尼・帕金森｜《「袋鼠」速寫》｜1770｜紙本鉛筆｜自然史博物館｜倫敦

6 喬治・史塔布斯｜《來自新荷蘭的袋鼠》｜1772｜木板油彩｜60.5×71.5公分｜國家海事博物館｜格林威治｜倫敦

7 約書亞・雷諾茲｜《歐麥伊肖像》｜約1776｜畫布油彩｜236×145.5公分｜私人典藏

8 威廉・帕里｜《歐麥伊（麥伊），約瑟夫・班克斯爵士和丹尼爾・查爾斯・索蘭德》｜約1775-6｜畫布油彩｜152.5×152.2公分｜國家藝廊｜倫敦／威爾斯加地夫國家博物館／威特比庫克船長紀念館

9 創作者不詳｜蒂普的老虎｜約1793｜彩繪木頭與金屬固定器｜高：71.2公分；長：172公分｜維多利亞暨亞伯特博物館｜倫敦

10 被歸為艾倫・拉姆賽｜《一名非洲人肖像（約莫是伊格內修斯・桑喬，一度被認為是奧拉達・艾奎亞諾）》｜約1758｜畫布油彩｜61.8×51.5公分｜皇家亞伯特紀念館

11 丹尼爾·歐米（Daniel Orme）｜奧拉達·艾奎亞諾肖像版畫｜艾奎亞諾自傳《奧拉達·艾奎亞諾或非洲人古斯塔夫斯·沃瑟的有趣生平》（*The Interesting Narrative of the Life of Olaudah Equiano, or Gustavus Vassa, the African*｜倫敦，1789）卷首圖

12 湯瑪斯·勞倫斯｜《威廉·威伯福斯》｜1828（未完成）｜畫布油彩｜96.5×109.2公分｜國家肖像藝廊｜倫敦

13 湯瑪斯・瓊斯・巴克｜《英國偉大的祕密》｜約 1862-3｜畫布油彩｜167.6×213.8公分｜國家肖像藝廊｜倫敦

14 創作者不詳｜盾牌｜格威蓋爾之地｜新南威爾斯｜十八世紀中葉（1770年之前）｜紅樹林木；樹皮｜高：97.3公分；寬；32.3公分；深：12公分｜大英博物館｜倫敦

15 創作者不詳｜海達族雕刻｜約 1850-70｜泥板岩｜19.5×13公分｜大英博物館｜倫敦

16 佛雷·威爾森｜《挖掘博物館》展覽裝置一景｜馬里蘭歷史學會博物館｜巴爾的摩｜1992：「家具製造，1820-1960」

17 參觀者與行為藝術作品的互動照片│寇寇・富斯柯和吉耶摩・高梅茲佩尼亞│《兩名未被發現的美洲印第安人造訪……》│1992-3

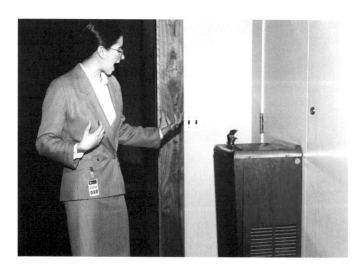

18 安德莉亞・佛雷澤行為藝術作品《博物館亮點》的照片│費城美術館│1989

19 塔妮雅·布魯格拉行為藝術作品《塔特林的低語第五號》的照片｜渦輪廳｜泰德現代美術館｜2008

20 因卡‧肖尼巴爾｜《裝瓶的納爾遜船艦》｜2010｜纖維玻璃、鋼、黃銅、樹脂、UV墨水印在印花棉布上、織品、亞麻索具、壓克力和木頭｜290×525×235公分｜「第四基座」｜特拉法加廣場｜倫敦

21 卡拉‧沃克｜《卡拉‧沃克應創意時代的要求調製：糖雕，或神奇驚人的糖寶貝，向無償過勞的工匠們致敬，他們在多米諾糖廠拆除之際，將甜味從甘蔗田精煉到新世界各廚房》｜裝置一景：多米諾糖廠｜布魯克林｜紐約｜2014｜聚苯乙烯泡沫，糖｜約10.8×7.9×23公尺

22 麥克·帕雷考海｜《英倫海峽》｜2015｜不鏽鋼｜
257×166×158公分｜
新南威爾斯藝廊｜雪梨

23 丹尼爾·博伊德｜《沒鬍子爵士》｜2007｜畫布油
彩｜183.5×121.5公分｜新南威爾斯藝廊｜雪梨

24 大西洋大道五二九號店面｜布魯克林（創意時代生產）｜2006｜麥可・拉柯維茨｜《回歸》的一部分｜2004至今

獻給克里斯多福（Christopher），緬懷他，

與安德魯（Andrew）。

「（暴行）證明了……殖民行動、殖民事業和殖民征服的基礎是對本地人的鄙視，以及將這種鄙視正當化，因此殖民必然會改變它的從事者；殖民者為了減輕自己的良心不安，漸漸習慣把他者視為畜生，習慣對待他者如畜生，往往還會客觀地把自己轉變成畜生。這種殖民化的迴旋鏢效應，正是我想指出的結果。」

——艾梅・塞澤爾（Aimé Césaire），《殖民土義論》（*Discourse on Colonialism*）

Contents

目錄

Introduction

導言

博物館由什麼構成？如果要你想像一座博物館，在你心中，它是什麼模樣？誰建造的，如何建造？石頭、玻璃、磚塊、金屬？階梯、圓柱？你在裡頭參觀什麼？如果是美術館，它是怎麼陳列的？或者它是一座文物、考古或自然史博物館，一座科學博物館，在一棟改建過的私人住宅或一個量身打造的寶物盒中？那座博物館的感覺如何？溫暖好客，或冷淡不友善？圍繞在你身邊的工作人員是教育人士，或保全警衛？這個空間裡有其他與你類似的人嗎？

博物館不僅是用來收納典藏的有形場所，它們的目的是要塑造認同與記憶。它們並未也無法再現完整的故事，它們只提出蒸餾過的敘事（narrative），但這些敘事往往包含了最寶貴也最富爭議的認同面向：國族認同或其他認同。

不舒服藝術導覽的源起

博物館是一個我們可以在那裡發現和講述故事的場所，關於我們自己和其他人的故事。它不是唯一的知識之家，但裡頭往往有一套國族的認同課程，偏愛優勢和主流敘事。出現在博物館裡的故事，沒有一個是偶然的。有某個人挑選了每一件展示文物，為它分類編目，將它放置在展台上方或玻璃後面，有某個人撰寫說明牌。也許你也參與了這些過程裡的某一個或諸多個，也許沒有。或許你覺得，你已經花了夠多時間去批判思考這世界的每樣東西，對你而言，博物館應該是個可以讓你放下腦子，進去閒晃，單純欣賞美麗物品的地方。但你還是得牢記，無論他們多隱形，博物館裡確實有某個人在引導你的參觀路徑，在形塑你的詮釋，在挑選你可以

看什麼和如何看。

　　我之所以寫這本書，是因為從2017年6月開始，每星期有幾次，我會帶一群人去某個藝廊進行一場非正式、沒授權的「不舒服藝術導覽」（Uncomfortable Art Tours），我們會討論住在那裡的文物——它們是怎麼去到那裡，以及它們在不同的時代如何被用來講故事。我的導覽源自於一股挫敗感，當時我剛花了三年時間攻讀藝術史學位，這個學位完全漠視殖民史與帝國史，但我們攻讀的博物館與藝廊卻正是由這兩種歷史打造而成，課程中唯一和大英帝國藝術有關的單元是選修。我志願擔任學校團體的導覽員，並因此見識到英國歷史課程的各種缺陷。學童讀了都鐸王朝（Tudors）和維多利亞時代（Victorians），這是英國奴隸貿易的起迄時代，但沒碰觸兩者中間的時期，沒碰觸那些激烈暴力的侵略與戰爭，以及大英帝國的崛起與創建。我很厭煩地看著那些人，他們絕大多數跟我一樣，跟我那些研讀藝術並在博物館工作的優越「白人」同事一樣，從沒學過這些歷史，因此也無法知道他們已經在不知不覺中繼承並延續了殖民主義所導致的不平等。我對自己做為帝國產物的身分超級警覺：一個「白」人，她的家族參與了澳大利亞的入侵與殖民，害早就住在那裡的原住民族流離失所。我不認為罪惡世代相傳，但責任確實代代相承，今日沒有任何一位活人的存在是沒受到殖民主義和種族主義的形塑。這項遺產我們全都有份，我們全都有責任去處理它的後果。如果你是受益者，讓自己被悔恨與罪惡淹沒，對誰都沒好處。你能做的，就是不斷追問，你如何感受那些好處。那些好處是由誰付出代價？我越來越厭倦人們以事不關己的態度應對這些歷史，彷彿這類事情只會發生在別處，彷彿大英帝國和它的暴行與

現代英國無關似的。英國博物館裡擺滿從前殖民地搶來的文物，掛滿了用殖民財富買來的畫作，充滿了帝國權力的再現。它無處不在，只要你尋找。

展開這類導覽時，我知道要讓優越之人思考他們的黑暗傳承有多困難，即便他們正和帝國暴力的遺產面對面。得知你被教導且視為理所當然的國族歷史未必是真的，確實很難接受。但我得到巨大的迴響：人們真實、迫切地想知道這類故事，也有興趣學習如何解構博物館的敘事。這倒是出乎我的預料。

做個具批判精神的博物館參觀者

我並非另類歷史導覽的第一人，反殖民的博物館介入（intervention）也不是我發明的；我要大大感謝那些行動主義者和教育者，他們數十年來一直帶領著「另類」導覽，專注於種族的歷史、性別的歷史、性特質的歷史、失能者的歷史，或活在狹義「正常」之外的所有人的歷史。不過，此刻，感覺我們似乎處於一個轉捩點。與歸還文物（repatriation and restitution）相關的公開對話已經建立了好一陣子，而且似乎是國族認同與國族主義所引發的更廣泛國際焦慮的一部分。終於有人提問：誰有權利持有文物，訴說它們的故事？

對於這點，我沒有明確答案，但我試著逐步解決這些問題。「不舒服藝術導覽」是要讓殖民史現形，彰顯博物館今日的運作方式，以及證明博物館創立者和典藏家的信念如何持續與今日共鳴。無論好壞，這些空間依然受到過去政治與美學的形塑。形塑的對象不僅限於博物館典藏的文物

或影像，也包括它們的陳列方式：策展人如何描述文物，他們如何透過比較和對照來創造敘事。這本書是教你如何當個具有批判精神的博物館參觀者：讓你帶著自信走進藝廊，並能看出博物館幕後的深層敘事。

我們看待文物的方式從來不是客觀的：它受到我們的身分、我們的經驗以及我們被教導的世界觀所形塑。沒有任何兩個人會以一模一樣的方式觀看藝術。這並非質疑博物館的工作者，也不是看不起他們的專業，而是要提醒自己，專家不只一種。博物館工作者的資格來自訓練，藝術家的資格來自實踐，而與文物創作者來自同一文化背景的某人，則有另一種理解。學術有其價值，但並非認知事物的唯一途徑。

正確透視非唯一最佳再現方式

理性、客觀的藝術觀看方式是十五世紀的發明。1435年，萊昂・巴蒂斯塔・阿爾伯提（Leon Battista Alberti）講了一個迷人的故事，是關於建築師菲利波・布魯內雷斯基（Filippo Brunelleschi），他畫的佛羅倫斯洗禮堂（Florence Baptistry）圖像，完美到讓人誤以為是實物。布魯內雷斯基在洗禮堂外聚集了一批群眾，讓一名旁觀者一隻手握住一塊板子，另一隻手拿著一面鏡子。那名旁觀者站在一個精準的位置，透過板子上的小孔朝拿在他手上的鏡子望去，鏡子舉在他前方一個精準的距離外，那名男子以為他看到洗禮堂了。事實上，他看到的是布魯內雷斯基畫在木板背面的洗禮堂圖像的反射鏡像。布魯內雷斯基已經「發現」如何根據相互比例描繪物件和建築物，讓它們看似逐漸向後縮退，就跟在真實世界中一樣。這就是定點透視的發明。

布魯內雷斯基那件具有啟發作用的畫作已經不存在了，所以這個故事是建立在阿爾伯提的版本之上（只不過阿爾伯提當時根本不在現場，他被佛羅倫斯放逐在外）。這是歐洲藝術史的一大轉捩點：是視覺與知識都臻於完美、毫無瑕疵、井井有條的那一刻；一套規則系統就此發現，迎來了文藝復興和它的一切榮耀。布魯內雷斯基的那一刻，是改變世界的天才時刻。

至少，在我記憶中，高中美術老師是這麼說的。凡是曾經坐在學校美術教室裡盡責繪製網格的人，對這套透視系統都很熟悉。但這種講故事的方式，錯失掉現代藝術史普遍接受的一個重點：並沒有哪一種觀看或再現的方式「比較好」。創作的目的，並不總是以「正確」的透視和比例再現數學上的「完美」世界。布魯內雷斯基的方式反映了一個非常具體的目標，就是要創造一種視覺把戲，這種把戲只有在單一個人站在單一定點上用單眼觀看時才會奏效。任何人都可以畫圖，並選擇使用或不使用定點透視法；他們也可選擇不同時代、不同地方、不同圖像製作者所使用過的任何再現技術：比方利用大小來表示權力，壓平風景讓焦點集中在前景，從多重角度描繪單一物件等。但再現往往具有文化上的特定性。對布魯內雷斯基和他的同代人而言，透視與景深幻覺是最重要的關鍵考量，而換成其他時刻，也許再現紋理、光線或運動才是第一要務。事物未必得具備科學上的完美性才能傳達，單憑幾筆速寫線條也可以認出一張臉或一棟建物。因此，有一點很重要，透視研究在十五世紀的義大利占有主導地位，以及人們喜歡可展現畫家技巧的複雜背景圖像，這都只是一種風格選擇，而非邁向普世卓越藝術形式的必然走向。超越文化界限的好藝術或好創作的基

本特質並不存在，我們喜歡的往往是我們認識的東西，以及我們被教導應該喜歡的東西。

西方文化裡的許多藝術和藝術史，都與義大利文藝復興所假定的完美藝術緊密相連。這個時期的目的，是要恢復藝術的寫實主義，並將關注的重點放在比例、尺度以及視覺模仿的整體精準度。人們認為，這樣的文化轉變引領了發現時代的來臨，一個四處探險、財富增加、科技進步的黃金時代。但是，所有自稱為探險家的人，卻是某些人眼中的入侵者——那些總是得為鍍金和進步不懈付出代價的人。當某一特定文化時刻被賦予如此突出的地位，並轉變成文明的搖籃時，總是得犧牲其他地區、歷史和社群。

這正是博物館的角色所在。透視法的「發現」，個人單一固定視角所具有的主導性，正好與聚焦於理性化和控制世界的文化大氣候若合符節。透視法的歷史，以及人們企圖控制它的種種方法，都是歌頌個人主義的政治大轉變的一部分，也是趨近世界的一種方式，捍衛自身明顯可見的理性客觀——它假定「只要我能看見事物，我就能理解它，進而控制它」，也假定你能單憑事物的外在表象徹底了解它。它可以組構和限制觀看者的視野，並將只在極端特定的情況下才有效的規則強加上去。我們為了敘事，為了「正確的」圖像而忽略掉事物本身，或扭曲它們。我並不打算為了新自由主義而責怪文藝復興——但我希望你們能意識到，你們被教導以何種方式觀看影像。即便你從未學過正式的視覺分析，你也會藉由觀看藝術、電影、電視、廣告、Instagram等等，而從大環境裡吸收到這些。你的個人品味有其價值，但品味也是一種文化產物：它總是會受到你放眼

所及的事物、你熟悉的事物、你同輩喜愛的事物所影響。它會受到藝術史、設計史和社會史的感染，而且會由敘述歷史的機構，也就是博物館，捏塑雕鑿。

看見藝術中的政治性

人類是囤積者。我們在生活中累積文物，將它們安排在我們四周。泥金手抄本、郵票、茶巾、明信片、「古代大師」（Old Master）的畫作、酷搖滾、十四世紀的刀劍、火柴盒。我們透過物件與世界互動，它們的意義超越材料的限制和功能。我們將自身的欲望與信仰投射在物件上，讓它們契合或支持我們的看法。人類喜好秩序，雖然某人的秩序可能是另一人的混亂。也許你會將收藏展示出來，或藏在櫃子裡，然而它們都會被排列，兩個或兩個以上的文物透過並置與比較創造故事，塑造敘事。做出排列的那個人，就是在撰寫敘事，無論排列是發生在臥室或博物館。博物館就是這樣的欲望，它得到權力的支撐，將白我擴張到極端——它需要無可動搖的信心，相信你的東西重要到足以奉獻「給國家」，並能說服當權者應該接受你的奉獻。

基本上，策展的過程就是組織已經存在的文物，選擇如何去理解和呈現某一空間裡的各色物品。策展人或許也有責任照顧和保存典藏品，但在今日大多數的博物館裡，這項工作是由藏品維護人員負責。（如果你遇到一位策展人，詢問他們的工作內容，你就會聽到他們說，他們的職稱來自「curare」這個拉丁文，意思是「安排」、「照護」，事實上，他們的工作不僅是展示典藏，還包括照料或修復典藏——以上問答幾乎屢試不

爽。）這些角色日益具有獨占性，儘管一直有些轉變提供實習生更多機會，但想要在博物館工作的學子們，還是得展現出志願服務的熱忱，而且要有能力取得昂貴至極的（且通常是理論性而非實務性的）研究生學位，才能得到基本的有薪入門工作。它依然是個在財力上具有排他性的行業，高層職位往往反映了這點，一個朝白人與優勢階級傾斜的行業。*

　　所有藝術都是政治性的。博物館裡的每樣東西都是政治性的，因為博物館是由創造它的那個世界的政治所塑造。你看不出其中流露的觀點與議程，並不表示它們不存在：很可能那只意味著，那些觀點與議程與你的非常接近，近到你視之為理所當然。然而，此刻給人的感覺彷彿是，博物館在追求「中立」（其實就是保持現狀）的過程中，逐漸失去它們與當代社會和政治的關聯性。我們活在一個劇烈動盪與轉型的時代，卻很少看到博物館將這點真實反映出來。藝術一直是掌權者的工具，但也是被剝奪者的武器：官方的影視圖像控制了認同敘事，定義出何謂「正確」，但這類官方再現也可用創意手法顛覆摧毀。你必須了解這些場所的規則才能破壞它，如果你不動手，例如，切斷扼殺這些可能性的藝術教育資金，那麼後代子孫將再無起步之地，敘事不容置疑，懷舊大獲全勝。

本書書寫角度與觀點

　　本書分為四篇，每篇都會描述一種不同類型的典藏或藝廊，以及你

---

* 例外情況值得稱頌。排毒博物館（Museum Detox）和勞工博物館計畫（Museum as Muck）這兩個組織團體分別為有色人種與工人階級出身的博物館專業人士提供支持與團結。

可以在裡頭找到的文物。我選擇討論具體真實的典藏品，以此為基礎，探討更大的歷史與認同問題；這些觀看與提問方式，以及隱藏在它們後面的概念與意識形態，都可做更為廣泛的應用。每件文物或許獨一無二，但它也屬於某種類型，雀屏中選的理由可能因為它很獨特，也可能因為它很典型。博物館的做法亦然，一方面頌揚個別文物，但也會清楚表明，這些文物因為代表了更廣泛的類型而受到重視。我把焦點放在文化西方的博物館與典藏品上，因為博物館是歐洲和啟蒙時代的發明（關於後者，詳見P.98），而且有高比例的文物出自大英帝國與其前殖民地，這點反映了個人偏見，畢竟這些歷史與典藏是我最熟悉的。

我會避免公然區分「藝術家」（artist）與「工匠」（artisan），因為這兩個名詞帶有品級高低、才智高下的意涵，在這種區分裡，藝術家做的是具有美學歡愉的高價值文物，工匠做的則是具有目的性的機能物品（或最重要的，在歐洲人眼中看起來不像藝術品的東西）。我們也經常得面對其他形式的區分。如果我要你舉出一位藝術家的名字，你會立刻想起誰？問問你自己：你多常聽到某人被描述為「男性藝術家」，或具體貼上直男、順性別、白人的標籤？你是不是更常聽到某人被稱為酷兒藝術家，或女性藝術家，或有色人種藝術家？琳達・諾克林（Linda Nochlin）的著名論文〈為什麼沒有偉大的女性藝術家〉（Why Have There Been No Great Women Artists?），深入剖析在西方文化史上，可讓一名藝術家被視為「天才」的課堂、工作室與藝廊，全都門禁森嚴，只有一小撮人可以進入，且絕大多數是白人、男性，並具有布爾喬亞的家庭背景。[1] 這篇論文是1971年寫的，有些情況已經變了，但它依然可以證明，當阻礙她們成功

的所有路障都設好之後，要召喚一套全新的藝術家準則有多困難。一名藝術家想在機制內部成名所需闖過的重重難關，極其有效地把一大群人排除在外，以至於缺乏多樣性似乎變得順理成章。

觀看的方式不只一種

身為一位積極投入的博物館參觀者，你的任務就是要謹記，博物館是一個裝了物件的方盒子，那些物件是由一名或一群收藏家擺在裡頭，並將它們當成完整的內容呈現出來——所以你要自問，其中少了什麼？我們是透過誰的眼睛觀看這個故事？這則歷史如何被搓揉竄改，剪貼成一則敘事？又是「偉大白種男性」（Great White Male）的老套路嗎？切勿自滿地相信，如果有價值，它就會在博物館裡——以及反過來，如果不在博物館裡，它就無關緊要。

博物館強勢主導了我們對展品的情緒和智性反應——那未必是惡意的，但你必須保持警戒，因為這些選擇性的敘事乍看之下很像已成定論的歷史，或對錯分明的二元論。我們學習遵循博物館空間的邏輯，從一個展櫃移動到另一個展櫃，相信說明牌，自我檢點，舉止合宜，卻不願承認這些典藏在取得的過程中有任何醜陋與殘酷。我們以單點透視法觀看圖像，我們信任它們，因為我們熟悉它們要弄的伎倆。我們知道它的巧妙之處，而我們選擇不去看它。說到底，那不過就是紙上的幾條線，但我們學會把它們當成空間性、正確的和有價值的。如果我們以同樣的方式觀看博物館，結果會怎樣？我們可以將博物館理解成以意識形態打造的空間，並開始解讀它們容納與排除的文本。觀看的方式永遠不只一種。

PART I

The
Palace

宮殿型

我們將從最閃亮、最耀眼的藝廊類型開始。我用「宮殿型」稱呼這類藝廊，因為博物館的概念就是源自於宮殿、皇族的居所和貴族的住家。[1] 在這一篇裡，並非每項文物都和皇族有關，其實大多無關，但我用「宮殿」這個簡稱來代表曾經屬於私人且只有受邀菁英才能登門欣賞的典藏。這些典藏最初安置在人們居住的空間，並逐漸演化成令人讚嘆的藝術體驗。這類典藏有些會在日後併入某個更大的機構，但往往會保存在原初的環境或格局中，並藉由與收藏家的關聯而保有某種區隔性。這類宮殿是其他所有博物館的鼻祖：是最早期藝術收藏家的家，是收藏家彼此碰面交流的專屬場所。宮殿型博物館一開始是「王侯典藏」的陳列室，展示文物以提升擁有者的形象，今日則持續充當展演威權的儀式性空間。[2]

從私人宮殿躍升公眾博物館

每個人都收藏東西，我們終其一生不斷累積，累積一堆我們鍾愛關心、雜七雜八的物質。想要盡最大努力用最多東西裝飾我們生活的空間，這很正常，也不可避免。我們做出獨特選擇來展現自我品味，這些選擇會影響周遭之人，也會受到他們影響。博物館的運作也是基於同樣原則，特別是早期的宮殿型博物館：它們體現了某個人或某個封閉群體自由無拘的興趣和欲望。以同樣的方式，個人或許可在自己家中組合出自己的身分標記，而當權勢之人有空間和興致以自身資源所允許的規模和場面去做這類事情時，宮殿型博物館便應運而生。

宮殿博物館的原型是巴黎羅浮宮。最初是一座中世紀城堡，十六世紀拆除，改建成一座道地的皇家宮殿，法國國王從十四世紀起就住在羅

浮宮，直到1680年代遷往凡爾賽宮，但羅浮宮依然是數量龐大的繪畫、雕塑以及裝飾藏品的家。1690年代起，羅浮宮的某一部分成為皇家繪畫和雕塑學院（Académie royale de peinture et de sculpture）的所在地，也就是皇家藝術學校，讓學子們有機會研究宮中典藏，藉此學習。此舉將羅浮宮部分轉變成一座私人藝廊—雖然還是很難進入，但至少有源源而來的藝術家和受到認可的賓客。法國大革命期間，羅浮宮與內部的一切盡遭沒收，典藏首次向大眾開放，直到今日，依然是首屈一指的藝術博物館之一。

　　羅浮宮是最早從私人宮殿躍升為公眾博物館的代表之一，但並非唯一。馬德里的普拉多（Prado），聖彼得堡的冬宮（Hermitage），佛羅倫斯的維琪奧宮（Palazzo Vecchio）：許多博物館都是從私人收藏開始，後來向公眾開放，我們將會看到一些案例，了解一位藏家的個人選擇如何在更大範圍上影響藝術與文物的觀看體驗和參與方式。不同於後期專為教育一般大眾而設立的藝廊（參見第二篇：教室型），宮殿型博物館的共同之處在於，它們並未把廣大的觀眾（audience）納入設計考量。這類博物館空間，今日我們可能視為理所當然——認為它們是有意識的組合，甚至把它們視為完整的實體，卻不曾思考個人和他們的意圖如何在不同時期塑造了這些空間。這正是宮殿型博物館的狡猾之處：它們展示典藏的方式，彷彿那些典藏是某種自然生成物，是剛從不知哪個完全中立的空間裡拿出來的。從宮殿型博物館裡很難了解檯面下的髒汙，了解金錢和權力來自何處，以及為何是這些而非其他文物雀屏中選。

歷史掌權者的視覺故事

　　宮殿型博物館的實相是一種總體藝術（Gesamtkunstwerk）：這個空間將建築、陳列、設計與文物融合成完整的美學敘事。本篇列舉的許多文物，隨著時間流轉、趨勢轉變而不斷被重新想像，轉換意義，但它們擺在最初的宮殿典藏中時，它們是一個更為宏大的視覺故事的一部分，在這個故事裡，每個元素都對整體做出貢獻。參觀宮殿型博物館是一種沉浸式體驗，勝過其他任何類型的博物館，這裡的環境設置就跟典藏內容一樣，都是奇觀的一環。以某特定文物為中心所設計的宮殿博物館並不罕見，展廳裡的所有細節都是為了替藏品增光。

　　羅浮宮依然帶有宮殿型博物館的印記。它的典藏是由許多歷史人物的個人品味所決定——是由不同朝代根據掌權者的興致奇想蒐組而成的文物拼盤，反映了層層疊疊的意識形態與美學偏好。和所有的皇家或帝國典藏一樣，它有點雜亂，串聯它們的是朝代而非任何主旨。私人典藏是特立獨行的，它的配置是為了契合某　私人的眼光和欲望，而不是要向史廣大的觀眾傳達故事。它們由親密的空間界定，通常是居家空間，這類空間與裡頭典藏的文物創造出一種緊密連結，文物通常以並置方式呈現。今日，當這些私人典藏向一群新觀眾開放，這些文物可能會被加入更大的機構並重新陳列，形成更明顯的敘事。有些規模較小的宮殿型博物館是因為財務理由對外開放——想想那些基於稅賦考量而留給「國家」的鄉間莊園——不過我們的關注焦點，是那些基於原初收藏家的想望而開放的空間，他們想要藉此打造自身的紀念碑，想要展示自身品味以啟發他人。

現代富人的美學沙盒

在人們擁有足夠金錢、時間與空間的地方，就有宮殿的身影。有些最古老的宮殿型博物館——例如羅馬的波各賽藝廊（Galleria Borghese）和法爾內塞宮（Palazzo Farnese），或佛羅倫斯的碧提宮（Palazzo Pitti）——是由皇家或教宗相關人士所興建，建築本身與它內部展示的文物，其重要性不分軒輊。後來，一些人也打造了自己的私人宮殿，例如英國的約翰·索恩爵士（Sir John Soane）和理查·華勒斯爵士（Sir Richard Wallace），或是美國的亨利·佛里克（Henry Frick）與伊莎貝拉·嘉納（Isabella Stewart Gardner）等，規模較小，反映的是他們身為品味創造者和鑑賞家的地位，而非王朝攢積品的繼承人。索恩、華勒斯、佛里克和嘉納博物館，都是以他們的大名做為形象設計，投下重金將這些個人打造成傑出不凡的品味人士，他們的確是，但其實這類典藏裡往往充斥著並不傑出的文物，只能顯示當時最搶手的作品是哪些。宮殿型博物館通常有許多共通點，因為它們的創辦人多半是在同個圈子裡走動，相互交流影響，最重要的是，他們會資助同一群藝術家，讓藝術家有機會近用自己的典藏，進一步擴大創辦人在品味與潮流趨勢上的影響力。

宮殿型博物館並未在現代消失；依然有好幾十座當代私人藝術典藏是根據宮殿型的原則運作。1950年代，佩姬·古根漢（Peggy Guggenheim）讓好奇的訪客進入她的威尼斯別墅，雖然別墅在她死後改建，更像傳統的博物館（移除了家具和私人物品，並在牆上增添說明牌），但許多作品依然以她生前的陳列方式展出。類似案例還有1974年在馬里布（Malibu）開幕的蓋提別墅（Getty Villa），展出蓋提家族部分典

藏。蓋提別墅是對戴帕皮里別墅（Villa dei Papiri）的想像重建，後者是古羅馬時代的一棟別墅，在維蘇威火山爆發時遭到掩埋，那個場址具體展現出約翰・蓋提對古典雕刻與考古學的迷戀。那棟建築就是奇觀的一環，雖然特意打造成博物館，但它與蓋提家的牧場毗鄰，符合宮殿型博物館做為富人美學沙盒（sandbox，譯註：借自金融監理沙盒的概念，指在風險可控的環境下盡情測試創新、發揮想像的實驗場所）的模式。同樣地，當大衛・羅奇（David Roche）在2013年去世時，他位於阿德萊德（Adelaide）的住家也變成一座博物館；部分基地改建成藝廊，但他的居住空間也原封不動地向公眾開放。大衛・羅奇基金會將其創辦者罕見、親密的一面呈現出來：可以看到他的廚房和浴室，給人一種無意中踏進某人住家的強烈感受，而基金會的員工中確實有好幾位是羅奇的朋友，協助他取得那些不拘一格但高度個人化的典藏。

揭露藏家取得文物的權力之網

不過，目前，我想把焦點放在宮殿型博物館的早年階段，將這類空間視為後續典藏的原型加以檢視。雖然本篇關注的文物並非全都和殖民史有明顯關聯，但本篇所介紹的藏家，在今日博物館裡依然可強烈感受到他們的影響力，正是他們的品味和欲望，塑造出今日依然與我們同在的那些機構。就本質而言，最早的博物館都是一些戰利品收藏櫃，一些獎賞品陳列室，這個基本原則今日依然四處可見。博物館「保存」（save）文物：我們形容珍視的東西「具有博物館級的價值」，或有如「藝術品」。即便我們在後文中會看到一些顛覆性的展示對此做出反動，但這樣的回應

依然被視為標準。博物館頒授文化價值，這些空間藉由呈現文物之間的關係來創造敘事，在宮殿型博物館裡，我們可以學習觀看這個過程。大多數時候，這些博物館最初都是為了某個內團體（in-group）而創立，一小群在政治與社會上都與藏家緊密相連的觀眾。所有典藏都是主觀的，我們要做的，就是揭露這些藏家挑選文物的故事，以及讓他們取得文物的權力之網。

　　我們在本篇會看到的文物與藏家五花八門，千奇百怪。它們講述了宮殿型博物館做為私人權力之所、威望之地、歡慶之處的故事——連同各種古怪、過時、特立獨行和引人好奇的展示。這些故事包括一位外交官妻子裝扮成一只希臘陶瓶，一位建築師以一具墓棺為中心打造他的家，走私鑽石的商人，最終用來裝飾政府辦公室的殖民宣傳，以及一只中世紀聖物匣和它的雙胞胎贗品。但問題在於，這些藏品為何能存留下來並塑造了博物館的面貌？我們付出了多大的代價來緬懷這一小群人，而將他們鍾愛的文物奉為聖品又有何隱意？這就是我從這些故事開始講起的原因：你必須先了解你的歷史，才知道該如何挑戰它的遺產。

1. 陶瓶與姿態

Vases & Attitudes

1772年3月，大英博物館進行了第一次古物大收購。

這次收購相當可觀，價值八千四百一十英鎊（相當於今日的一百萬英鎊以上），內容包括「七百三十只陶瓶；一百七十五件赤陶器；約莫三百種古代玻璃；六百二十七件青銅器；兩百多種祭祀用、居家用和建築用的儀器與工具；十四件淺浮雕、半身像、面具和碑銘；大約一百五十件各式各樣的古代象牙；一百四十九件寶石；一百四十三件私人金飾；一百五十二件搭扣；以及六千多枚錢幣與獎章。[1]

這些都是來自威廉・漢米爾頓爵士（Sir William Hamilton）的私人典藏，英國駐那不勒斯王國的使節。漢米爾頓爵士熱情洋溢，從希臘古物到各處火山無一不迷，他收集畫作家具，挖掘墳墓（有時偽裝身分），同時保有他身為外交官和頭人東道主的身分，迎送各類賓客，包括作家、顯貴，以及（對漢米爾頓而言最為重要的）藝術家。他在那不勒斯待了三十六年，從1764年到1800年，豪擲數千英鎊在他的興趣上，買下現有的典藏並資助他自身的考古挖掘。抵達那不勒斯不到一年，他就計畫要出版一本典藏目錄，他的住家更是改造成某種功能強大的古物市場。1772年他賣給大英博物館的那批文物，占了他典藏中的一大部分，但遠不及全部。

談論宮殿型博物館這個主題，漢米爾頓是個很好的起點，因為他扮演品味創造者的方式，兼顧了他典藏裡的公私元素。漢米爾頓將自宅打造成一座宮殿型博物館，向受邀賓客開啟大門，目的是要在故鄉英國定義出一種嶄新的新古典主義美學，而對我們稍後會提到的某些藏家而言，他是個重要的原型。在此，我們要關注的並非某一特定文物，而是漢米爾頓典藏所代表的廣泛意義。

典藏的過程總是會牽涉到挪用（appropriation）這個元素：也就是說，將文物從它的既有脈絡中取出放入新的脈絡。當文物移動並取得新意義，背後通常有一股驅動設計或欲望——有某位藏家的喜好或貪欲。文物可能被當成研究或美學欣賞的焦點，或是藏家希望讓自己與該文物的歷史產生關聯。在漢米爾頓的案例裡，他的典藏結合了上述一切，但受到某種懷舊情懷的強烈影響，這種情懷凸顯出他對神話般的希臘過往具有獨特的理解與連結。

漢米爾頓的典藏工作

漢米爾頓典藏古物的那個年代，深深受到藝術史家暨希臘古典雕刻學者約翰‧亞奧希姆‧溫克爾曼（Johann Joachim Winckelmann）的影響。1755年，溫克爾曼出版了《希臘美術模仿論》（*Gedanken über die Nachahmung der griechischen Werke in der Malerei und Bildhauerkunst*），1767年由畫家亨利‧菲斯利（Henry Fuseli）翻成英文——不過到了那時，大多數有錢有權的藏家早已熟知他的想法。雖然溫克爾曼的研究對象主要是希臘雕刻的羅馬仿品，畢竟那是當時最大宗的出土物，但溫克爾曼

還是鼓勵藝術家鑽研這些典藏，以它們做為美學參考。結果就是強化了古希臘藝術在美學上的顛峰地位，藉由模仿來延續它的價值。溫克爾曼認為，這些雕刻的純淨之美與外觀，反映出理想的道德品格，它們是完美社會的標記，他的同代人可藉由摹製再造重現。[2]*

漢米爾頓爵士就是在這樣的時代從事他的典藏工作，整個社交界著迷於重現古典時代的建築與藝術，他本人也深受溫克爾曼的影響。他倆在1760年代末碰面，溫克爾曼為漢米爾頓和羅馬的一些朋友進行導覽，兩人還針對漢米爾頓的陶瓶頻繁通信。[3] 對個人而言，擁有一項文物可為當代藝術家提供典範，並可協助社會朝希臘的理想狀態前進，可說是生前地位和死後名望的保證；切記，收藏陶瓶除了有機會取得金錢報酬之外，這點也是一大動機。在當時，典藏是一件相當不划算的事——大英博物館（漢米爾頓心中的典藏歸宿）當時還沒有一以貫之的典藏政策，漢米爾頓最後還送了許多文物當成「禮物」。除非藏家能找到另一個更有錢的人願意付錢收購，否則很可能以負債收場且無法將典藏品賣給博物館，特別是當博物館希望以遺產餽贈的方式取得典藏。

1764年，漢米爾頓放棄半心半意的政治家生涯，接下大使職務抵達那不勒斯，隨即開始購買陶瓶和其他古物。遷往義大利主要是為了第一任妻子凱薩琳（Catherine），她罹患慢性肺病，身體一直不好。大使的職務往往入不敷出，典藏的支出加上住在那不勒斯的花費兩頭齊燒，漢米爾頓

---

* 如今我們知道，這些雕刻通常都上了重彩，它們無瑕的白皙外表（溫克爾曼和其同代人極力強調這點，將之視為他們所謂純淨完美的標記）是一種謬誤。這些雕刻的色彩以及它們再現的對象主要是白人，這兩點都符合一種心胸狹窄的種族主義神話，將歐洲視為所有文明的中心。

的財務並不十分安全，出售古物對他不無小補。1755年時，法令禁止從那不勒斯出口古物，主要是為了確保國王斐迪南四世（King Ferdinand IV）可以擁有最精華的出土文物，為他自身的典藏增值，但漢米爾頓還是在1765年提出請求，准許他將典藏的一些錢幣送往英國出售。[4]他的請求遭到駁回，但漢米爾頓照做不誤，這在外交上是相當嚴重的違逆之舉（不過，由於漢米爾頓是英國大使，他在那不勒斯的地位太過重要，無法挑戰，他便善加利用這點）。在第一次的象徵性詢問之後，漢米爾頓似乎不再假裝關心出口禁令，無論何時，想寄就寄，通常是由在倫敦擔任仲介的姪子查爾斯·格萊維爾（Charles Greville）經手。漢米爾頓的考古挖掘，他總愛送禮給訪客的習慣，以及他接受英國其他狂熱同好的委託取得雕像、陶瓶和珠寶的作為，全都是違法的。他藉職位和治外法權之便將文物送出國，並利用這項優勢壟斷那不勒斯古物在英國市場上的買賣。

利用外交官職務之便壟斷陶瓶收藏

漢米爾頓並非第一位利用職務之便進行典藏的外交官——他的那不勒斯前輩是詹姆斯·格雷爵士（Sir James Gray），他是「業餘愛好者協會」（Society of Dilettanti）的創辦會員，那是由藝術狂熱人士組成的私人俱樂部，漢米爾頓也是會員之一——不過，他的確是到當時為止成果最豐碩的典藏家和經銷商，一位倫敦顯貴，並占據獨一無二的位置可取得他迷戀的陶瓶。在此必須說明，漢米爾頓抵達那不勒斯時，在搶手古物的清單上，陶瓶的位階其實很低，有部分是因為當時人認為那些陶瓶是伊特拉斯坎（Etruscan，義大利中部）文物而非希臘古物，因此較沒價值。漢米爾

頓有助於重新評估這點，因為他可以拿他在那不勒斯發現的陶瓶與雅典出土的殘片繪圖做比較，結論是，他典藏的陶瓶大部分都是從希臘進口的，或是由那些自西元前八世紀起就統治義大利南部的希臘殖民地所製造。[5]這大大提高了英國本土對陶瓶的興趣——而這個時間點，漢米爾頓又幾乎壟斷了義大利南部陶瓶的出口生意。

當時，對於古物的適當處置甚至挖掘的基本協議都無共識。雖然漢米爾頓對自身藏品的發現地會提供相當仔細的訊息，但他也會跟一些比較不嚴謹的人士購買，至少有一次，他買了一件他認為是從法王那裡偷來的文物。[6]值得一提的是，在本書書寫的此刻，義大利最高法院正在奮力爭取，要求洛杉磯的蓋提美術館歸還一件名為《勝利青年》（Victorious Youth）的銅雕。該件銅雕出自留希波斯（Lysippos）之手，他是溫克爾曼大力推崇的希臘雕刻家之一，作品約莫完成於西元前300年到100年間，1960年代出土，後來（據說）非法出口到美國。蓋提美術館是一座現代版的宮殿，是位於前私人住宅裡的私人典藏，如今可供大眾啟迪之用。該銅雕是無意中被發現的，並在顯然未獲准許的情況下賣出國，如今成為一個重要典藏的核心文物——根據以上種種情況，思考一下留希波斯的銅雕與漢米爾頓的陶瓶之間有何相似之處，以及這是否會成為更大一波歸還義大利古物運動的開端，應該會很有意思。目前我們並不知道答案，而這當然不是漢米爾頓當初能預見的。不過，他確實擔心義大利會被法國軍隊「掠奪摧毀」，「可憐的義大利肯定會被奪走它最精美的大理石、繪畫和青銅，如果那些法國掠奪者往前推進，曾經發生在帕馬（Parma）的慘事肯定會再次重演。」[7]他指的是1790年代拿破崙軍隊占據帕馬之後，將古物

從義大利搶走，變成羅浮宮裡的國家新典藏。漢米爾頓的話語當中，顯然沒太多諷刺意味。

將上古文物轉譯為當代文化的重要女性

討論漢米爾頓，不可能不提及他的第二任妻子，包括她在他典藏裡的地位，以及她在十八世紀末如何影響了時尚與藝術的發展。本名愛咪‧萊昂（Amy Lyon），人稱愛瑪‧哈特（Emma Hart）或後來成為漢米爾頓夫人，她的生涯就跟她丈夫的品味一般多元，當過模特兒、情婦，最後成了某種行為藝術家的原型。

愛瑪在1786年抵達那不勒斯，當時威廉‧漢米爾頓爵士的第一任妻子剛過世不久。他倆結識於稍早幾年，當時愛瑪是漢米爾頓的姪子暨古物交易幫兇查爾斯‧格萊維爾的情婦。格萊維爾年輕、單身、地位又高，可以自由和愛瑪發展關係，不會傷及他的社會地位或文化特權，不過他倆的依戀關係必須在他結婚之前結束。愛瑪的地位遠低於他，但她已為自己奠下大美人的名聲，雖然不能當妻子，但做情婦絕對夠格。她是一名性工作者（通常一次只有一名而非多位顧客），而且有一點要牢記，她為自己規劃的職業生涯在當時並無不法也未被汙名化。查爾斯提供愛瑪和她母親一棟房子、財務支持以及一定程度的安全。這種安排看似明明白白的交易，但他們的關係也有情感和家庭的成分，除了性愛之外，也期待她提供伴侶關係。但愛瑪的地位並不穩固，因為一切最終都掌握在查爾斯手上，包括社會與財務，儘管他們的關係眾所皆知，在當時也不是什麼醜聞——他倆結識時，她是查爾斯一位朋友的情婦，當那段關係結束之後，她就投向查爾斯。

　　愛瑪在英國是眾人熟知的模特兒，以「臉」聞名；她是喬治・羅姆尼（George Romney）的繆斯女神，當時的主要藝術家幾乎都畫過她。從這些畫作可以清楚看出她是個美人，很符合當時的審美觀，極為對稱的臉龐、直挺秀氣的鼻子、圓潤雙唇、水汪大眼、白皙皮膚，完全就是希臘古典雕刻的理想型，所以畫中的她通常都以神話裝扮現身。1784年，她與威廉・漢米爾頓相遇時，漢米爾頓委製了兩幅她的肖像，帶回那不勒斯，他似乎對她逐漸著迷，所以當查爾斯明白自己必須甩了愛瑪，以便和一位富有的女繼承人結婚時，他就把愛瑪轉介給威廉。1786年，愛瑪踏上那不勒斯的土地；查爾斯送她上路，並保證放假時會去找她，但他從未出現。她明白自己陷入困境，別無選擇，只能接受命運安排，成為漢米爾頓家的一分子，成為他最美麗的所有物之一，連同他收藏的她的肖像。她和威廉最後基於需求發展出一段關係，並於1791年結婚。愛瑪以不竭的靈活面對逆境：被送到那不勒斯不滿一年，她就接受自己的新角色，開始為漢米爾頓的賓客表演「姿態」（Attitudes），她打扮成他陶瓶上的人物，運用道具擺出各種姿勢，將他的典藏活生生地展演出來。

　　愛瑪靠自己的力量成為一名創意藝術家，她的能動性（agency）經常遭到抹煞，因為人們把焦點擺在身為場景導演的漢米爾頓身上。不過，還是有許多人形容她是一位多才多藝的表演者，並受到漢米爾頓朋友的稱讚，其中一位寫道，他「不曾見過比她更流暢、更優雅、更壯美、更英雄」。[8] 雖然別人只將她視為漢米爾頓典藏的一部分，但她終究在困難的環境中活出積極的自我。除了扮演漢米爾頓的模特兒之外，她也有自己的生活，包括友情與戀情。* 與他倆為伴的藝術家和作家們，都把焦點放在

他的典藏之上，並將她在其中的角色給物化了：歌德描述，他在1787年3月看過她的「姿態」表演，但甚至連她的名字都沒提及，而是將整個場景視為漢米爾頓的某種奇怪性狂想；當愛瑪和威廉在1791年結婚時，作家暨收藏家霍勒斯・沃波爾（Horace Walpole）寫信給朋友說：「威廉爵士真的娶了他的藝廊雕像。」[9]他們被視為一對古怪但有權勢的夫妻；當漢米爾頓出版他的陶瓶目錄時，他也鼓勵藝術家描繪愛瑪的「姿態」演出，佛里德里希・雷伯格（Friedrich Rehberg）為此在1794年出版了一本畫冊（由托瑪索・皮羅利〔Tommaso Piroli〕製版，參見圖1）。在這些版畫裡，愛瑪擺的姿勢有好幾幅極度近似漢米爾頓陶瓶上的人物，其中有些還刊登在他的目錄裡，而有數十幅她的肖像似乎也來自相同的參考來源。[10]不過愛瑪早在與漢米爾頓發生關係之前，就一直扮演古典人物的模特兒，也早就以表演者的身分聞名。從羅姆尼為她繪製的許多肖像，就可看出她的多樣性，她可擺出祈禱聖徒、跳舞寧芙和復仇女神的姿態。她是一股創造力，一個將上古文物轉譯成當代文化的重要人物。威廉・漢米爾頓或許是那位有資格創造實體典藏的人，但愛瑪讓他的典藏栩栩如生，為他的陶瓶與雕像注入活力，大大提升它們的吸引力。

藉由典藏及展示美的事物來引領世界

　　威廉・漢米爾頓典藏古物有部分是著眼於傳承，他深深覺得，他的

---

* 愛瑪是2016年格林威治國家海事博物館（National Maritime Museum）一次大展的主角，副展名是「誘惑與名流」（Seduction and Celebrity）。參見展覽專刊：Quentin Colville and Kate Williams (eds), Emma Hamilton: Seduction and Celebrity, Thames & Hudson, 2016。

陶瓶應該要有某種類型的閱聽公眾。他認為那些陶瓶需要被觀看，被研究，無論是親眼目睹或透過圖片，如此一來，藝術家可從它們身上學習，繼而發展出挪用歷史又超越過往的美學。雖然觀眾局限於一小群優越人士，但他與友人以強有力的品味創造者自居，他們有義務藉由典藏和展示美的事物來引領世界。愛瑪就是這項使命的一環，而她的影像甚至比他的陶瓶流傳更廣：她的肖像製作成商用印刷品，還成為漫畫家的諷刺對象，一眼可辨，眾所周知。這些影像的流通範圍跨越了社交藩籬與背景，成為新古典主義品味逐漸滲透英國的一部分，人們將愛瑪的美偶像化，並將她轉化成漢米爾頓的品味標誌。這些圖像符合漢米爾頓的終極目標，有助於在英國培育出一道欣賞藝術與美的新眼光。他是我們在本篇會看到的典型藏家：對自己的感知與鑑賞能力充滿自信，運用自己的權勢與地位擴大典藏，並投資打造一個浪漫化的敘事，鼓勵人們藉由模仿過往來超越前人。

　　典藏是一種政治行為，並可創造出顯著的文化成果：漢米爾頓陶瓶目錄裡的插圖，掀起了一波對於古希臘圖像的時尚飢渴，而這或許就是收藏行動在地中海地區日益猖狂的背景之一。更多使節與富豪以漢米爾頓為標竿（我們將看到另一位大使在埃及的類似行徑），漢米爾頓對法國藏家的恐懼也非無的放矢——千百件文物移轉到歐洲各地的私人手中，且通常是從南歐和東歐的挖掘地送往北歐的博物館。漢米爾頓當然是一大要角，大英博物館和他同時代的藏家也占有一席之地。1803年，漢米爾頓去世：那時，第七代艾爾金伯爵（Earl of Elgin）湯瑪斯・布魯斯（Thomas Bruce）正在雅典順利移除巴特農和其他衛城神殿上的浮雕。認清漢米爾頓在這個敘事裡的位置，大大有助於我們理解英國人民是以何種方式「擁

有」所謂的「艾爾金大理石雕刻」（Elgin Marbles，譯註：指巴特農神殿
上的雕刻和建築殘件）。正是因為漢米爾頓的介入，助長了對於某一特定
時期與地方文物的渴望，讓私人藏家可以發揮推動大眾品味的作用，塑造
出典藏藝術是一項國民義務的想法。

2. 石棺

The Sarcophagus

在倫敦一棟房子的地下室裡，有一具三千五百年的石棺。

那是一棟不尋常的房子，一具不尋常的石棺。石棺屬於法老王塞提一世（Seti I），時間可回溯到西元前1370年左右，是由一塊巨大的半透明雪花石雕鑿而成。[1] 上面刻滿了象形文字，敘述太陽穿越冥界的旅程，最初還塗了藍色顏料（不過，誤判的修復與清洗方式已將顏料悉數抹除）。棺蓋在某個時間點上連同盛裝法老內臟的卡諾皮克罈（canopic jars）一起被砸碎了，只有一些殘片陳列在旁邊的櫃子裡。石棺裡頭原本至少有一具內棺，大概是用鍍金的木頭製作：內棺已遭毀壞，推測是發生在塞提的木乃伊連同其他幾具皇家木乃伊被移到鄰近的戴爾巴哈里（Deir el-Bahari）墓葬群時。停放石棺的那棟房子屬於約翰・索恩爵士（Sir John Soane），一位折衷派建築師，他把自家設計成一座可居住的博物館。索恩在1824年買下石棺：那是他典藏裡的亮點，至今仍放置在博物館最重要的位置，保留它當年的原樣。不過，在石棺落到建築師手中之前，還有一位義大利強人和一名英國外交官經手過。上述人物以截然不同的方式理解這具石棺，但所有人都認為，在打造一個國家級的英國典藏時，它扮演了重要角色。在此，我們將關注它的各種轉型，如何從墓棺變成戰利品又變

成國之珍寶。

尋寶者和收藏家各取所需

　　強人是巴蒂斯塔・貝佐尼（Giambattista Belzoni），外交官是亨利・索特（Henry Salt）。他倆是一對令人敬畏的尋寶者和收藏家。兩人都在1816年抵達埃及，貝佐尼繼馬戲團生涯之後，將自己改造成工程師，索特則是接下總領事的角色。索特是由藝術家轉行古物學家，當時已在北非與地中海世界行過萬里之路，並與其他英國外交官、收藏家和地方統治者建立了交陪網絡，當他需要攀附關係取得領事一職時，這點對他助益甚大。他曾替尚處於起步階段的大英博物館收集古物，館方含糊承諾將支付他酬勞。但他需要一個具有實務手腕的人為他工作，於是他雇用了貝佐尼，事實證明，貝佐尼在挖掘與發現古物方面，不但足智多謀而且異常好運。索特的憂慮主要來自於和法國爭奪文物，畢竟法國派駐埃及的領事已超過十年之久，與當地「帕夏」（pasha，編註：埃及高階官員的尊稱。）的關係相當親密，帕夏自然是更樂意准許法國人挖掘，並同意他們將發現品送出埃及。於是我們看到，在索特抵達埃及那時，法國博物館典藏的埃及珍寶遠比大英博物館來得多。

　　在十九世紀初，收藏古物是所有歐洲國家外交工作不可或缺的一環。艾爾金爵士「收購」巴特農雕刻一事已經夠聲名狼藉，到了1810年代，法國和英國大使更是經常利用古物經銷來貼補收入。索特身為古物藏家的經歷，對他爭取總領事一職大有助益：[2] 他得到威廉・理查・漢米爾頓（William Richard Hamilton，不是前文提到的威廉・漢米爾頓，當時他

已去世）的推薦，後者是艾爾金先前的私人祕書，負責監管巴特農雕刻的移除工作，後來成為大英博物館的理事。索特深知，外交官的位置是將自己打造成古文物大師的理想機會（儘管他沒有任何政治實務經驗），而當貝佐尼於1818年成功將拉美西斯二世（Ramses II）——雪萊（Shelley）筆下的奧茲曼迪亞斯（Ozymandias）——的巨像從路克索神殿（Luxor）移除，以便賣給大英博物館時，索特迎來了他的第一場大勝利。

索特的主要動機似乎是錢，也希望藉由這些重大發現提高他的社會地位，但貝佐尼倒是對他歸化的英國家園展現出強烈的愛國熱忱，堅稱他是為「不列顛這個國家」而非索特這個人工作。[3] 對於索特將他的努力據為己有，貝佐尼一再表達憤怒，他似乎很害怕人們認為他是為私人典藏工作，那似乎意味著，他的動機是出於沽名釣譽。[4] 這對搭檔相互妥協：索特扮演捐客，貝佐尼則靠發現與挖掘工作贏取信譽，兩人各取所需。於是，索特舒舒服服待在開羅，貝佐尼則是冒險深入埃及各地，與法國大使派往路克索、卡納克（Karnak）、阿布辛貝（Abu Simbel）和帝王谷（Valley of the Kings）的代理人比賽，看誰能找到最棒的寶物。

這裡必須牢記，今日我們並不把貝佐尼和他的同代人視為考古學家，而他們的做法在當時相當普遍。考古學這類學門還在不斷演進，處理文物的最佳做法也永遠有新標準。當時從事挖掘與發現之人通常並非歷史學家，甚至沒去過遺址，他們只是在當地人已經搜尋過的地方開挖而已。

埃及展覽的推手先驅，英雄冒險人物的具體化身

「發現」塞提一世之墓被過度誇大。貝佐尼並非是偶然撞見一座寶

窟的偉大探險家，而比較像是第一個有足夠勞力、資金和意志力對該遺址進行深度挖掘的歐洲人。第一個將卡納克和路克索神殿與古城底比斯連結起來的歐洲人，是1726年的克勞德·西卡（Claude Sicard），但早在十六和十七世紀就有其他遊人描述過那些廢墟，其中有些墓地還被當成教堂和隱修所，直到十一世紀。貝佐尼的挖掘確實比前人更加徹底，並為墓牆上的裝飾製作令人印象深刻的鑄件和副本，但帝王谷對當地人而言根本不是什麼祕密。貝佐尼挖到石棺時，棺蓋和裡頭的木乃伊已遭破壞，顯見有人比他更早發現，只是確切的時間並不清楚。貝佐尼和埃及的其他歐洲代理人，基本上都是受到美化的盜墓者，只要能弄到手的絕不放過，很少在乎手段是否正當。他們的目標就是要收集可以在羅浮宮或大英博物館展出的文物，藉此說明該國對埃及的控制力，因為埃及是一個重要的權力基地，也是（當時）歐洲軍事力量在中東與北非影響最遠的所在。控制埃及意味著有能力掐住與亞洲的貿易往來，但埃及也是一座象徵性的寶藏，埃及學（Egyptology）的整個概念都是在「暴力行為、帝國主義和英法敵對」的脈絡下創造出來的。[5]

漢米爾頓以他的陶瓶、以英國做為希臘哲學和藝術的繼承人為中心，建構出完整的文化與美學認同，同樣地，貝佐尼和索特渴求的文物，則是體現了軍事強權與戰勝法國的敘事。這種埃及學不是做為一門學科，而是為了國族榮耀而進行的尋寶行動。對貝佐尼而言，這具石棺象徵他對英國的忠誠與奉獻，是送給他歸化之國的謝禮。發現它，運送它，是一項功績壯舉。

1820年，貝佐尼抵達倫敦，帶著塞提陵墓的草圖和鑄模，他隨即重

建了兩間令人印象深刻的墓室，還展出他發現的一些文物（但非石棺，石棺還在埃及等待運送）。他租用另一位藏家布洛克（Bullock）位於皮卡迪利（Piccadilly）的倫敦博物館（London Museum），一個花俏的奇幻空間，又被稱為「埃及館」（Egyptian Hall），因為它仿造了路克索神殿的建築。該館用來舉辦熱門活動以及展出自然史收藏，是當時倫敦市內少數道地的公共展覽空間之一：門票相對便宜，而一些刻意聳動的展覽，例如貝佐尼挖掘到的陵墓，也讓它大受歡迎。在這裡舉辦的展覽，氣氛與大英博物館截然不同，索特想把他的典藏賣給大英博物館，因為它的學術氣氛比較濃厚，門票政策也更為嚴苛。貝佐尼創造出一種身歷其境、神祕冒險的敘事，直到今日，古埃及相關展覽依然沿用這種風格。想想你小時候八成看過的埃及木乃伊與陪葬品：那些縈繞不去的詛咒和陷阱故事；木乃伊製作過程的陰森可怕，外加將人類遺體處理成某種奇觀；還有一排排令人眼花撩亂的金黃碧藍。貝佐尼是這類展覽模式的推手先驅，是英雄人物冒險求知的具體化身——十九世紀版的印第安納‧瓊斯（Indiana Jones），就連蹩腳的田野技術也如出一轍。

埃及石棺輾轉落入私人藏家

不過，約翰‧索恩爵士又是如何取得那具石棺呢？1823年，索特將他與貝佐尼的埃及典藏大半賣給了大英博物館。這次交易並不順利，因為索特犯下大忌，竟然為每件文物標示價格，而非把整體典藏當成禮物捐贈出去。索特的價目表遭到堅拒，最後只以兩千英鎊的價格賣了幾件文物給博物館，不及他預期價值的四分之一——雖然還是很大一筆錢，但不足以

阻止他在1826年將剩下的典藏以一萬英鎊的價格賣給法國政府，並引發一起醜聞事件。國家感謝他，但不願買帳。

博物館鼓勵索特這類外交官將典藏視為一種愛國行為，但那時博物館尚未捲入不可避免的賠償要求，而且索特與其他藏家也經常在尋寶活動上賠錢。如同先前所提，威廉・漢米爾頓爵士投了數千英鎊在他的典藏之上，雖然他有繼承的財產和兼職的私人拍賣可以支撐，但1772年時，他還是想盡辦法希望從大英博物館那裡拿到合理價格。當時沒有什麼深思熟慮的收購政策：博物館的典藏完全是憑靠機運，仰仗個人的死後捐贈。當時也沒所謂的「遺產」（heritage）概念，例如文物屬於它的出土地之類的，而由貝佐尼和其他人所奉行「誰撿到就是誰的」考古學，總是由外來旅人負責執行，他們把文物當成紀念品帶走，其理由是，既然沒有人要展示這些文物，可見沒人想要或欣賞它們，所以這是公平的遊戲。在博物館無意或無法介入時，類似索恩這樣的私人（以及有錢）藏家就可以下場，確保文物能留在取得者的國家——這跟政府依然禁止出口它們認為應該「保留在國內」而非賣到海外的文物，只是五十步與百步之別。於是，那具石棺在1824年以兩千英鎊賣給了索恩爵士，恰恰就是大英博物館嫌太貴的那個價格。

大宅裡生氣盎然的死亡慶典

在索恩買下那具石棺之初，它是當時最重要的埃及文物，至今依然出色。為了將石棺擺進家裡，索恩必須打掉部分後牆，以它為中心重建石棺墓室。最後，為了慶祝石棺展出，他還在1825年3月舉辦了一連三天的

派對，將自家開放給大約九百名受邀賓客。這起事件記錄在許多日記和八卦專欄裡，以及索恩自己的帳本中：他花了一小筆錢照亮屋子裡裡外外，還在石棺內點滿蠟燭，好讓雪花石隱隱透光。2018年，為了紀念貝佐尼發現石棺兩百週年，索恩博物館舉辦了一次特別的夜間開幕式，重現1825年索恩派對的某些氛圍，包括用蠟燭照亮石棺。這樣的照明使得該件文物更令人驚嘆：它散發出一種奇異的溫暖光澤，象形文字的影子若隱若現。它在索恩的注視下活了過來，一場生氣盎然的死亡慶典。

1827年，索恩為該棟住宅委託製作了一本指南，書中將石棺形容成「無價之寶」。作者甚至聲稱：「世界最大的鑽石與它相比，也像輕浮無味的廉價品。」（如果你想自行判斷的話，可參考第三章，裡頭有一顆非常大的鑽石）。[6] 購買及裝置石棺的成本根本無關緊要，因為真正的價值來自索恩、他的學者與賓客的情感回應和創意反饋。今日，那具石棺依然引人注目，但很難領會它在1825年時的重要性。我們習慣了博物館和它們的紀念性，雖然至今仍時不時有考古發現出土，但近年來已經很難看到大眾對某件埃及文物的迷戀程度能及得上貝佐尼的石棺（2018年6月在亞歷山卓〔Alexandria〕發現的巨大黑石棺曾引起廣大迴響，這或許是罕見例外，但那頂多是一時爆紅）。當然還有1920年代的圖坦卡門陵墓以及1990年代挖掘的KV5墓群（目前所知底比斯最大的墓群），但在這兩個案例裡，關注的焦點都是整個陵墓，而非單一文物。

不過，思考一下那具石棺的成本還是挺重要的。索恩和那本指南的作者選擇不關注它的金錢價值而是強調索恩的鑑賞能力，選擇避談他的財務與社會權力所扮演的角色，集中心力敘述他完美無瑕的品味和眼光。但

「眼光」（discernment）就是一種變相特權：藝術典藏之間的差別就在於金錢，以及取得的途徑，這比藏家的任何內在才華都更重要。建構一則敘事來強調索恩的「鑑賞力」，是為了將索特可能對索恩名聲造成的傷害降到最低。索特拒絕降低石棺的價格，當大英博物館無法接受兩千英鎊的開價時，他甚至拒絕將石棺交出去，此舉對索特的地位有損，但這個汙點並未轉移給索恩，而隨後強調石棺無價的描述，當然也有助於證明他那筆錢花得很值得。

　　索特將石棺賣給索恩一事，雖然令大英博物館理事會大失所望，但這總比把石棺賣給法國繼而剝奪了英國大眾應該享有的埃及歷史權好多了。不過，索恩這類藏家並不只是為國家服務，他也是在打造自己的名聲。他的住宅同時是一所私人宮殿、一份參考典藏、一座國家級博物館。該棟宅邸位於倫敦市中心的林肯律師公會廣場（Lincoln's Inn Fields），由三棟房子打通而成，內部由索恩本人設計，流動在複雜的藝廊空間與正常的居家廳室之間。今日，博物館訪客可從地下樓層的展間開始參觀，他將那些展間命名為「地窖」（Crypt）、「墓室」（Sepulchral Chamber，石棺就收藏在這裡，參見圖2）和「地下墓穴」（Catacombs）。這些是大宅裡最黑暗的空間，大多是墓葬藝術或墳墓雕刻。從這裡往樓上走，迎著光線，進入放置畫作與更多雕刻的展間。這個空間完全是個人特質的展現，所有文物都是根據索恩的興致奇想做安排，遵循一種私人的比較並置邏輯。中國花瓶旁邊是希臘古甕、半身像、鏡子和柱頭，與索恩自身的建築模型擠成一團。索恩的典藏無所不包，尤其著眼於建築和雕刻，走在那座博物館裡，有如在一本巨大的立體剪貼簿中遊覽。

向收藏者的品味及欲望致敬是宮殿型博物館的本質

今日，那些展間的陳列幾乎跟索恩當年如出一轍。1883年，他將宅邸與裡頭的文物留給國家，條件是必須原樣保存，不能破壞或販賣，免費向大眾開放，「造福……英國的藝術家」。[7] 於是，他跟漢米爾頓一樣，確保了自身的傳承，但由於他指定典藏必須全部留在那棟房子裡，因而確保了自己在該空間的另一層存在，也確保了死後他的選擇還能繼續影響並塑造世人的品味。索恩並非貝佐尼，並非冒險家或尋寶者本人。他把自己設定成學者、古典建築學子和品味監護人。他也承認，他很病態，很容易陷入沮喪，退縮到他的地下墓穴。他甚至創造了另一個自我——喬凡尼神父（Padre Giovanni），一位義大利僧侶，以及他誇張的哥德式僧侶會客廳——當他感覺特別悲慘時，就會化身為另一個自我。對索恩而言，在自家打造一座墓室的想法似乎非常自然，因為那代表與死亡的崇高對抗。對衰變的迷戀貫穿了他的典藏：他擁有數十件羅馬廢墟的模型，甚至曾委託一位藝術家想像他設計的建築淪為廢墟、變成未來考古遺物時的模樣，然後將它們陳列在樓上的展間。像索恩這樣的建築師，他的主要工作就是打造比自己更長壽的空間，難怪他會如此迷戀廢墟、殘片與墳墓。

今日，索恩的典藏依然可免費參觀。這是一個罕見案例，大部分典藏幾乎保持原樣，以藏家生前陳列的模樣展示。展間裡幾乎沒有解釋性文字，而是讓訪客自行決定如何在屋內漫遊，自行挑選要拿哪些文物比較對照。在靜謐的日子裡，那棟宅邸感覺就像一座墳墓，是墓室裡的石棺在索恩腦海中激起的哀戚空間。宅邸裡的文物對索恩都具有某種意義，但對索恩之前我們不知其名的某些人，也具有某種意義。那些悉心創作這些文物

的無名藝術家，他們的歷史比索恩更加久遠，但在他的博物館空間裡，原有的脈絡遭到移除並重新建構，我們只能透過他這位中介者，與這些文物相遇。這棟宅邸是他的參照、想法與概念的檔案室，因為每件文物都為了配合他的美學敘事而改變了自身功能。它們變成他作品的標本，變成適合剖析與合併的資料。如今，石棺放在玻璃櫃子裡，放在它自己的棺材裡。將索恩的典藏保持原樣，如同一座宮殿，使得這些文物的價值與名氣都是由彼此的關係而非自身的特質所決定。埃及石棺和某位演員的死亡面具（Death Mask，編註：為了保存對死者的回憶，以石膏或蠟將死者容貌製作而成的面部塑像。）同受關注，西敏宮焚毀後的一只碎片與一尊羅馬雕像的石膏鑄模同等重要。價值相對且充滿彈性。索恩為那具石棺付出多少金錢並不重要，重要的是他用那具石棺做了什麼。索恩用那具石棺向他自身的品味及欲望致敬，文物從它的原初脈絡中孤立出來，重新被書寫成文物擁有者的紀念碑。這就是宮殿型博物館的本質。由於這座石棺自索恩生前就不曾移動過，它的紀念性與不朽性也因之提高了好幾倍：超越塞提、貝佐尼與索特，以及索恩本人。

3. 皮特的鑽石

Pitt's Diamond

羅浮宮有一顆鑽石。

這大概不會令你吃驚——羅浮宮是個珠寶盒，原版宮殿型博物館（參見P.33-5）。裡頭充滿鑽石，從十五世紀開始，鑽石就不停從印度運往歐洲，即便今日（相對）容易取得，但依然與權勢、頹廢、地位聯想在一起。不過，我們要討論的這顆鑽石很特別，因為它引介了本書的一大要角：東印度公司（East India Company）。這顆鑽石也展示了殖民權力如何在十八世紀融入既有的控制系統，以及這些財富新來源如何影響了歐洲的王權與政治結構，我們將追溯這顆鑽石過去三百年的移動軌跡，從它在印度發現與販售，到它先後成為法國皇冠與拿破崙劍柄上的珠寶，以及它如何在羅浮宮阿波羅廊廳（Galerie d'Apollon）找到最後歸宿。這顆鑽石和本書提到的其他文物有些許差別，因為它是自然生成（雖然被切割成珠寶）而非藝術創作，不過這也讓我們有機會思考它在博物館裡的意義與陳列，但不帶入美學評判：和畫作或雕刻不同，鑽石的視覺意義在今日看來就跟它剛切割好時一模一樣。鑽石無須透過再現，它本身就是財富與權勢的純粹範例，這可幫助我們理解財務因素在打造博物館與典藏時所扮演的角色。

攝政王鑽石的來歷

攝政王鑽石（Regent Diamond，名稱來自其買家：奧爾良公爵菲利普〔Philippe, duc d'Orléans〕，路易十五的叔叔暨攝政王）至今仍被公認為全世界最好的鑽石之一。未切割時，它有四百二十六克拉，重量驚人，儘管切割成型後損失了大約三分之二的重量，但尺寸依舊傲人。這顆獨特的鑽石不像今日歐洲典藏裡的其他印度鑽石，並未被要求歸還，儘管如此，它的歷史還是相當血腥，它的展出在政治上受到譴責，而它的故事則與東印度公司和英國最有權勢王朝的興起緊密交織。它是一種「過剩範式」（paradigm of excess），是一場交易的主要部分，那場交易日後將與東印度公司最嚴重的腐敗行為扯上關係。[1]

那麼，一名法國公爵是如何採購鑽石呢？在這個案例裡，是從一名東印度公司的商人手中買到的，他的名字叫湯瑪斯・「鑽石」・皮特（Thomas 'Diamond' Pitt），他是在1701年擔任東印度公司駐馬德拉斯（Madras，今日欽奈〔Chennai〕）代表時，贏得這個暱稱和這顆代表其生涯的礦石。1600年，東印度公司得到伊莉莎白一世的皇家特許狀正式成立，是英國得到皇家允許在印度和大多數東南亞地區進行貿易的唯一實體。它扮演英國政府的附屬組織，不在其統治之下，但藉由金錢與家族關聯彼此勾結，它提供機會讓年輕人證明自己有資格擔任軍事領袖，並在進入國會或繼承頭銜之前先為自己賺取財富。東印度公司有權印製自己的貨幣，有權設定自己的稅率並以它認為必要的手段強制執行，有權為捍衛英國利益而戰，犯了法也可相對不罰。1858年，東印度公司納入大英帝國，正式歸由維多利亞女王管轄，當時它已經全面掌控印度的商業、

政治與軍事。有將近兩百五十年的時間，印度一直是士兵商人（soldier-merchants）的遊戲場；如今，在英國的直接統治之下，它成了殖民將軍的實驗沙盒，根據自身的喜好與投資來決定興建或摧毀。該公司的歷史反映了英國殖民主義的大敘事：它從商業連結與追求財富起家，以暴力壟斷商業來強化自身力量，最後變成移居者的殖民地，撒下一個個微型的英國社會剝削當地的財富。[2]

湯瑪斯・皮特出現在東印度公司比較早期的歷史中，當時該公司還沒真正變身為軍事單位。身為東印度公司駐馬德拉斯的總督，他負責管理聖喬治堡（Fort St George），一個重要的貿易據點，他致力為公司增加財富，並不惜犧牲當地統治者的利益。1701年，他買下那顆鑽石之後，相關謠言隨即傳開。1710年，皮特寫了一封信，堅稱那顆鑽石是他從一名商人那裡以合理價格買下的，商人是誰說法不一，有人說是賈姆昌（Jamchund），也有人說是拉姆昌（Ramchund），儘管如此，有關那顆寶石的真實起源，依然揣測不斷。在柯奈流士・尼爾・達頓（Sir Cornelius Neale Dalton）1915年出版的皮特傳記裡，作者給了兩種可能的故事：一，它是從金德納格爾（Chandannagore）某個聖像的眼窩裡偷下來的；二，它是由戈爾孔達（Golconda）礦坑裡的一名奴隸發現，藏在腿部的傷口中走私出去，然後被一位不知名的英國商人謀殺，那名商人再將鑽石賣給拉姆昌。[3]達頓還提供另一個可能的故事：是湯瑪斯的兒子羅伯・皮特把鑽石藏在鞋跟裡走私到英國。[4]這些截然不同的故事在在加深了皮特家族流氓商人（rogue merchant）的名聲，他們會不擇任何手段保護自家的財富與財產。

鑽石是東印度公司職員的主要財富來源，而且逐漸和「王公財主」
（nabobery）連在一起。「王公財主」（腐敗的王公〔nawab〕，王公是
蒙兀兒王朝的地方總督）指的是在印度贏得地位、回到英國的白人富豪，
他們代表了十八世紀特有的一種恐懼：他們體現了「入境隨俗」，逐漸
失去自己的英國身分並受到淫逸放蕩的印度宮廷誘惑。實際上，在印度人
引誘下誤入歧途的公司官員不多，更多的是他們打造了一個環境，讓英國
的法律與規範無法施行，也拒絕承認所在國的社會規範。在皮特擔任總督
那時，公司官員正在打造自己的規則。1700年是公司日益自信與腐敗的
起點，和鑽石貿易的關係尤大，到了十八世紀後半期，英印商人的個人
財富受到日益強烈的公眾監督——包括皮特的孫子，首相老威廉・皮特
（William Pitt），他指出，該公司已將危險的「亞洲式統治原則」引入英
國。[5]

鑽石淪為路易十五與拿破崙的政權敘事

不過，那顆大鑽石還是拿到手了，它是湯瑪斯・皮特故事裡的一
個轉捩點。拜他在印度積聚的財富之賜，包括出口鑽石所得，皮特家族
才能從商人階級晉升到首相層級。1683年，皮特用他第一趟印度之旅賺
到的錢財，在南英格蘭買下一大塊土地。其中包括「老薩勒姆」（Old
Sarum）這個國會席次，一個惡名昭彰的「腐敗」選區（'rotten' or 'pocket'
borough）。腐敗選區指的是一些很小的選區，由於選區內的土地都掌握
在某個人物手中，地主便可控制選區內的選民。「腐敗」選區是有志家族
通往國會和權力的捷徑，如果地主打算行賄某個未來的政治候選人，這也

會是很有價值的收入來源。皮特那個席次以前並沒有常住居民，但每逢選舉，就會雇用五位選民投出地主喜愛（且唯一）的候選人，通常都是該家族的成員。老威廉‧皮特首次進入國會就是以老薩勒姆議員的身分，他的兒子（也叫威廉，也當過首相，人稱為小威廉）克紹箕裘，以阿普比（Appleby）議員的身分進入國會，那是另一個腐敗選區。

不過，在湯瑪斯‧皮特的時代，東印度公司官員累積珠寶財富的行徑，尚未被視為駭人聽聞、不配看作英國人的墮落行為。在戈佛雷‧內勒爵士（Sir Godfrey Kneller）繪製、如今收藏在肯特郡舍夫寧大宅（Chevening House）的一張皮特肖像裡，那顆同名鑽石就別在皮特的帽子上。他是一位完美、沉著、受人尊敬的威望人士。他毫無疑問是一位英國紳士，不過對一名崛起中的商人而言，他的天鵝絨外套和織錦馬甲是當時社會所能接受的浮華極限。事實上，跟皮特的同代人動輒在肖像中與地球儀、僕人或其他象徵物一起入畫比起來，這幅作品裡頭幾乎沒有任何印度或東印度公司的暗示。

皮特花了十七年的時間才將那顆鑽石脫手，主要得歸咎於英國不停和買得起那顆鑽石的歐洲富有國家交戰。1717年，奧爾良公爵終於付出兩百萬里拉（livre）買下那顆礦石，使它搖身為攝政王鑽石。他的姪子路易十五在1722年的登基典禮上，將鑽石鑲在為此場合特製的皇冠裡，（像皮特一樣）喜歡將鑽石別在帽子上；路易十六也一樣，直到法國大革命爆發之後，鑽石於1791年遭到沒收，拿去拍賣，被人偷走，並於一年後再次被發現。它一直保存在國家典藏中，直到1804年拿破崙將它鑲入劍柄，在他稱帝加冕的肖像畫中可以看到（由方斯瓦‧傑哈〔François

Gérard〕繪製，目前收藏在阿姆斯特丹國家博物館〔Rijksmuseum〕）。
皮特佩戴鑽石的肖像是一種廣告，目的是為了彰顯他和那顆寶石的關係，
以及展示它的尺寸與價值，拿破崙的肖像則是重新塑造了那顆鑽石，以呼
應他的帝制圖像學。法國國王將鑽石戴在皇冠上，拿破崙則是將它鑲在
劍柄上，巧妙地重構了那顆鑽石的象徵意義，把它從被動權力（君權神
授）的象徵轉變成主動實力（由人民賦予的軍事力量）的附屬品。拿破
崙的桂冠簡單素樸，參照的是古羅馬的美學，而非剛遭罷黜的卡佩王朝
（Capet）的浮誇巴洛克，儘管拿破崙確實為加冕典禮打造了「查理曼皇
冠」（Charlemagne crown），但皇冠上的裝飾品卻是用羅馬的寶石浮雕
取代貴重珠寶。將鑽石從皇冠移到寶劍，是拿破崙精心平衡新時代與舊傳
統的舉措之一：他維繫了與皇家時代的關聯，但藉由策略性收回並重新安
置那顆鑽石，來講述他自身的軍事與政權敘事。

殖民、帝王與帝國頹廢三合一的鑽石化身

今日，那顆鑽石已徹底脫離它的早期歷史。它不在劍柄上，法蘭西
第二帝國結束之前，它換過好幾個地方，最後於1887年分配給羅浮宮。攝
政王鑽石連同其他剩餘的皇家珠寶，如今都在阿波羅廊廳展示。打從1663
年起，阿波羅廊廳就是路易十四重建羅浮宮的一部分，當時羅浮宮還是他
的主要住所，直到後來將宮廷遷往凡爾賽。這座廊廳的裝飾設計氣勢非凡
——所有的雕刻繪畫都把路易十四比喻為阿波羅，大肆運用他選中的新象
徵：太陽。這是十足的皇家奇觀，也是我們尚未見過的宮殿型博物館原型
的最完整再現。

在這巨大空間中看起來有點渺小的那幾盒珠寶，陳列在華麗的十九世紀玻璃櫃裡，一如第三共和期間（1870年以降）的裝置。阿波羅廊廳在幾個世紀的忽視之後，經過仔細修復，並以復古手法回歸到（從未完成的）路易十四時代的設計，做為羅浮宮「原真」（authentic）重建的一部分。該廊廳的功能基本上還是用來展示法蘭西王朝的奢華富有，以及強化該空間在歷史上的獨特地位。雖然重點放在回憶與歷史，但這麼做並沒有歌頌的意思。它的焦點是保存該廊廳往日的帝國模樣，讓想要驚嘆的遊客可以目睹，但也表明這不再是今日事物的樣態。空間與陳列著重在過往朝代的相似之處，證明拿破崙和他想要劃清界線的王朝有著壓倒性的相同結構，只是偽裝得很好。那顆鑽石也是此過程的一部分。雖然它脫離了往日的帽子、皇冠和寶劍，但依然陳列在這個帝國空間裡，依然帶著所有的往日聯想，只不過這些聯想如今已然杳遠，而鑽石的地位也下降到只是盒子裡的眾多珠寶之一。它不再如同往日那般，被當成代表權力之物。世道變了：法國如今是堅定的共和政體，羅浮宮繼續展出這些文物，是為了教育和取悅每年的數百萬訪客。那顆鑽石變成知識權力新結構的象徵；阿波羅廊廳則成了見證歷史的空間，強調的是保存與靜態展示。那個廊廳裡沒有空間可訴說完整的鑽石故事——羅浮宮的網站上有更多資訊，但大多數訪客並不會上網看。很難光是看著寶石而想到它背後的種種意涵。然而，象徵權力之物此刻未被使用，並不意味著它曾經包含的不平等現象，沒有以社會不公、排除異己和掌控的形式存續至今。這些事情不會消失無蹤；它們會留下痕跡。有時，這些痕跡流連在不平等的形式裡，有時它化身為一顆鑽石。

　　收購那顆鑽石的故事並未呈現在羅浮宮的實體空間裡，因為展示的焦點是那顆鑽石來到法國後的人生，但皮特家族的痕跡依然圍繞著它的敘事。小皮特擔任英國首相期間，經歷過法國大革命，罷黜路易十六，以及拿破崙帝國時代。皮特家族的財富，以及與這顆鑽石的關聯，對他的首相生涯多有幫助，它改變了英國的政治氣候，也影響了那段時期與法國之間的政治關係。但如今，在這個時代錯置的空間裡，我們只剩下鑽石。外於寶劍，外於皇冠或帽子，外於它的所有來歷，它成了殖民、帝王與帝國頹廢三合一的代表。

4. 供奉

An Offering

一名女子從籃子裡拿起一串珍珠。

她傾身向前檢查那些供奉，項鍊手鍊滿溢而出，由另一名跪在她腳邊的女子獻上。她們是不列顛和印度的寓言人物：不列顛妮雅（Britannia），蒼白富有，坐在畫面左側；印蒂雅（India），黑膚裸胸，仰望著她。[1]*印蒂雅旁邊，是更多寓言角色：墨丘利（Mercury），商業和貿易之神，戴著長翅膀的頭盔；一位代表中國的人物與一只茶箱和瓷瓶；捧著絲綢與棉花的隨從，全都擺出對不列顛妮雅充滿敬畏的姿態。斜倚在前景中的長者是泰晤士老爹（Old Father Thames），代表倫敦的倉庫和市場，背景中的船艦揚起東印度公司的風帆。這個場景的描繪視角相當尷尬，是由下仰望，因為它最初是為了東印度大樓（East India House）稅務廳（Revenue Room）裡的天花板繪製的，從1720年代開始，那棟大樓就是東印度公司的倫敦總部。從看似被壓扁的獅子，極度可疑的大象，以及背景中疑似駱駝的東西看來，這並非卓越之作。事實上，那位藝術家，斯皮里狄翁・羅瑪（Spiridione Roma），沒太多人記得，這是他僅存的唯

＊ 不列顛妮雅這個擬人角色最初出現於西元一世紀，1770年代時頻繁出現在錢幣與獎章上。

一畫作。

　　因為這件作品，我們暫且留在東印度公司（也請參見P.60），關注該公司如何打造它的美學識別。十八世紀的東印度公司官員，對於英國如何在南亞與東亞創建、塑造和控制殖民權力，扮演了巨大角色，而該時代招牌的腐敗與衝突，也為日後的一切奠下基礎（我們會在第八章重新回頭檢視，他們如何洗劫文物供博物館展示）。《東方向不列顛妮雅進貢》（The East Offering its Riches to Britannia，參見圖3）繪於1778年，皮特死後五十年，在東印度公司的歷史上，這是一個關鍵時刻。皮特的流氓商人時代即將結束，公司正在盡力解決腐敗醜聞，它的總督則是邁向更加明目張膽的帝國主義。這是本書列舉的第一件畫作，也是我們第一次有機會進行深入的視覺分析，檢視如何利用圖像建構來說故事。讓我們就此開始。

《東方向不列顛妮雅進貢》的圖像建構

　　在西方，我們習慣用處理文本的方式對待圖像。如果你習慣從左到右的書寫方式，你通常也會採用同樣的順序看畫。這種反應來自於西方人從小受到的閱讀訓練，習慣從畫面左邊開始橫掃到右邊。甚至有些研究指出，圖像的敘述順序如果依循我們習慣的閱讀方向，比較容易受到青睞，這大概和大腦半球的運作模式有關。[2] 這是非常籠統的講法，也不可能具體指出這種偏好會偏執到何種程度，或這是否為藝術家有意無意建構的，但由左到右這個軸線確實出現在西歐的具象繪畫裡，特別是描繪神話或聖經場景的畫作。我們無法明確指出第一個案例，但從十四世紀開始，祭壇和教堂濕壁畫的敘述順序就是從左到右，並刻意模仿文本的順序。後來的

藝術家在描繪非宗教性的場景時，也會仰仗這種閱讀順序來確保觀眾能讀懂畫中的故事。畫家用手勢和動作推動畫布，引導觀看者順著一條敘述線，將圖像視為一系列小插圖，組成一個完整故事。順著畫面中身體語言的線條和人物的眼神，加上光線的引導，順序應可一目了然。天棚畫的情況稍微複雜，因為觀看者並非直接看著一道平牆，所以藝術家必須更努力去處理身體語言，並運用人物的位置來傳達狀態。

在《東方向不列顛妮雅進貢》裡，不列顛妮雅這個人物最有權勢。她高坐在眾人之上，由墨丘利指揮她的祈求者和觀眾仰望於她。她鶴立雞群，其他寓言人物則是擠成一團。她的白皙皮膚也使她脫穎而出，這與亞洲人物形成對比，尤其重要。老皮特在他1770年的「國情咨文」演說中抨擊了東印度公司官員的腐敗與「亞洲原則」，「王公財主」的圈子正陷入極度恐慌，而1770年代末，也看到政府收緊了公司官員們可以犯罪不罰的權限，包括禁止英國男性與南亞女性有染。當然，這類男女關係不會在一夜之間消失，但有些官員或許已有合法婚姻，甚至有了女，與這些南亞活躍女性（人稱bibi，烏爾都語「夫人」之意）的關係越來越不被社會接受。殖民控制與霸權等主題經常帶有強烈的性色彩，以及隨之而來的合意問題──這些女性的聲音和故事完全進不了歷史的敘事，除了做為公司男性官員的註腳以及公司白人妻子的陪襯。[3]到了1800年代，公司企圖擺脫腐敗名聲，開始把種姓階級奉為圭臬，防止任何印度裔人士在公司崛起，而在一個執迷於「種族純淨、種族差異、英國家庭生活，全都由血統純正的英國女性主理」[4]的社會中，白種英國女性在公司裡的角色也與日俱增。

我們可以把羅瑪筆下的不列顛妮雅視為這項轉變的開端。她是白

種、歐洲女性的一個原型，處於握有權柄的位置，雖然她尚未以一身戎裝的模樣現身。她身後的小天使受她保護，其中一位手上還拿著刻有東印度公司紋樣的盾牌：對坐在壁畫下方的公司官員而言，其中的寓意略不尋常。把公司的商人和士兵轉化成小天使，意味著將他們視為國家的僕人而非獨立強大的力量，並把他們蹂躪南亞各地的責任降到最低。

東印度公司運用圖像合理化賦稅行為

羅瑪為這件天棚畫提出的原始構想大不相同，裡頭有三名公司商人正在監看印度工人將貨物搬上船，附近站了三位男性寓言人物，分別代表印度、中國和波斯。[5] 這種比較商業、不浪漫的工作描繪，遭到東印度公司拒絕。相較之下，最後的成品顯示出公司內部的文化正開始轉變，不列顛妮雅被擺在正中央，與印蒂雅這個寓言人物並置。畫中的不列顛妮雅樸素無華，尚未受到珠寶這類浮誇之物的「腐化」，與印蒂雅形成對比。這顯然是要強調所有財富都會流向英國而非東印度公司，企圖反駁該公司當時正面對自肥貪婪的指控。

是否有可能平反或糾正印蒂雅在這幅畫中被再現的形象呢？或許有——但更具建設性的做法，是將她理解成一種奇思幻想。這幅影像絲毫不具真實性：畫中人物顯然都是寓言人物，就算羅瑪是以某些真人當模特兒，他們的身分也已失傳。我們不必去找出這幅畫背後的真實人物，只須將他們當成為某個論點量身打造的角色。話雖如此，這幅畫中的人物依然是大歷史的一部分，在那個歷史裡，有色人種被再現成僕人，與奢侈物相連，是對英國殖民權力與殖民利益的委婉表達。[6] 他們將印度再現為大英

帝國「皇冠上的珠寶」，將南亞建構成奢侈豐饒可供剝削的無窮資源——東印度公司就是以這樣的心態合理化自己增加賦稅徭役的行為，讓1770年的孟加拉大饑荒雪上加霜。[7]*

　　繪於稅務廳的這幅畫作，強化了這樣的敘事：公司與印度的關係是合意與仁慈的。沒有脅迫，沒有暴力——所有的「財富珍寶」都是自由奉獻。這當然不是事實。1778年時，東印度公司已大大提升了它對印度的控制力，在羅伯‧克萊武（Robert Clive）領導下的1750和1760年代，進展尤其迅速。幾十年來不斷打造強大的貿易壟斷、徵集稅收，並嚴格控制印度內外的貿易路線，導致饑荒連連、強取豪奪和傀儡統治。「印度克萊武」（Clive of India，他逐漸以此聞名）是「王公財主」的縮影，藉由販賣鑽石累積的巨額財富讓他飽受抨擊。1765年，米爾‧賈法爾（Mir Jafar）還給了他一塊封地（一份文件，同意他有權徵集某一地區的全年歲入）。米爾‧賈法爾是孟加拉的王公（地方統治者），因為與東印度公司簽下不穩定的休戰協議而掌權。賜給克萊武的封地是一筆檯面下的收入來源，價值兩萬七千英鎊（約相當於今日的三百萬英鎊）。1772年，當國會質詢他對印度的財政剝削時，他堅稱他對收取財富一事極其克制，當初收到封地也很驚訝（但他明明花了好幾年的時間催促這項「饋贈」）[8]。克萊武的聲譽和公司的立場雙雙受到玷汙，有些人認為他必須對1770年的大饑荒負責，甚至試圖沒收他的財產當做懲罰。[9]

---

* 很難估算1770年大饑荒的死亡人數，因為並沒有饑荒前後的人口紀錄，不過眾所周知，那是一場大災難，死亡人口至少有六分之一到三分之一。

《克萊武勳爵基金會的創立》為道德新神話的一環

　　另一幅畫作是愛德華・潘尼（Edward Penny）的《克萊武勳爵基金會的創立》（*Establishment of Lord Clive's Fund*），*1772年由公司委託繪製，描繪克萊武說服米爾・賈法爾的兒子薩義夫・烏德・道拉（Saif ud-Daulah）出錢，為受傷的公司士兵和家人成立基金會。在這個案例裡，畫面從左到右帶領我們先看到受傷士兵，接著一名婦女被孩童包圍著，呼應寓言中的慈善人物，最後是克萊武與薩義夫・烏德・道拉。克萊武朝向士兵的姿勢與《東方向不列顛妮雅進貢》裡的墨丘利類似，他將薩義夫・烏德・道拉帶進畫面，把他當成解決方案。認為臣屬於英國的某人，會自願奉獻心力，去照顧因攻打自己而受傷的士兵，這想法著實令人困惑——但如果把當時的背景考慮進去，也就是克萊武有貪腐之嫌且其財務來源正受到大眾檢視，那麼這幅畫的目的就是要把焦點轉移到王公身上，把他描繪成一個超級有錢人，有能力也有意願資助東印度公司。這樣做是為了洗白下面這個事實：薩義夫・烏德・道拉和他父親一樣，都是靠著東印度公司才能掌權，基本上是個傀儡統治者，他們是在脅迫之下，為征服自身國家的敵人支付帳單。

　　我們也可以在這個脈絡下觀看羅瑪的畫。它比潘尼的畫作晚六年，

---

* 1772年這幅畫在皇家學院（Royal Academy）展出時，全名是《克萊武勳爵從孟加拉王公處獲得一筆捐款，後來利用該筆款項創立慈善組織「克萊武勳爵基金會」，協助傷殘士兵以及為公司捐軀者的遺孀》（*Lord Clive receiving from the Nawab of Bengal the grant of the sum of money which was later used to establish the charity known as 'Lord Clive's Fund' for helping disabled soldiers as well as widows of those dying in the Company's service*）。這幅畫目前陳列在大英圖書館亞非研究閱覽室，雖然比羅瑪的畫作容易近用，但還是要有閱覽證才能看到。

屬於持續改造公司形象的一環，企圖把注意力從可能被指控為做錯事的官員身上轉移開來（因此用手持紋盾的小天使取代個人肖像）。克萊武與薩義夫‧烏德‧道拉那件畫作曾經在皇家學院展示，有一小段時間的確有過公共觀眾，但羅瑪的畫作一開始就裝置在東印度大樓的稅務廳，也只有在那裡能被看到。這兩件作畫是同一則故事的公、私兩種版本。雖然羅瑪的畫作只有公司成員可以看到，但它也是內部宣傳與自我新認同的一部分。它為那些不再能承認一切只為自己的官員們精心打造了一則敘事。它很明顯是個慈善與繁榮的故事：是東印度公司道德新神話的一部分，跳過暴力的現實，轉而支持民族主義的幻想。一幅這樣的圖像，由同一群菁英每天觀看，如果這一小群人是某個國際大企業的財務舵手，而且這個企業有自己的軍事力量，還無須遵守任何規則，那麼其效用將不下於擁有千萬觀眾的作品，因為它將構成意識形態美學的一部分。試想，如果你不斷將自身工作視為良善、慷慨、必須、甚至必然，那麼你會如何想像自己，概念自己。它的運作原理很像高度針對性的宣傳品，一則似乎會在你身邊一直打轉直到你買單的廣告。羅瑪的畫作在技巧上或許不夠傑出，但它清晰明白，不拐彎抹角，是大計畫的一環。

東印度大樓畫作是經過深思熟慮的美學議程

1778年時，東印度大樓是一棟相當樸實的新古典主義建築，乾淨的線條加上圓柱，三層樓高，從街上看起來很小，但其實占地遼闊，足以容納公司的辦公所需。該基地在1790年代擴建，供更多文員辦公，並增設了一座博物館。建築設計（包括1770年代和日後的擴建）並未透露出該棟建

物的目的，也沒顯示任何與亞洲相關之物，除了一處三角楣上刻有保衛不列顛妮雅的喬治三世國王，由墨丘利連同代表亞洲、工業、泰晤士河和恆河的寓言人物護守著。*三角楣與羅瑪的畫作講述相同的敘事，顯示該公司全面致力於英國的認同、威望與繁榮。這樣的公共建築與英國官員在印度假扮親王的私人行為恰成對比，而這正是該公司一以貫之的文化挪用政策。該公司利用膚淺的表象、去脈絡的歷史和模仿的傳統，營造出一種氛圍，為自身占領並控制南亞大片區域的行為增添合法性，殖民主義的正當性就是建立在可為英國帶來利益的基礎之上。該棟大樓反映出當時盛行的新古典主義建築品味，但也對王公財主的幽靈做出訓斥；它是該公司「西皮印骨」（Western form over Indian substance）的具體再現。[10]

建築內部掛了王公和公司官員的肖像，異國情調的風景畫，各式各樣來自印度的家具、藝術和文物，全都隱藏在可被接受的歐洲品味外觀背後。雖然博物館對外開放，但東印度大樓的大多數地區只有公司員工才能進入，包括懸掛羅瑪畫作的稅務廳。這些比較排外的空間具有宮殿型博物館的特色——親密的陳列方式，精挑細選的觀眾群，以及宛如藝術的室內裝潢。他們都經過仔細策畫，差別在於主導該空間的並非某人的品味，而是由公司的委員會做出選擇，反映他們對公司形象的共識。羅瑪的畫作，克萊武與薩義夫・烏德・道拉的畫，以及懸掛在東印度大樓裡的無數圖像，都是經過深思熟慮的美學議程的一環，集中焦點講述一家仁慈公司的權勢、優越與神話。

---

* 三角楣與該棟建築都毀於1861年，但有一些插畫可看出當時的設計。

　　該公司在印度的統治結束之後，它的領土於1850年代正式納入大英帝國，東印度大樓遭到拆毀，殖民行政人員搬到位於西敏區一棟用來安置印度與外交辦事處（Indian and Foreign Offices）的新建築（今日的外交部〔Foreign and Commonwealth Offices〕所在地），靠近國會。理論上，這是與該公司舊系統的徹底決裂，換上新系統與新領導者，但許多老人依然留著，而東印度大樓的大多數室內裝潢也重新運用在新大樓裡，包括《東方向不列顛妮雅進貢》。羅瑪這幅畫裝置在印度辦事處（India Office）東南樓梯間上方，俯視著下方的眾多雕像，包括艾爾‧庫特爵士（Sir Eyre Coote，與克萊武並肩作戰的公司指揮官）、第一任康沃利斯侯爵查爾斯‧康沃利斯（Charles Cornwallis, 1st Marquis Cornwallis，頒布政策，禁止具有印度血統之人在公司內部晉升）、第一任威爾斯利侯爵理查‧威爾斯利（Richard Wellesley, 1st Marquess Wellesley，該公司位於孟加拉威廉堡〔Fort William〕的總督），以及威靈頓公爵（Duke of Wellington，他的軍事生涯有七年在印度服務，隸屬於兄長威爾斯利之下，後來才成為拿破崙戰爭的英國英雄）──這四位人物的存在，只是用來強調東印度公司與英國直接統治之間的延續性。

　　這幅畫作如今陳列在外交部，除了洽公之外，極難有機會看到。建築本身是通俗劇式和義大利風格，由維多利亞時代建築師喬治‧吉爾伯特‧史考特（George Gilbert Scott）設計。它是新古典主義東印度大樓的巴洛克奢華版本，裡裡外外都裝飾了滿滿的雕像與畫作，包括南亞各民族的原型（或刻板）再現，以及東印度公司與帝國官員的肖像。建築內部，不列顛妮雅無所不在，伴隨著殖民地和其他國家的各種再現。這是某種祕

密藝廊，在所有辦公室與會議廳裡，掛滿了一百五十年來代表國家認同轉變的圖像。

羅瑪的作品由於高懸在樓梯間上，細節因此消失，只有下方雕像暗示出它畫的是東印度公司的場景。儘管如此，它確實是一件彈性十足的文物，歷經翻新整修、朝代更迭，依然高懸不墜。與皮特的鑽石相比（參見第三章），它的錯置性較低，主要是因為，一幅有著如此直白意象的畫作，很難重新設定或重新塑造其意義。《東方向不列顛妮雅進貢》所體現的意識形態與心態，是不可能擺脫的。在它今日的擺放位置中，它是一個縈繞不去的過時意識形態的一部分，用一個奇怪的圓形透明罩將它隔開，避免人們鑽研與回應。

這並不是說，外交部之類的空間應該去除掉它們的歷史。雖然這類空間裡的藝術傳承很少引人注意，但這類文物無論如何都是一則持續且隱伏的帝國主義故事的一部分。既然它們是英國外交部日常運作的背景裝飾，每天看著這些圖像和它們所代表的意識形態而沒得到任何說明，想到這種潛移默化可能產生的影響，不禁令人憂慮。這些建築物並不是空的，即便裡頭的畫作感覺起來並不重要，因為沒人會停下腳步思考它們。我不想誇大這些畫作對政治可能產生的影響，但至少應該停下來思索一下，將這種帶有種族主義刻板印象的作品陳列在主掌外交政策的建築物裡，是否恰當。

5. 偽造的聖物

Forged Relics

在維也納某處，有一只偽造的聖物匣。

聖荊棘聖物匣（The Holy Thorn Reliquary，參見圖4）是一座迷你聖祠，一個用黃金琺瑯製成的奢華陳列匣，裡面放了一塊木頭，據信是來自基督的荊棘冠。它是在大約1400年時為尚・貝利公爵（Jean de Berry）製作的，法王查理五世的弟弟。聖物匣重約1.5公斤，立起來高30公分，也就是差不多可以隨身攜帶的大小。尚・貝利可能將它安放在宮中的禮拜堂，也可能將它當成旅行時的移動祭壇的一部分。聖物匣上有莊嚴基督，對著荊棘擺出姿勢，荊棘是由查理五世取得並分送給眾兄弟的其中一根。基督四周圍繞著使徒；上方是上帝，下方有天使吹著號角，死者起身接受審判。這是一件裝飾華麗的作品，完全符合人們對有錢皇家贊助者的期待。

到了十六世紀，這只聖物匣變成維也納神聖羅馬帝國皇帝「皇家珍寶」（Kaiserliche Schatzkammer）的一部分，雖然沒有記載它是如何或為何進入典藏之列。在1860年代的某個時刻，一位藝術經銷商和名為所羅門・威寧格（Salomon Weininger）的偽造者（當時尚未被發現）接受委託修復聖物匣。他做了一個贗品，還將兩者掉了包，把偽造品交給「皇家珍寶」，然後在1872年左右將目前已知的聖物匣真品賣給安塞姆・羅斯柴爾

德（Anselm Rothschild）。安塞姆死後，這只正版聖物匣交到兒子斐迪南（Ferdinand）手上，他將它帶到英國。羅斯柴爾德家族都是典藏家，藏品大多是文藝復興與巴洛克時代的金工，他們認為這只聖物匣是十六世紀西班牙的作品。威寧格曾因其他幾件偽造品被定罪，但一直到要1920年代末，才有人開始懷疑這只聖物匣，那時，斐迪南已經辭世，並將它的典藏留給了大英博物館。1944年，終於有人比對了維也納的聖物匣和羅斯柴爾德的聖物匣：這起偽造案水落石出，贗品悄悄從展間下架。

有趣的藝術犯罪背後的思考

這只聖物匣曾在好幾個王朝間移動，並隨著時間改變了它的象徵意義。它在神聖與世俗空間中旅行，它的價值也由神聖轉為審美。在這個有趣的藝術犯罪史背後，我們不妨思考一下，當贗品與「原真」品並排展示會是何種場面，以及在博物館的脈絡裡，原真性究竟意味著什麼。在神聖空間中以聖物為中心創造價值與敬畏，與在博物館裡創造權力類似：這一切都可回歸到相信權力來自於製造之人或與文物有接觸的個體，相信文物上保有他們的痕跡。贗品很棘手，因為它們暗示了假可亂真，而這會破壞原作不可能弄錯的想法，畢竟原作的美學如此獨一無二，且蘊含著如此深刻的藝術家觸動。它們甚至證明了，博物館文物的價值來自於貼在上面的名字，而非它的視覺形式。

聖物匣就其性質而言被視為神聖的文物。雖然它的設計聚焦於展示和奇觀，但它還是具有一定程度的美學榮光，這榮光最初是用來提醒觀看者信仰與神明的力量。觀看那根荊棘被認為是一種宗教體驗：周圍的使

徒轉過身來，對著荊棘擺出敬畏的姿勢，發揮視覺中介的作用，引領觀看者的目光和反應。尚・貝里是十四世紀法國最重要的藝術贊助者之一，他委託的案子昂貴、複雜，大多是宗教作品。當然，他的宗教委託也有虔誠的一面，但無法否認的是，那個時代的宗教藝術也是展示財富權力的最佳媒材，不會被視為自我放縱，也不必擔心被指控想與國王競富。打造一座以你為名的絕佳禮拜堂，在當時是可被接受的，因為它終究是為了榮耀上帝，但把同樣的金額花在私人物品上，就會被視為虛榮浮華。尚・貝里最著名的委託是《時禱書》（*Book of Hours*），一本私人使用的每日祈禱書，裡頭有精美的彩色插圖，描繪季節流轉以及日常生活的世俗圖案。這些圖像與它們所伴隨的祈禱無關，它們與神聖的主題也沒任何關聯。然而，要創作這樣一件文物所需耗費的心力、時間與開支，向來都被視為一種宗教虔信，而所使用的工藝與材料也代表了神聖的犧牲。

聖物匣究竟是怎麼來到維也納的並不清楚，很可能是拜幾個世紀以來的饋贈、買賣和某些偷竊之賜。在「皇家珍寶」館中，聖物匣由其他宗教文物圍繞，所以，儘管它不再被當成現行的禮拜法器，裡頭的聖物也未受到與尚・貝里時代相同的敬拜，但它依然置身在一個準神聖的空間裡。然而，當時它正開始轉變。皇家珍寶館的策展敘事把焦點集中在王朝與帝國的權力和財富，歌頌個別文物的歷史，但大多是強調它們共同講述的故事——也就是皇家藝術的傳統，將哈布斯堡皇帝與尚・貝里和他的家族瓦盧瓦王朝（Valois monarchs）串聯起來。權力凌駕於信仰。

但是，如果博物館的文物被發現不具備可靠的歷史、權力來源或信仰關聯，那會怎樣？所羅門・威寧格是一名成功的偽造者，因為他的假聖

物匣要到他死後幾十年才被人發現（雖然他曾因偽造其他文物遭到起訴，其中有些至今仍留在博物館的典藏中）。[1] 他偽造的聖物匣就技巧而言非常精湛，材料也跟原作同樣珍貴，但兩者還有些細微差異。贗品稍嫌豔麗，臉部的細節略為粗糙，珠寶鑲嵌的位置和色彩尤其不同。如果是在所有典藏都要拍照記錄的今日，威寧格恐怕無法騙過世人，他了解策展人的弱點，他們對文物歷史的興趣更勝於文物的真實樣貌；策展人不知為何竟然沒發現有顆藍寶石變成了紅寶石。在維也納，假聖物匣得以展出，主要是考量它的出處（provenance）而非美學，等到贗品的身分揭露之後，它就從展示架上移除，因為它與尚・貝里或哈布斯堡帝國再無關係，對皇家珍寶館也就不具價值。今日，那只聖物匣在皇家珍寶的編目裡毫無蹤影，但也沒有被販售或摧毀的紀錄，所以，它很可能還躺在維也納的某個儲藏室裡。

藏家印記凌駕藏品真偽

　　偽造品與仿冒品往往被博物館視為恥辱，即便它們的故事本身通常很有趣。大多數博物館都會將敘事背景設定成一場激動人心的原作體驗。親眼目睹作者的才華並為之讚嘆：你不會去美術館看複製品，摹本永遠不可能像原作那樣受到崇敬。所以，當一件藝術作品被懷疑並非原作時，可能會引發恐慌。2017年11月，一般認為是達文西所畫的《救世主》（Salvator Mundi），以四億美元的價格賣出，成為有史以來拍賣價最高的畫作。該幅畫作當時收藏在阿布達比羅浮宮（Louvre Abu Dhabi），準備於2018年展出，但開展時間神祕延後，許多人認為，是因為無法確認該

件作品的原真性──它也沒收入2019年巴黎羅浮宮最重要的達文西特展，而且館方沒提出任何解釋。《救世主》是在2005年一次地產拍賣中面世，2011年在倫敦國家藝廊的達文西特展中展出，不過有些看過該畫的藝術史家不認為它是達文西的作品。[2] 一直要到2011年，那幅畫才被認證為達文西的作品，且遭受經年累月的嚴重損害與粗暴修復。《救世主》約莫是十六世紀的作品，但它的價值來自於與達文西的關聯勝過其他任何因素。羅浮宮裡可能還有一些未被發現的贗品或張冠李戴之作：畫作的出處來歷永遠是一場賭博，但四億美元確實是很大一筆賭注。假聖物匣消失，因為有真品出現取而代之。《救世主》則是被藏了起來，因為就算它繼續展出，與真實作者相關的臆測還是會縈繞不去。

　　當然，聖物本身也是個問題。我們不可能知道任何一根荊棘的源頭，也不可能知道哪一根荊棘屬於尚‧貝里。那只聖物匣裡甚至可能有另一件遺物，在它的背面有第二個隔間，但不管裡頭放了什麼，現在都不見了，也不清楚何時不見的。確實不可能為聖物提供任何出處：沒有任何紀錄，沒有任何測試可確定某種神聖的連結，但如果人們相信這種連結存在，你也無法否定。就聖物而言，「原真性」的唯一標記就是敬拜（veneration），而將聖物帶到教堂空間之外，就等於移除了（至少也是大大改變了）敬拜。如果以此為基礎，那兩根荊棘裡有一根是「原真的」，也就是為尚‧貝里所有並受到他敬拜的那根（他相信它來自於基督的荊棘冠），而另一根就被預設為「非原真的」，非神聖的。但由於那兩根荊棘如今沒有任何一根實際受到敬拜，聖物匣的角色也隨之轉變：它不再是放置文物的容器，它的內容物只是整體設計的一環，被美學化而脫離

了意義。

　　敬拜的概念與博物館空間並非全不相容：博物館經常被比喻為聖祠，是引領某種崇拜愛慕的空間，因為博物館會在它們的珍寶四周營造出一種崇敬的氛圍。[3] 在建築上，它們往往與神殿類似；我們去那裡向藝術聖物、向大師的原作頂禮膜拜。有一套儀式圍繞著博物館的體驗：要安靜有禮，要慢慢穿越昏暗冰涼的廊道，瞻仰那些稀世珍寶，渴望得到啟發——但這樣的儀式卻是在一個被設定為世俗的空間裡進行。當宗教藝術移入博物館空間後，通常會假設它不再是祈禱禮拜用的文物。有些時候，特別是對那些如今放置在歐洲博物館裡但非歐洲起源的文物，那些社群會打破這樣的假設，以便敬拜他們文化裡的神聖文物。東正教的參觀者到博物館時可能會親吻聖像；佛教徒參觀者可能會留下禮佛花朵。* 博物館傾向容忍這類行為，儘管他們並不認可。雖然展示的內容與方式是由策展人決定，但他們無法阻止參觀者如何反應，也無法控制參觀者是否對收藏中的某件文物懷有宗教之情。[4] 當然，基督教徒參觀者也有可能把聖物匣當成祈禱奉獻之物，但策展敘事卻是要抗拒這樣的反應。

藏家個人喜好至今仍形塑典藏的陳列方式

　　從十九世紀中葉偽造者威寧格將那只聖物匣祕密賣給羅斯柴爾德

---

* 1988年，巴爾的摩沃特斯藝廊（Walters Art Gallery）展出《神聖圖像，神聖空間：來自希臘的聖像與濕壁畫》（*Holy Image, Holy Space: Icons and Frescoes from Greece*）期間，據說館方必須不停清除聖像前方玻璃上的唇印，因為在希臘的東正教堂裡，親吻聖像是常見的敬拜儀式。類似的情況也發生在伯明罕博物館暨美術館（Birmingham Museum and Art Gallery）的蘇丹甘吉佛像（Sultanganj Buddha）上，參觀者經常會在佛像前方留下供品。

家族開始，它就進入一個徹頭徹尾的世俗空間。它變成斐迪南·羅斯柴爾德長久耕耘的私人宮殿型典藏一大亮點。聖物匣展示在斐迪南的自宅，也就是白金漢郡沃德斯登莊園（Waddesdon Manor）的「新吸菸廳」（New Smoking Room）。羅斯柴爾德效法友人理查·華勒斯的私人典藏模式——他形容華勒斯典藏館的遺贈是「無價之寶」——並跟上當代歐美各地私人藏家紛紛將自宅與藝術品遺贈給國家的浪潮。[5] 華勒斯的典藏於1900年開放給大眾參觀，地點是他位於倫敦的故宅，赫特福德樓（Hertford House），雖然有些文物先前已在貝斯納綠地博物館（Bethnal Green Museum）展出過。它不同於威廉·漢米爾頓或約翰·索恩這類個人典藏，因為它是由第三和第四任赫特福德侯爵建立的（華勒斯的祖父和父親），而非單一個人，儘管上述二人並未計畫將它公開展示。斐迪南·羅斯柴爾德和理查·華勒斯都認為，欣賞美麗文物對社會有益，並希望他們的典藏能對社會有所貢獻。和先前提過的其他宮殿型典藏相同，他們的寶物也是高度個性化，配置是根據賞心悅目而非研究目的安排，深受個人偏好影響，但他們都深信這些典藏具有國家級的重要地位。我們先前從宮殿型博物館得知的一切，都可套用在華勒斯身上——華勒斯的典藏裡有聖物，也有幾件作品的出處來歷有爭議——以及羅斯柴爾德身上，他是足以匹敵的首要藏家。

在「新吸菸廳」裡，羅斯柴爾德將自己打造成文藝復興親王，熱愛十四到十六世紀的珠寶與金工。廳室本身就是這種氛圍的一部分。最初，裡頭裝飾了紅色織品、鍍金和鏡子，家具上都鋪了十六世紀的織錦或刺繡軟墊，並用文藝復興的珠寶盒和小匣子來盛放香菸，是一個獨一無二、帶

有劇場氣氛的空間。[6]當時，聖物匣跟尚‧貝里還沒有關聯。它是被當成十六世紀的西班牙文物販售，但由於沒有明確的出處也沒有製造者的相關資料，它的價值純粹是美學性的。的確，由於羅斯柴爾德家族更在意文物的樣貌勝過它們的背景，後來證明許多文物（雖然不包括那個聖物匣）是贗品：有的完全是偽造的，有的則是經過更改或在十九世紀以不同的部件組合而成。

斐迪南‧羅斯柴爾德對自己的鑑賞能力頗有自信，以此做為典藏準則。他去世之後，新吸菸廳的典藏捐贈給大英博物館，附帶條件是要將它們一起陳列，以整體形式展出。與索恩、漢米爾頓和華勒斯一樣，羅斯柴爾德也將自己的典藏視為一體，那些文物最重要的價值就是彼此之間的相互關係。名為「沃德斯登遺贈」（Waddesdon Bequest）的這批典藏，如今在博物館裡有一間專屬展廳。展廳很小，放滿文物，參觀經驗有如走進一座裝滿東西的櫥櫃──一個熱情又親密的空間。它也是個奇異的空間，結合了武器、宗教金工與珠寶、木製品和餐具。聖物匣是一堆黃金製品的一部分，個別的歷史消失在整體的價值氛圍與隱含的意義之中。如今，這些文物變成另一種崇拜的對象，是對羅斯柴爾德家族身為藝術贊助者與藏家的禮讚。

根據斐迪南‧羅斯柴爾德的遺囑條款，即使文物被發現是贗品，仍得要包含在沃德斯登遺贈裡，而從2018年展間翻修後，有好幾件贗品依然連同「真」品（以及描述這些文物創作的說明牌，但很容易錯過）一起展示。在這種情況下思考這些文物的價值來自何處，特別有意思。沃德斯登遺贈裡的贗品對於整體典藏相當重要，因為它們講述了這樣的故事：羅斯

柴爾德家族做為熱情的藏家，他們關注美學勝過出處，他們設置展間，讓裡頭的文物被視為劇場空間的一部分。

沃德斯登展廳入口上方是一面大螢幕，秀出羅斯柴爾德白金漢郡莊園的影像，以及該項典藏陳列在新吸菸廳裡的景象。提供這麼大的空間給文物的故居和它們的前主人，這在博物館脈絡中並不尋常，這似乎是要強調，雖然這批典藏如今公諸大眾，但它最初是高度限定性的。它雖然離開了那棟私宅，卻依然仰賴那個空間所賦予的一體感。如同我們先前提過的其他典藏以及它們的宮殿，這裡的著重點也是羅斯柴爾德的品味與慷慨，他的個人喜好至今仍在形塑自身典藏的陳列方式。他與文物的關聯壓過文物的其他歷史，做為聖物，做為帝國珍寶，以及做為偷盜品的歷史。這是宮殿型的私人典藏，至今仍保有它的獨特個性，藏家的印記仍凌駕一切，但它卻被放入一個截然不同的博物館類型——教室型（Classroom）博物館，這是我們接下來要探討的主題。

PART II

The Classroom

教室型

現在，我們要進入另一種類型博物館。外表上，它可能看起來還是很像宮殿，而它最早的形式的確是存在於類似宮殿的私人空間。裡頭收藏的文物依然是無所不包——繪畫、考古、動物標本、書籍、家具，從世界各地匯聚一堂。但它的組織有別於宮殿型：它是一間教室。奇觀（spectacle）依然重要，啟蒙的理想亦然，但這類博物館的關懷重點比較不是個人癖好的策展；教室型的定義是鼓勵編目，鼓勵透過文物教育公眾，而不僅是將它們陳列出來。

百科全書條目式的萬國工業博覽會

1851年在倫敦舉行的「萬國工業博覽會」（The Great Exhibition of the Works of Industry of All Nations）是一項偉業——是維多利亞女王夫婿亞伯特親王的「寵物專案」（pet project，業餘專案之意）。博覽會用玻璃與鋼鐵打造了一座「水晶宮」（crystal palace），展出來自世界最吸睛的科技、機械與設計。由將近一萬五千名製作者創造的一萬件文物放置在該空間裡，根據地區與類型組織排列。在六個月的展出期間，博覽會吸引到六百萬名訪客（就規模而言，同樣位於倫敦的維多利亞暨亞伯特博物館〔Victoria & Albert Museum〕，其年度參觀人數一直到2018年才首次突破四百萬人）。將世界齊聚一堂展示出來，這樣的概念引人注目。萬國博覽會與世界博覽會就這樣從十九世紀末起，變成固定盛事，在歐洲與北美各國輪流上演。1889年，巴黎國際博覽會（The Paris International Exposition）的焦點是嶄新的艾菲爾鐵塔；而1962年與1964年分別在西雅圖與紐約舉行的博覽會，則是其中最著名的範例。

　　1851年的萬國博覽會代表一種新形態的公共娛樂，在開放空間中展出百科全書式的作品。博覽會的目的具有明確的教育性，它的觀眾形形色色，門票（相對）便宜，只需一先令。[1]*博覽會將約莫一半的空間保留給英國和英國殖民地的作品，希望英國大眾（以及深感驚豔的國際訪客）能看到「自家」帝國的戰利品，將他們掌控的財富和權力視覺化——那樣的財富是大多數訪客不可能擁有的。那是一個野心勃勃的空間，旨在激發敬畏之心與愛國主義。

　　這就是宮殿型與教室型的關鍵差異。雖然我們看到，有些宮殿型藏家（特別是威廉·漢米爾頓與約翰·索恩，參見第一、二章）說自身的典藏是「為了國家」，但他們展出的文物大多卻是反映他們自身個人形象。參觀者可以登門，但通常是受邀賓客，且須根據藏家的眼光參觀巡行，對於典藏文物的影像流通，也會嚴加控制。這類典藏聲稱要影響藝術家與品味創造者的圈子，透過該圈子的下滲文化（trickle-down culture）來為國家服務。在教室型博物館裡，這類藝術國族主義的作用力浮出檯面：它的典藏不是為了國家，而是「屬於國家」，目的是要將國家這個統一群體的價值反映出來。

　　當然，這不表示教室型博物館裡沒有不平等。它依然是一個極端種族化與性別化的空間，仍舊把重心放在身為創作者、探險家、藏家與作者的白種男性身上，是這些人創造出博物館稱頌的知識。教室型接下宮殿

---

* 博覽會第一個月的門票是五先令（一名熟練工人的日薪，http://www.nationalarchives. gov.uk/currency-converter）。

型的棒子，接下同樣的宗旨：藉由向大眾展示一個以啟發為目的的空間來「改善」大眾。而負責挑選文物的也是同一群人，但這次，他們不只是把同溫層欣賞的文物聚集起來，還積極打造敘事。教室型容納更多來自歐洲藝術與古董圈外的文物，但展廳敘事往往會強調一種等級關係，這些文物的地位如何，取決於它們能為歐洲帶來哪些實質上與知識上的貢獻。這類敘事都是圍繞著它們可能帶來的幫助或利益，其中也包括道德用途：自然史博物館和肖像博物館都很適合歸入這類空間，因為它們的典藏內容多半是用來研究或令人尊敬的。

提升觀眾能力是教室型的核心原則

教室型熱愛編目：它不斷將事物分類。這樣的分類過程創建了自然史，這樣的分類信念認定萬物（以及每個人）都可被界定。將動植物分門別類的同一套組織系統，被轉嫁到人類身上，在種族與民族之間畫下任意且虛構的分界，「文明」對上「野蠻」。本篇有幾件文物和種族化的歷史有關。我指的是「種族化」（racialization）而非「種族」（race），因為定義並非不可更改。種族類別的劃定是社會創造的，可變通的，而且是掌權者由上而下強壓的。這麼說並不表示種族主義不是真實、暴力且深刻的傷害；而是說，它的確是創建這些編目的一大關鍵。就歷史而言，種族化未曾無害，也從不無辜；釘在膚色與外貌上的差異，被當成殘酷與控制的合理藉口。我們已經從羅瑪的《東方向不列顛妮雅進貢》（參見第四章）中看到這點，在本篇裡，我們會用英國更多有色人種的圖像來接續這個主題。

　　我用教室型稱呼這類藝廊，是根據亨利・柯爾爵士（Sir Henry Cole）的說法，他在1853年寫道：「在適當的安排下，博物館可成為最高等的教學機制……一座有聲有色、為所有人設計的教室。」[2]柯爾是一位英國公僕，為1851年的萬國博覽會投注許多心力，隨後在1852年出任設計學校（Schools of Design）校長與最早的工藝品博物館（Museum of Manufactures）負責人。設計學校從1837年起就隨意蒐集了一小批教學典藏（大多是半身像和版畫，還有一些雕刻殘片），不過要到1850年代，這批典藏才變得舉足輕重。柯爾花了五千英鎊從博覽會購買文物，加入設計學校的典藏，並在亞伯特親王的支持下，買下西倫敦的土地，建造了一座博物館。工藝品博物館後來改名為南肯辛頓博物館（South Kensington Museum），接著又變身為維多利亞暨亞伯特博物館。該博物館存在至今，依然位於同一地點。

　　南肯辛頓博物館是教室型的真正原型。它的典藏包羅萬象且略顯奇僻：參觀者從建築材料博物館，行經鐵器藝廊，穿越模型船隻艦隊，接著進入食物博物館（Food Museum），學校的藝術圖書館，以及擺放了各國古文物石膏模型的大廳（這些鑄像大廳至今仍是維多利亞暨亞伯特博物館的主要亮點之一）。雖然展品中有一些「高等藝術」（fine art）——因為數量太多擺不進國家藝廊的畫作——但主要的焦點還是工藝品。該座博物館的本質是一座設計圖書館，將世界各地的範例匯聚一堂，讓創作者可以研究參考，融入自己的作品之中。藝術評論家約翰・羅斯金（John Ruskin）很討厭它，說它是「一座克里特迷宮」，裡頭的文物太過異質，太過骯髒，無法欣賞。[3]不過，像羅斯金這樣的藝術典藏家和藝術贊助

者，本來就不是柯爾想要取閱的觀眾，他的目標是要吸引工薪觀眾。一週有三天可免費參觀，某些日子還開放到晚上十點，以煤氣燈照明。[4]博物館週末也開放，企圖把民眾從酒吧和豪華酒店拉過來。1869年，《潘趣》（Punch）雜誌上的一幅漫畫對比了兩種居家生活場景：場景一是一對男女在「公共之家」（the Public-House，酒吧之意）吵架；場景二是一對男女在「公眾之家」（the House for Public，也就是藝廊）討論陶藝展。[5]這是一種簡化，但要傳遞的訊息相當清楚——造訪博物館可讓你變成更好的人。

南肯辛頓博物館具有教室型的一切特徵，但它顯然不是唯一一座。1863年，奧地利應用藝術博物館（Österreichisches Museum für angewandte Kunst）於維也納成立，它直接受到南肯辛頓博物館的啟發，也是一座性格類似的設計與材料圖書館。1846年，史密森學會（Smithsonian Institution）創立（早於南肯辛頓博物館），宗旨是打造「促進知識在人群中傳播的機構」，目前該機構在華盛頓特區與紐約一共擁有十九家博物館。[6]科學博物館、設計博物館以及自然史博物館是教室型最明顯的範例，但教室型的核心原則——將文物組織成具有教育性，以提升觀眾能力——相當普及。

在教室裡，是誰在講話？

如果說這是一種教室，那課綱是誰寫的呢？柯爾有個惡名，他在維多利亞暨亞伯特博物館裡設置了一間「恐怖室」（chamber of horrors），名為「錯誤原則藝廊」（Gallery of False Principles），展出他眼中的壞

設計，並一一指出它們的瑕疵。[7]他認為「好」品味是絕對的，而非相對的；好品味可透過學習養成。教室型博物館的宗旨或許一直是改變社會和推廣教育，但現實社會依然對博物館提出的敘事施加了嚴格的群體控制。在知識民主化的過程中，教室型博物館經常跌跌撞撞，因為它依然將知識視為理想抱負，認為受過教育的內團體應該將知識傳播出去。將文物呈現在教室型的空間裡，意味著它們的意義和故事總是會受到限制與簡化。階層制度依然在其間運作：這些博物館將文物界定成「有用的」或「好的」，但這樣的分類標準卻未必能反映出這些文物在其原初社群裡的力量。在教室型博物館裡，文物飽受限制，且經常縮減到只剩表象。不過裡頭還是有些不羈之徒。它們呼籲我們不要服從教室，要遵循自己的直覺來應對它們無法控制的多樣性。在博物館裡，要打破規則並不容易，但還是有些方法可抵抗教學的簡化但不會對文物造成實體上的侵犯或傷害。這就是我們在本篇想要討論的。

我們將看到的頭兩件文物與約瑟夫·班克斯（Joseph Banks）和他的私人典藏有關。班克斯在本質上是個完美的啟蒙主義人（Enlightenment man）：一位狂熱（儘管未必訓練有素）的藏家、學者、旅行家和植物學家，得到家族財富的資助。他是歷史上那種無所不在的人物之一，似乎認識所有人。他跟威廉·漢米爾頓相當熟稔，漢米爾頓將自己打造成藝術鑑賞家和裁判官，班克斯則不同，當他與庫克船長（Captain Cook）旅行到南太平洋與冰島時，他認為自己是一位編目人，致力為這個世界，為世上的生物與文化分門別類。班克斯是知識網絡的核心，在同儕之間傳布知識，促進研究。雖然他的典藏在他生前並未開放，但裡頭的圖像與文物曾

以印刷品形式流通，擁有一批同溫層外的閱聽眾。印刷品與複製品是本篇的重點——本篇的所有文物都曾廣泛複製，普獲參考，大多數至今依然。它們走出博物館空間，一路複製或顛覆策展人的想法。在本篇稍後，會出現一頭被囚禁長達兩百年的老虎，牠從抵抗與霸權的象徵淪為壓抑無聲的紀念品。另有三幅肖像畫，訴說英國種族與權力的不同故事，並詢問我們，該如何替未被再現的體驗創造空間。最後，我們會看到一面盾牌，可回溯到庫克船長與班克斯的南太平洋之旅，這面盾牌會把我們再次帶回到本篇的主要提問：在教室裡，是誰在講話？

6. 袋鼠與丁格犬

The Kangaroo & the Dingo

兩隻動物呈現出對陌生新世界的見識。

　　第一隻有一雙巨大圓耳筆直向上,不尋常的脖子近乎扭到背面。牠羞怯地轉頭向後看,甜粉色的鼻子,微笑的嘴巴,爪子從不知什麼地方伸出來,柔懸在身側。牠挺直身子,尾巴太長,太像囓齒動物,肚子太圓,腿太瘦:整體而言,牠看起來像是由野兔與老鼠拼湊而成的怪異動物。牠的同伴是一隻深赤褐色、狐狸似的生物,齊整的小腿和毛茸茸的尾巴,小耳朵,柔軟低矮的身體。這兩隻動物都出現在翕翕鬱鬱、適合耕作的地景前方,像是順路經過牠們的畫布,僅留下一抹影子。對這兩幅畫作的藝術家而言,有一點很公平,這兩隻動物他都沒見過,作畫的根據主要來自文字描述、另一位藝術家的素描,以及第一隻動物的充氣毛皮。儘管如此,這兩幅畫都曾轟動一時。那是1773年,在此之前,沒人在英國看過袋鼠或丁格犬(dingo,澳洲野犬)。

　　1770年4月,詹姆斯・庫克,「奮進號」三桅帆船(HMS Endeavour)的船長,於今日被稱為澳洲大陸的東南海岸登陸。庫克和他的夥伴是由皇家學會(Royal Society,一個促進研究與科學教育的協會)正式派往南太平洋,從大溪地觀察金星凌日,此外,海軍與政府也指示他

們繪製有潛力的貿易路線，並留意可供養英國殖民地的所有地點。當然，庫克並未「發現」任何東西——你不可能發現一個已經有其他民族在上面生活的地方——他也不是第一個踏上澳洲的歐洲人。自十六世紀起，澳洲大陸的北部和西部海岸，就有部分地區由荷蘭、法國、西班牙和葡萄牙商人繪製過地圖，庫克甚至不是英國的第一人——威廉‧丹皮爾（William Dampier）已於1668年抵達西北部海岸。不過，庫克和他的船員在東部登陸，他們是該區的第一批歐洲訪客。原住民在澳洲居住的時間已超過五萬年，從「夢時代」（The Dreamings）開始，他們就一直生活在自己的傳統土地上，儘管有外人入侵，他們仍持續保有這些土地，並未割讓給任何殖民占領政府。*在這裡用「澳洲」一詞有點時代錯置：在庫克的認知裡，澳洲的西半部叫新荷蘭（New Holand），他用新南威爾斯（New South Wales）稱呼東部海岸；要到1820年代，「澳洲」才漸漸成為通用詞彙。這個詞彙根本不足以涵蓋數百個自成一格的原住民文化和語言群體，因此，當情況許可時，我也會使用該地社群使用的名稱。

「發現」澳洲

　　4月到9月間，庫克從東海岸右行，抵達北部最尖端，中間曾在好幾處登陸。為了修船，他們在瓦盧姆巴爾比里（Waalumbaal Birri）或所謂的奮進河（Endeavour River）附近紮營，那是辜古依密舍人（Guugu

---

＊　不可能明確指出人類抵達澳洲的日期。這麼做也不適合，因為這是將以西方為中心的人類學時間表硬加在原住民身上，在原住民的信仰裡，他們一直生活在這塊土地上。「夢時代」是描述這類信仰的原住民創世故事的統稱，這些故事是由殖民入侵前的數百種語言和方言所講述。

Yimithirr）的土地（位於今日的北昆士蘭），他們就是在那時看見袋鼠。庫克在1770年6月24日的日記中，形容那隻動物是「淡鼠色，體型相當於一隻灰獵犬，身形各方面都很像⋯⋯但牠走動或跑動時會如一隻野兔或鹿〔原文如此〕般跳躍」；牠也出現在希尼・帕金森（Sydney Parkinson）的筆記裡，他是第一位描畫袋鼠的歐洲插畫家（參見圖5）──一隻「動物，近似小鼠屬，約莫灰獵犬大小，頭似小鹿〔原文如此〕」。[1]

帕金森並非受雇於庫克；他是班克斯的隨行人員，先前提過，班克斯是一位業餘的自然史家（參見P.92）。班克斯靠著繼承的財富追求植物學與典藏：他替自己和另外八人買了職位，隨同庫克展開第一趟航行，記錄沿途遇到的動植物。其中兩位是專業藝術家──帕金森和一位風景畫家，名為亞歷山大・布肯（Alexander Buchan），他在火地島（Tierra del Fuego）的旅途中英年早逝。其他幾位包括赫曼・斯波林（Herman Spöring），一位具有藝術天分的博物學家；班克斯的密友丹尼爾・索蘭德（Daniel Solander），一位資歷經驗都更豐富的植物學家；以及四名僕人。帕金森和斯波林都在返回英國的航程中死於開普敦；索蘭德和班克斯活了下來，平安返鄉，並帶回大量的素描、地圖與典藏。

班克斯和索蘭德都是卡爾・林奈（Carl Linnaeus）的追隨者，他是第一位持之以恆用一套命名系統為動植物分類的植物學家；索蘭德曾在瑞典跟隨林奈做研究。林奈的分類法屬於範圍更廣的一項文化運動，主張藉由觀察與實際調查追求更詳盡的研究。這套系統也借重在不同種屬之間找出類比，暗示它們的關聯，正因如此，科學界在最初命名時，才會根據庫克等人的描述，將袋鼠與小袋鼠放在小鼠屬（Mus）裡。

　　了解班克斯的角色相當重要，因為他主導了庫克如何再現他的第一次航行以及他所謂的「發現」澳洲。班克斯的旅行經驗豐富，之前曾以科學研究員的身分（同樣是透過私下贊助這項興趣，而非得到海軍或皇家學會的正式委託）去過冰島。他是一位藝術狂熱者，後來連同威廉・漢米爾頓一起成為「業餘愛好者協會」的一員（參見第一章），他接受的教育和所屬的社會階級為他奠定古典主義的品味底蘊，但他極度偏愛自然主義的圖像，勝過浪漫場景。上述種種影響了他與庫克旅行的方式：他的目的不僅是親眼目睹太平洋，他還想在返回英國後將太平洋分享給他的同儕。

以插圖記述展現十八世紀的理性時代

　　從庫克航程中帶回英國的許多「典藏」品，其實是偷來的，或用暴力取得，包括一面格威蓋爾（Gweagal）盾牌，目前收藏在大英博物館，我們會在第十一章回頭談它。但有一些是用歐洲的武器或工具換來的，出處來歷較不可疑。班克斯在本章與下一章裡角色突出，不過現在，先讓我們看一下，他在返國後不久委託製作的袋鼠畫（參見圖6）和丁格犬畫。

　　這兩件作品是由喬治・史塔布斯（George Stubbs）繪製，一位以馬匹和犬狗圖像聞名的藝術家，通常是接受富有貴族的委託，讚頌他們心愛的寵畜。史塔布斯是業餘的解剖學家，以細膩研究聞名；他出版過許多馬匹的解剖素描，協助人們了解繪製自然主義再現圖的過程。他很少繪製沒親眼目睹的動物，但班克斯顯然對他的技巧深具信心。他把描述這兩種動物的筆記借給史塔布斯，外加植物插畫家帕金森畫的袋鼠素描，以及袋鼠毛皮，請求他為那兩隻動物賦予生命。帕金森的素描相當精準：你可看到他

企圖捕捉那隻動物的雙腿,線條一畫再畫,但這些素描還停留在粗略階段,細節薄弱。史塔布斯能做的,就是去詮釋這些資訊,努力畫出趨近真實的圖像。

但這些畫作缺乏精準度,這或許是無法避免的。袋鼠應該精瘦且肌肉發達,將所有力量放在後腿與背部。這張畫裡的生物可看出是一隻袋鼠,但就像你也可以認出絨毛玩具熊是一隻熊一樣。還有,丁格犬應該身型較高,稜角分明,強壯結實,雖然有些丁格犬的毛色暗深,如畫中顯示,但更常見的是淺沙金色。儘管畫中的動物具有辨識度,但並非一眼即知。牠是一隻丁格犬,但身體各部位都像是東拼西湊來的。

十八世紀經常被稱為「啟蒙時代」(Age of Enlightenment)或「理性時代」(age of reason)。基本上,這是一個看重客觀性、個人主義和理性的時代。這種哲學如今遭到許多批評,也一直有人質疑這段時期究竟為世界帶來多大的實質改變;但是在我看來,這段時期最要緊的是,有一群白種、富有、受過教育的男性,將自己視為「開明的」(enlightened),認為自己比其他社會或時代更理性。隨著旅行機會增加,加上1660年皇家學會成立之後,出現了分享知識的新圈子,科學研究變成這群男人的標準興趣。他們相信自己有能力準確感知世界並因此了解世界,所以配有插圖的記述,特別是根據實物繪製的圖像,就成為首選。我們也必須牢記,在這段時期,今日我們所知的澳洲還相當模糊,相當危險,是班克斯、庫克和其他人尚不知曉的世界。他們毫無概念,不知道能在那裡發現什麼,而他們第一次看到袋鼠時(無論你拿牠和歐洲任何動物做比較,其實都不像),肯定覺得既可怕又震驚。

正是因為這點，加上帕金森不幸過世，班克斯才委託史塔布斯作畫。基本上，這些畫作是要做為樣本，做為具有教育和傳達功能的實用圖像。這兩幅畫最初是在藝術家學會（Society of Artists）一同展出，該機構是皇家藝術學院（Royal Academy of Arts）的先驅，雖然在當時兩者是敵對的。1773年時，藝術家學會正在流失會員，但還是有能力為它的年度展覽吸引到一些富有的菁英觀眾，所以應該有一批經過挑選的公眾有機會看到那隻袋鼠和丁格犬。

班克斯顯然對成果感到滿意：這兩幅畫都掛在他家最顯眼的位置，連同一張庫克肖像，以及他自己從太平洋收集到的文物。在他的計畫裡，這兩幅畫應該一直掛在這個空間裡，與他收集的文物擺在一起，做為一堂冷僻課程的一部分，由班克斯主講。這種再現無須完美，只要氛圍對了就可以，因為觀眾可以在袋鼠的畫像旁邊看到牠的毛皮。班克斯的科學是有形的，五感的，需要親身體驗。有個案例可說明這點，有位英國作者寫了有關鴨嘴獸的最早描述，班克斯和其他許多人一樣，認為那隻生物是場騙局，直到兩張獸皮送到倫敦，讓他可以親自研究為止。[2] 圖像和毛皮擺在一起就可代替活標本，只要有這些資料便可以就近仔細觀察。

官方版故事《航海記述》背後的用意

史塔布斯的動物們還擁有繪畫之外的人生，特別是那隻袋鼠（丁格犬比較不轟動，因為他太像狐狸了，而狐狸在英國引不起震驚）。袋鼠畫很快就有了版畫，收錄於約翰・霍克斯沃斯（John Hawkesworth）改編的庫克日誌，1773年出版。[3] 霍克斯沃斯得到海軍的委託，根據班克斯的

筆記等數個來源，彙編成《航海記述》（*Account of the Voyages*）一書，做為該趟旅程唯一公開版的官方故事。班克斯似乎很樂意支持這項計畫，而且看不出他打算出版自己的日誌。[4]霍克斯沃斯的書是寫給一般大眾看的，班克斯對此表示滿意，他知道該書可與他日後出版的學術文本相互幫襯，他也很樂意讓他的袋鼠版畫成為該書的插圖。

班克斯原本的計畫是，帕金森和布肯可以在返國後將他們的速寫修到可以出版的程度，做為班克斯和索蘭德撰寫的自然史書籍插圖。沒想到，兩位藝術家的離世讓這項計畫胎死腹中，而班克斯的《花譜》（*Florilegium*）——一本植物圖鑑，收錄了「奮進號」旅程中收集與研究的植物——則要到1980年代才完整出版。《航海記述》並非科學文本，甚至不全然準確：事實上，庫克試圖跟這本書保持距離，因為霍克斯沃斯做了一些更改，讓他直率的海軍散文有時變得過於聳動（且好讀）。[5]《航海記述》改寫了庫克的觀察性描繪，希望打造出讓受眾更感興趣的東西，引用一些讀者可以跟上的古典和文學典故。它是歐洲人在太平洋地區打造歷史的開端。

《航海記述》背後有個更大的用意，目的是要讓歐洲受眾更加熟悉陌生的太平洋風景與野生動植物。藝術史家伯納・史密斯（Bernard Smith）形容這是「歐洲見識」（European vision）：藝術家將眼前所見轉化成他們知道如何再現之物，製作出可讓版畫家進一步調整的圖像。帕金森以寫生繪製的原始草圖，結合了老鼠、小鹿、野兔和灰獵犬的特徵，這麼做的原因之一，就是想把這個生物轉化成讀者可以在腦中想像的東西，而這也是他自身科學觀察的一部分，他一邊速寫一邊在腦中類比，創造出

一個更加完整的袋鼠再現。當他選擇要描繪哪些最重要的部分時,他的教育與歷練便決定了他的見識。

在混種、變通、困惑時代製作的圖像

在庫克與「奮進號」之前,從早期太平洋航程中留下的文物,大多是地圖與海岸輪廓圖。其中一大例外是探險家亞伯・塔斯曼(Abel Tasman)的隨行藝術家以撒・吉爾塞曼斯(Isaac Gilsemans),最早的毛利人再現就是出自他之手,該幅圖像可回溯到1640年代,內容是描繪塔斯曼的船員在金灣/莫胡亞(Golden Bay / Mohua)與努提・塔瑪塔柯基里族(Ngāti Tūmatakōkiri)的第一次火爆交戰。但吉爾塞曼斯的圖像比例不對,是從一個不可能的視角繪製,目的是為了描繪衝突而非博物學,所以,我們可以持平地說,帕金森和斯波林是最早全面記錄南太平洋風土民情的歐洲藝術家。

班克斯去世後,袋鼠和丁格犬的畫作皆由妻子的家族繼承,並未如同其他文物,成為博物館的收藏。這兩幅畫從他妻族那裡轉賣給另一位私人藏家,收置在西索塞克斯(West Sussex)的帕安(Parham),那是一座私人的歷史大宅,夏日期間開放給大眾參觀,不過丁格犬畫從未展出,袋鼠畫自1950年代末起也不再陳列。[6] 2012年,一位匿名買家取得這兩幅畫,打算將它們送給澳洲國家藝廊,英國政府禁止放行,好讓倫敦的國家海事博物館(National Maritime Museum)有時間籌足經費,買下它們,「拯救我們的史塔布斯」。[7]

史塔布斯那兩幅畫不是澳洲的,但也不是英國的。它們是混種的,

變通的，在一個困惑的時代製作，描繪出期望與現實的碰撞衝突。為國家典藏「拯救」一幅畫作，這概念相當尷尬，因為在那同時，許多博物館正努力想證明自己有資格保留從其他文化那裡取得的文物，而那些文化的所在國則試圖要求歸還文化。這是雙重標準，暗示某些社群比其他社群對自身的物質歷史擁有更大的權利。「我們的史塔布斯」，這樣的宣稱透露出「啟蒙思想」揮之不去的力量，這股力量將一些多半被人遺忘的圖像推到對它們而言實在過於強烈的鎂光燈下。

這樣的位置，也無法看清歐洲見識以及英國對世界其他地區藝術想像的深遠影響。繼庫克之後前往澳洲的英國殖民者，事先就知道他們可以在那裡發現什麼，從而形塑了他們自己打造的圖像。有「澳洲第一紋徽」之稱的「鮑曼旗」（Bowman Flag），上面的袋鼠顯然是以史塔布斯的畫為基礎，該殖民地早年的紋飾和標誌也是。[8] 將那兩幅畫冠上「我們的史塔布斯」，等於是不講道理地暗示，英國的藝術與博物館世界是早期國際殖民史唯一合適的故鄉，但那些前殖民地對那段歷史的感受也同樣（甚至是更）強烈。

今日，這兩幅畫都陳列在倫敦國家海事博物館的探險家翼樓（Explorers Wing），一個名為「太平洋邂逅」（Pacific Encounters）的展廳。展廳的敘事的確有提到太平洋的文化和不同的世界觀，但依然是由以英國為中心的歷史觀全面主導，這類歷史往往強調正面與和解，為它的「探險家們」美言。位於坎培拉（Canberra）的澳洲國家藝廊將史塔布斯那兩幅畫稱為「澳洲豐富視覺文化的開端」，這個觀點同樣有問題，因為它把焦點擺在入侵的殖民強權之上。[9] 海事博物館不願放棄那兩幅畫，只

能以短期借貸的方式轉送，但無論是在倫敦或坎培拉，這兩幅畫都只能訴說故事的一部分。（老實說，我不認為在這起事件之後，這兩座藝廊能對入侵、流離、種族屠殺和環境破壞等歷史做出公正的陳述。）它們沒有完美之家，因為它們訴說的身分——身為殖民權力的英國，身為殖民臣子的澳洲——交織得如此緊密，即便它們試圖分開彼此。在這兩個博物館裡，那兩幅畫的敘事都得受到限制，才能適合英國的發現紀實，或澳洲的神話創建。而我們能做的，就是試著去認識這種不完整。這兩幅畫或許可以「拯救」，但它們注定要漂流，脫離一段大到難以完整敘述的歷史：一則恐懼和不確定的故事，以及創建一個地方的歷程。

7. 麥伊

Mai

1774年，第一位造訪英國的太平洋島民步下船隻，
走進公眾的想像裡。

　　麥伊（Mai，經常被誤寫成「歐麥伊」〔Omai〕或「歐米亞」〔Omiah〕）是居住在大溪地的萊雅提亞島人（Raiatean）。他加入庫克船長的第二次航行（參見第六章），成為他的船員，隨著他們跨越太平洋，終於來到倫敦，並在那裡造成轟動。麥伊是我們所知第一位造訪英國的太平洋島民，雖然他顯然並非第一位原住民：人們以大使、商人、賓客和囚犯身分前來已長達好幾個世紀。* 他的壽命不長——來到歐洲時他約莫二十歲，1780年去世。今日我們幾乎不記得他，不過，從他1774年抵達到1777年返回大溪地這段期間，他可是個名人，被油畫，被素描，被觀看，被描述，被帶入宮廷，還成為好幾篇諷刺詩文的主角。

---

*　在麥伊之前造訪英國的原住民中，有好幾組來自北美。第一批來自「新發現島嶼之地」（the Newe ffound Ile land）的訪客，約莫是在1501年抵達：他們大概是因紐特人（Inuit），根據一段殘存的文字紀錄，他們是英王亨利八世的賓客。造訪倫敦的原住民中，最著名的應該是馬托卡（Matoaka），更常見的名字是寶嘉康蒂（Pocahontas，或她的教名：麗貝卡‧羅爾夫〔Rebecca Rolfe〕），她於1616年抵達，是波瓦塔（Powhatan）使節團的一員，而她的當代再現就是「高貴野蠻人」的原型。

「高貴野蠻人」的奇想

「高貴野蠻人」（noble savage）是一個特別持久的人設。雖然盧梭（Jean-Jacques Rousseau）從未明確使用這個詞彙，但這奇想通常還是歸在他頭上，因為他曾指出，有一種力量與美是屬於簡單、純樸、與大自然連結的生命。早在盧梭之前，從十七世紀開始，歐洲旅行家就曾描述過他們眼中北美原住民的高貴本質，希望打消自己的困惑，因為他們發現，先前他們害怕並將之虛構為駭人怪物的那些社群，其實也都是人。他們發展出這樣的敘事，將一些個人拔擢出來，變成超越其他人的「高貴」人士，取決的標準在於他們是否有意願同化，特別是皈依基督教。這是一種嚴重種族化的概念：「高貴野蠻人」的地位幾乎都是保留給膚色較淺的有色人種，而且他們的五官比較接近歐洲人眼中的理想美。

夢想中的高貴野蠻人，正是歐洲人帶往太平洋的隨身成見之一。在十八世紀末，大溪地變成這類奇想最受歡迎的主角，英國啟蒙人士，例如班克斯（參見P.92）和庫克船長，都認為大溪地是純真無邪而非原始野蠻——在這類奇想裡，大溪地婦女尤其受到嚴重的性欲化。在庫克首次造訪大溪地的前一年，法國人路易·安端·德·布甘維爾（Louis-Antoine de Bougainville）的船員就造訪過該島；那位海軍上將把大溪地稱為「新希泰爾」（Nouvelle Cythère），典出基西拉島（Kythera），據信，那是愛神阿芙羅黛蒂的出生地，由此可清楚看出，他是如何詮釋和迷戀這個地方。

當初班克斯安排參與庫克的第一次航行時，他的目標之一可能就是想帶一位原住民回英國：介於大使與人質之間的某種角色，他們可做為

活標本，說明兩個世界的異同，還可用來做實驗，測試原住民社群「文明化」的潛力。如果一切順利，他們可扮演外交官。或者，萬一他們死在英國，也可解剖他們，當成標本，為追求知識的啟蒙運動做出貢獻。

抵達大溪地後，班克斯選中圖帕伊亞（Tupaia）當他的活標本，圖帕伊亞是一名萊雅提亞－大溪地祭司，曾加入庫克的第一次航行，擔任領航員、翻譯員與交涉員。*班克斯在日記中寫道：

這個早上，圖帕伊亞上了船，他重申決心，要隨我們前往英國，這情況令我相當開心……我沒理由不把他當成新奇玩意留在身邊，跟我那些養了獅子老虎的鄰居相比，他們的花費超過我可能花在他身上的；我可以從日後與他的交談中得到樂趣，他也能為這艘船帶來好處，如果被送上海的是另一人，我還會覺得值回票價嗎。[1]

但班克斯受挫了，因為圖帕伊亞在返回英國的途中死掉了。班克斯後來想以更大規模加入庫克的第二次航行，且懷抱著更遠大的科學目標，但因為要求太多而遭到海軍阻止。如果當初他真的回到南太平洋，可以合理假設，他會試圖找到第二位圖帕伊亞，第二個活標本。真實的情況是，庫克第二次航行的水手遇到麥伊，知道他願意旅行，他們就讓他上船。拜

---

* 目前沒有圖帕伊亞如何學習英文的記載，但麥伊似乎主要是沉浸式學習，而庫克的船員裡也有不少人會講一些大溪地語——特別是詹姆斯·伯尼（James Burney）——可協助翻譯（Fanny Burney quoted in Anne Salmond, Aphrodite's Island: The European Discovery of Tahiti, University of California Press, 2009, pp. 389–90）。

他的免疫系統之賜，這位比較年輕、比較不受尊敬、在旅途中對英國人也比較沒用處的男子，就這樣成為第一位造訪不列顛的太平洋島民。

我們對麥伊所知有限，這反而有助於解釋為何他選擇前往英國。麥伊出生於萊雅提亞島，但家人在他十歲左右迫於戰爭遷往大溪地。他終其一生的目標，就是要回到萊雅提亞島，重新拿回家族的土地，他不斷請求他的英國主人幫助他達成心願。[2] 他極有可能向英國人誇大了他所屬的社會階級，他採用「麥伊」這個比較高貴的假名（他也被稱為「帕里德羅」〔Parridero〕，一個下層階級的名字），而且從他返回南太平洋的描述中，大溪地可能根本沒人記掛他。[3] 也就是說，麥伊野心勃勃，樂意冒險，而且很能適應新環境。他有時衝動魯莽──例如，在塔斯馬尼亞時開槍威嚇努伊諾尼人（Nuenonne），以及揚言要殺死占領萊雅提亞島的波拉波拉（Borabora）戰士，他的挑釁激起對方攻擊，害他不得不逃走──但旅居英國那段期間，他的行為舉止似乎符合主人認為可接受的標準。[4]

麥伊肖像畫中的暗示

目前有兩幅大型肖像來自麥伊的倫敦時期。第一幅，他站在蓊鬱明亮、半英國半熱帶的風景之中（相當類似史塔布斯畫中袋鼠與丁格犬的背景，參見第六章）。麥伊年輕，略略從觀看者的目光中轉開，神色端莊高貴。他衣著厚重，平滑的織品包裹著身軀與頭部，這是塔帕（tapa），太平洋的樹皮衣，披掛起來宛如羅馬長袍，他的姿勢與衣著喚起一種杳遠的神話空間感（參見圖7）。這是浪漫主義的場景，加上一位精力充沛的年輕英雄。接著，你看到他的雙手：上面有清楚的刺青。他帶著大溪地成年

男子的印記，這些顯眼的標記為這名男子注入些許陌生、危險的暗示；這名男子並非歐洲紳士，無論他模仿得多神似。

在另一幅肖像中，麥伊與另外兩名男子置身室內。麥伊站在半黑暗的空間，這次他直視觀看者，略略皺著眉頭（參見圖8）。他再次身穿塔帕，光著腳，不過這次可以看到他的頭髮，蓬鬆黑鬈。畫面中央，班克斯指著麥伊的手，大概是在說他的刺青，雖然在畫面裡已完全褪除。畫面右側，班克斯的同僚索蘭德坐在桌旁書寫，將班克斯的描述記錄下來。

這些畫捕捉到麥伊的兩個公開面貌，英俊的「高貴野蠻人」以及標本。麥伊在倫敦停留的短暫時間，給了我們一個罕見機會去洞察在十八世紀英國的大眾想像中，是如何感知原住民和殖民地人民。他的這兩幅肖像瞥見了某位人物，但也描繪了某種角色——就像我們可以把史塔布斯的《袋鼠》視為英國藝術家試圖結合現實與期待之作，麥伊的肖像畫家與記錄者也企圖找到一種方式來調和他們的刻板印象與眼前這個真實血肉。這種刻版化是由當時的文化執法者所主導，也就是社會上的強勢藝術家、作家與藏家，他們的品味與再現將對英國其他大眾產生下滲效應。麥伊得到的對待，以及交織在其中的種族化觀念，深深影響了有色人種在大英帝國日後歷史上的再現。麥伊是個變色龍，善於改造自己符合人們的期待，但這種個人創造力卻與主人加諸在他身上的藩籬與控制有所扞格。在各種奇想與投射中，很容易看不見麥伊這個人。我們沒有確切出自他之手的生平記載，只能引用他人的評論。但我們可以在歐洲「啟蒙主義」的脈絡下查看這些圖像和描述，試著揭開麥伊的建構過程，並在這個過程中找出他的能動性。

　　讓我們從威廉・帕里（William Parry）的團體肖像開始。這幅畫最初的全名是《約瑟夫・班克斯爵士與歐麥伊，大溪地酋長，以及丹尼爾・查爾斯・索蘭德醫生》（*Sir Joseph Banks with Omai, the Otaheitan Chief, and Doctor Daniel Charles Solander*），這名稱相當有意思，因為它將麥伊的名字寫錯，而且將他的身分誤植為大溪地「酋長」，並讓班克斯扮演主角。打從一開始，我們就可感覺他們之間的權力動態，班克斯這位經過啟蒙的紳士，有能力觀看麥伊、理解麥伊，並描述麥伊給索蘭德聽，讓他記錄下來。當麥伊與兩位歐洲人一起出現時，他顯然被劃為差異的那方：他的衣著讓他成為外人，勢單力孤且陌生不熟。在班克斯的典藏脈絡下，麥伊是個標本——麥伊的手，他身上最明顯的差異標記，是畫面的重心所在。在班克斯的博物館裡，他是一件活文物，連同史塔布斯的畫作與他從大平洋帶回英國的文物一同陳列。派里的團體肖像描畫出第一次接觸之後的某個時刻；可以把新近遇到的「他者」轉化成研究文物的時刻。麥伊位於最黑暗的角落，部分落在陰影中：這是「高貴野蠻人」影像慣用的視覺手法，暗示他們或許有可能被啟蒙，字面的意思就是走進光亮處。既然在這件作品裡麥伊被指名為酋長，他的出現對英國人而言有如某種政變，意味著他承認英國的優越性，且可能鼓勵其他人追隨他。眼下，他與其他兩人並無肢體上的互動：當班克斯指著他而索蘭德聞言凝視他時，他是全然被動的。班克斯的肢體語言透露出他是最有權力的主控者；他有能力讓索蘭德、讓那幅畫的觀看者以及英國大眾更全面地了解麥伊的身體。

　　麥伊的個人肖像則稍有不同。那是出自約書亞・雷諾茲（Joshua Reynolds）之手，十八世紀英國最重要的肖像畫家，而且在許多方面，這

幅畫都有他的招牌風格。雷諾茲為「恢弘風格」（Grand Manner）的美學立下規矩：大型（通常是等身）的全身肖像，具有精心組合的配置與道具，汲取古典雕像或歷史畫作中的姿勢，但穿上與眾不同的當代服飾。整體效果在於讓他的畫中人物與歷史人物一樣受人崇拜，但要將他們牢牢釘在此刻。他的肖像經常運用象徵主義，但運用得輕描淡寫——所以當雷諾茲為班克斯作畫時，他讓班克斯坐在一扇有海景的窗前，從書寫中抬頭凝視，旁邊擺了一個地球儀。班克斯被畫成工作中的知識分子，自適而非正式，只用恰如其分的凌亂與窗景來強調他也是一位冒險家。了解雷諾茲的風格後，我們可試著解析他的麥伊肖像。設定的風景是大溪地，所以這是「身在故鄉」的麥伊，在他所屬的大自然環境裡。關於雷諾茲畫作裡的麥伊服飾，歷來有許多討論，許多歷史學家認為塔帕袍是受到古希臘啟發的虛構服飾，頭巾的靈感則是來自印度，目的是為了讓他更富異國情調。[5]我們也知道，麥伊在英國期間只穿英國服飾，很可能連在旅程中也是，以昂貴時髦的穿著打造他的公共形象，這點進一步佐證畫中服飾是雷諾茲虛構的說法。[6]學者認為，麥伊做了扮裝，刻意將陌生的興奮與可辨的古典雕刻美學結合起來——野蠻與高貴的組合。

　　但這假設未必準確。[7]從歐洲人在大溪地繪製的圖像中可看到類似的服飾，而麥伊在帕里的團體肖像畫以及由拿撒尼爾・丹斯（Nathaniel Dance）繪製的另一幅肖像中，也是一模一樣的打扮（少了頭巾），可見這並非雷諾茲的虛構。如果我們接受雷諾斯畫中的麥伊衣著「不脫大溪地正常服飾的範圍」[8]（但我們不清楚那套帕塔是他帶來的，或是從班克斯的典藏中借來，還是他用手邊的白布臨時拼湊），那麼我們就得面對一個

有趣許多的問題：能動性與權力。是誰決定麥伊應該穿成這樣入畫？雷諾
茲不曾讓他的畫中主角穿上古典服飾，總是讓他們以當代衣著現身。由於
麥伊在英國時總是穿著歐洲服飾，而當時與他碰面之人和雷諾茲畫作的觀
眾顯然有很高的重疊度，使得這項決定更加引人注目——很明顯，麥伊是
在扮演某個角色，顯示必要時他有能力以大溪地王子的模樣現身。

　　沒有紀錄指出這些畫作裡的麥伊服飾是由誰決定。在帕里的畫中，
與班克斯和索蘭德相較，麥伊立刻顯得奇異而陌生，但當畫中只有麥伊一
人時，同一套服飾解讀起來卻截然不同。我們在這裡看到的是一場表演，
是藝術家與畫中主角間的創意對話。雷諾茲這幅麥伊肖像似乎並非客戶指
定：沒有委託紀錄，而且作品完成後放在他的畫室好幾年，也就是說，雖
然班克斯跟藝術家很熟，很有可能是他將麥伊引介給雷諾茲，但不太可
能是由他或其他人付錢繪製這幅畫，由此看來，麥伊的裝扮可能是他自己
決定的。[9] 這幅畫可能是專為公開展出繪製的，並做為版畫的底圖，這意
味雷諾茲並非根據指定的綱要作畫——也意味著，麥伊本人同意且樂意被
畫。

高貴野蠻人歷久不衰的形象

　　假設控制全局的並非雷諾茲，假設我們承認，是麥伊做出要展現自
身異國性的創意決定，刻意脫下他的英國服飾並穿上帕塔，把自己建構
成「他者」，那代表什麼？那表示他在聲言自己的身分。想像一下，如果
麥伊穿的是歐洲服飾，這幅畫會變成怎樣：他會變成一個成功的實驗，被
同化與馴服的實驗；而讓他與歐洲人截然有別的帕塔服飾，則變成一種獨

立宣言。不能拿他和英國人做比較,或把他當成荒謬可笑的人物,因為他拒絕假意順從。這並不表示,選擇穿上歐洲服飾的原住民必然是臣服於殖民主義的形塑。表面上的同化可能是強有力的顛覆舉措,也可能只是為了活下去而不得不為——這似乎也是麥伊感到矛盾之處。採納從眾的外在記號,或穿著英國服飾贏得接受與同情,或維持自身的太平洋身分,麥伊走的路總是介於這三者之間。我們可以開始理解,麥伊的再現其實是捲入了一段接觸史,而未必是對歐洲奇想的純粹描述。

就歷史而言,雷諾茲的肖像擁有更多觀眾:1774年它首次在皇家學院展出,接著在1780年複製成版畫廣為流傳。這張麥伊圖像,這位孤絕的「高貴野蠻人」,是一個歷久不衰的形象,橫跨多種媒材,最著名的是出現在1785年的啞劇《歐麥伊:或環遊世界》(*Omai; or A Trip around the World*)中,該劇將他打造成一位浪蕩「倫敦」的迷人王子。[10]*今日,國家藝廊、威特比庫克船長紀念館(Captain Cook Memorial Museum in Whitby)和威爾斯加地夫國家博物館(National Museum Wales - Cardiff Art Gallery)共同擁有帕里那幅團體肖像;它在三館之間移動,並在展覽中露臉,然而雷諾茲那幅肖像卻難得看到。2001年,愛爾蘭馬王暨億萬富翁約翰・馬尼耶(John Magnier)買下該畫之後,它就跟史塔布斯的動物一樣,變成禁止出口的對象。[11]禁令是為了盡可能拖延時間,讓泰特藝廊籌足經費,買下那幅畫,「為了國家拯救它」,但馬尼耶拒絕出

---

* 整部啞劇根據庫克的航行記述,對大溪地與英國之間的理想關係做了精細隱喻。戲很煽情,與事實毫無關聯,但卻在無意中讓我們有機會洞察麥伊如何變成英國奇想的主角。

售。他無法取得允許，將那幅畫永久帶離英國，但可以借給一些藝廊展出，包括2005年到2012年借給愛爾蘭國家藝廊，以及2018年借給阿姆斯特丹的國家博物館（Rijksmuseum）。馬尼耶至今仍拒絕出售，英國政府也拒絕取消禁令，所以在荷蘭國家博物館展出結束後，麥伊的肖像又回到儲藏室裡。在麥伊造訪英國且去世這麼久之後，他的肖像還在受人爭搶，被迫繼續為藝術國族主義服務。那些比較小幅也比較不精彩的版畫，至今還可看到，但令人沮喪的是，為了擁有和控制麥伊的肖像花了那麼多心力，代價卻是讓我們無法親眼目睹。

我們可透過「接觸地帶」（contact zone）的框架來觀察歐洲人的麥伊肖象。這個詞彙來自學者瑪莉・露薏絲・普拉特（Mary Louise Pratt），她將接觸地帶界定為：

> 帝國相遇的空間，歷史與地理相隔的人們在這個空間裡彼此接觸，建立不斷開展的關係，通常牽涉到壓迫、極度不平等，以及難解的衝突。[12]

接觸地帶的概念如今已超出她的定義，涵括了不同文化彼此碰撞的博物館和其他空間。「地帶」一詞也不限於本地人與外來者相遇的真實土地，還包括一種心理地景。[13]那是一個協商角力的空間，有著不停變動的權力平衡。到目前為止，我們在本篇看到的所有文物，都可連結到接觸地帶的概念：它們的製造、移動和形塑都是透過這類殖民相遇與互動。

麥伊的肖像畫也是在接觸地帶塑造而成。帕里和雷諾茲雙雙讓我們洞察到，麥伊的英國主人是如何觀看他的身體，如何將他的身體視為可

以形塑和討論的東西。雷諾茲讓麥伊處於比較主動有力的位置——他的姿勢的確很像帕里肖像中的班克斯——但還是讓他穿上顯然會被英國觀眾解讀為陌生者的服飾。麥伊的再現被商業化，不過，雖然他在英國期間有得到津貼，但雷諾茲的畫作大受歡迎並未讓他得到任何好處，那些版畫是在他返回故鄉（甚至是他去世）之後製作的。那齣啞劇也是，而麥伊在英國那段期間，各種日記和紀錄給人最強烈的感受就是：只要他是一個新奇之物就能得到資助。如同我們提過的，帕里完全把他當成文物，一個被班克斯和索蘭德研究，被觀看者觀察的對象。麥伊和其他前往英國的原住民訪客，至今仍被抹消。他們的故事還在，一直都在，但只要麥伊這類人物的能動性依舊被輕率視為藝術家的虛構，他就依然是個啞巴。必須承認他有能力控制自身的再現，同時也必須留意，他在英國期間，當其他人挪用他的聲音與形象時，這些手法本身所蘊含的操弄性。

有關麥伊的故事就是這麼亂：雖然我們有這些圖像，還有一些記載顯示他很享受待在英國的時光（雖然他也樂意返回大溪地），但他的故事只是透過英國見證者的眼睛講述。我們並不知道麥伊怎麼看待班克斯，也沒有鑰匙可以解開他在帕里肖像中的謎樣臉孔。無論我們多努力想要重新發現他，試圖找到這些圖像後面的那個人，但他實在沉默太久了，我們充其量只能找到這些扭曲的反射。這不表示，我們應該放棄他，讓他消逝——如果放他走，他將變得更加沉默，因此，在藝廊與故事中保留空間給他和歷史上的其他有色人物，是一件至關緊要之事。我們該做的是，為他的經歷以及其他類似者的故事保留可能性。挖掘曾經造訪英國的原住民的故事與再現，找到方法紀念他們，是這過程的一部分：記錄他們的名字，

他們生活的地方，他們為何以及如何前來。麥伊的聲音被奪走了，現在我們可以把他的聲音還給他。至少，要將這點凸顯出來，這很重要，要在藝廊裡盡可能準確而完整地再現他的故事。

8. 邁索爾的老虎

The Tiger of Mysore

一隻老虎與一名男子角力，陷入永恆掙扎。

老虎獲勝。牠蹲在男子胸膛上，咬著他的喉嚨。兩者近乎實物大小，是由上了鮮豔色彩的木頭製成：老虎一身彎曲的黑條紋，男子身著紅色外套，藍灰色馬褲，白色長統襪，黑色鞋帽（雖然受到捶壓，帽子還是不可思議地戴在頭上）。轉動從老虎肩膀處伸出的把手，那名男子就會以痛苦的姿勢徒勞地舉起左臂，老虎體內的風琴則會模仿他們的嘶吼與呻吟。

你會很難忘記蒂普（Tipu）的老虎（參見圖9），如果你曾在倫敦的維多利亞暨亞伯特博物館看過它。它是1790年代初為蒂普蘇丹（Tipu Sultan）製作的，他是邁索爾（Mysore）的統治者，那隻老虎最初是跟蘇丹的樂器收藏擺在一起——打開側邊的面板，你就能演奏風琴——但它也是蘇丹政治圖像學裡的重要文物。1799年蘇丹去世並被東印度公司的武力擊敗之後，老虎來到英國，成為來自該城的珍寶典藏之一。第一次展出是在該公司的印度博物館，1808到1858年間，一般大眾可以在週六免費欣賞。隨著帝國統治接替商業殖民主義，以及東印度公司的財產移交給政府，博物館也逐漸結束，它的典藏變成南肯辛頓博物館的一部分，該館後來改名為維多利亞暨亞伯特博物館。

在上述空間裡，每個單位都用那隻老虎講述不同的故事。事實證明，如此獨特的一項文物，在詮釋方面卻出奇有彈性，所以在本章，我將推而廣之，用它來說明南亞藝術的陳列與挪用。這個故事連結了宮殿型與教室型這兩類空間，因為那隻老虎是一位有錢有勢的個人下令製作的，用來代表抵抗與勝利，接著它變成珍奇櫃裡一件文物，如今所屬的典藏，則是從1851年的萬國博覽會逐漸演變成一座教育性的設計和製造博物館。

老虎隱喻建構蘇丹傳奇

老虎是蒂普的個人象徵；牠的圖像在皇宮裡四處可見，今日它最常見的名稱是「邁索爾的老虎」。蘇丹的寶座上有一個真實大小的老虎頭像，他的士兵穿著虎紋軍服，老虎的圖像出現在他的旗幟甚至槍托上。*老虎是迷人的象徵物，在伊斯蘭與印度傳統裡都和聖戰與力量有關，對蒂普這位大多數子民為印度教徒的穆斯林統治者而言，相當有用。[1]這個老虎風琴將代表他的圖符與1792年一名英國年輕中尉遭老虎殺死的故事結合起來。修・孟羅中尉（Lieutenant Hugh Munro，或寫做Munrow）是在加爾各答附近被殺，當時他正在獵鹿。他的死是這隻老虎最常被引用的靈感來源（部分是因為他的父親，也就是赫克特爵士〔Sir Hector〕，曾在第二次英國邁索爾戰爭中，帶領東印度公司的士兵攻擊蒂普的父親，海德・阿里〔Hyder Ali〕，諷刺味十足），到了1800年代，可看到與蒂普老虎極

---

* 寶座毀於劫掠之中（只有一小部分殘存下來，包括兩根虎頭柱，收藏在維多利亞暨亞伯特博物館，以及一隻珠寶鳥，目前是英國皇家典藏的一部分），素描和相關記述也毀了。

其類似的陶瓷雕像在英國販售，名為「孟羅之死」。[2] 孟羅之死或許一直和這隻老虎綁在一起，但除此之外，那隻野獸也被視為蒂普的一個隱喻，代表蒂普擊敗敵人（弱小的）身體。對英國士兵而言，老虎素以無端殘暴聞名，在蒂普死後，老虎也變成印度對抗英國統治的普遍象徵，出現在繪畫與徽章之上。

我們在這裡要思索的，是蒂普蘇丹的傳奇如何在英國圍繞著這隻老虎建構起來，以及這對英國更廣泛的南亞觀造成何種衝擊。蒂普出生於1750年，是印度西南部邁索爾王國的統治者，1782到1799年間，統治區域約莫涵蓋了今日卡納塔卡邦（Karnataka）的下半部。用複雜一詞來形容蒂普在位期間的歷史可說相當公允：除了身為穆斯林領袖卻統治一個以印度教臣民為主的邦國之外，他究竟是一位受過高等教育且經歷豐富的軍事領袖或一名凶殘的獨裁者，至今仍有爭議，對東印度公司而言，它是一個完美的反派人物。蒂普逼迫邁索爾的印度教徒與基督教徒改信伊斯蘭教並對他們大肆屠殺的種種故事，意味著在許多保守的印度國族主義團體眼中，他也變成某種卡通化的惡棍。[3] 從1768年開始，蒂普與他的父親海德‧阿里便與東印度公司及其盟軍交戰連連，歷經了東印度公司在克萊武（參見P.71-2）之後日益著重軍事的年代。在整個十八世紀下半葉，邁索爾始終是抵抗東印度公司貿易與影響力的大本營，阻止了該公司鞏固對該區的控制。雙方的第四場衝突，隨著蒂普在斯里蘭加帕特納（Srirangapatna）的死亡而結束。這場衝突有個外部誘因：蒂普與法國結盟。隨著拿破崙軍隊在1798年揮軍埃及並望向亞洲，英國就將法國視為一大威脅，認為法軍有可能以邁索爾做為攻擊起點，挑戰英國在印度的威

權。至少這是一個正當理由，可讓東印度公司總督理查·威爾斯利下令開戰，繞過小威廉·皮特的1784年印度法案，該法案禁止東印度公司的武力在未遭挑釁的情況下攻擊印度各邦。邁索爾是阻礙東印度公司控制權的絆腳石，所以，即便當時根本沒有法軍入侵的危險，公司還是在1799年4月圍攻斯里蘭加帕特納（在英國稱為塞林伽巴丹〔Seringapatam〕），圍城持續了一個月，最後在5月初展開攻擊。蒂普在會戰中陣亡，邁索爾王國改朝換代，由效忠公司的統治者接任。拿下斯里蘭加帕特納後，該城與宮殿遭到洗劫──「城裡幾乎沒有房舍未遭掠奪」，亞瑟·威爾斯利（Arthur Wellesley，理查的弟弟，帶領此次攻擊的上校，日後的威靈頓公爵）如此說道。[4] 在公司士兵肆虐了兩天之後，指揮官稍加收斂，開始清點分割蒂普的財寶。老虎風琴與其他樂器一同被發現；它的獨特設計與蒂普憎恨英國人的故事完美契合。

搜刮之後就是封賞，官方將剩餘的財寶沒收，部分分給士兵，其他賣掉做為公司盈餘。這是當時東印度公司的慣例，每次戰後就會提供額外獎賞，雖然這種做法並非公司官員發明的，但他們的封賞基金確實造成變革。英文的「loot」（洗劫、搶掠）一詞，其實是來自印度文的「lût」，意指「戰利品」：該詞是在1788年首次出現在公司的用語中（1850年代變成英國的常用語），由此可見洗劫的行為在當時有多盛行。[5] 如果物件具有物質價值之外的珍奇價值，例如老虎風琴，公司可能會將它買下，送到倫敦總部，陳列在1790年代擴建的新博物館裡。

很難估算從斯里蘭加帕特納掠奪來的文物數量，因為即便到了今日，還陸續有據稱屬於蒂普蘇丹的文物被「發現」。[6*] 東印度公司的士兵

後代，將這些文物轉換成遺物，成為傳家之寶的一部分或捐贈給博物館——舉凡有老虎設計的品項都特別有價值。[7]顯然，從斯里蘭加帕特納取得的文物都因為象徵了英國對印度的統治而具有價值，特別是與蒂普有關聯的，因為它們代表了東印度公司神話學裡最大的一隻怪獸被擊敗。自此之後，老虎迅速在其他圖像裡如雨後春筍般冒出：頒贈給參與斯里蘭加帕特納會戰士兵的勳章上，是一頭代表英國紋徽的獅子正在與老虎搏鬥——獅子占上風，與老虎風琴恰好相反。到了1850年代，老虎已成為印度的通用圖像：它重新出現在愛德華・阿米塔吉（Edward Armitage）的畫作《復仇》（*Retribution*, 1858）裡，被揮舞寶劍的不列顛妮雅制服。這幅畫是參照一群英國婦孺遭到印度士兵屠殺的事件，是英國即將復仇的象徵。蒂普本人也成為杜莎夫人（Madame Tussaud）「恐怖屋」（Chamber of Horrors）裡的一件蠟像。[8]這個故事在通俗文化中栩栩如生，來自斯里蘭加帕特納的大量文物，讓蒂普在人們的想像中活靈活現。

從皇家象徵變為新奇玩具

在東印度公司的博物館裡，老虎風琴放置在一個東方情調的奇幻空間裡，該空間與新古典主義的理性辦公室格格不入。它在那裡大大加深了印度「繁雜、富裕、反歷史與從屬」的敘事。[9]訪客留下的圖像與描述顯示，那隻老虎的位置醒目，擺在一個開放式的底座上，人們可以轉動手

---

* 2019年3月，柏克郡（Berkshire）一對夫婦發現一支劍、一把手槍和一個小盒子，顯然是從蒂普蘇丹的屍體上取下的——這些文物是從湯瑪斯・哈特少校（Major Thomas Hart）那裡繼承來的，他是東印度公司一名軍官，曾參與斯里蘭加帕特納會戰。

把，盡情而全面地體驗它（確實全面，有人描述訪客被嚇到暈倒，還有一些在公司圖書館裡唸書的人，抱怨它的吼聲害他們分心）。[10] 最初，有人建議，可以把老虎陳列在倫敦塔，因為在歷史上，倫敦塔曾是叛國者的監獄（和處決地點）也是皇家動物園，這隻具有叛亂獸性的老虎擺在這裡適得其所。不過最後，它還是成為東印度公司的檔案，做為該公司所有敵人以及推而廣之英國所有敵人的具體象徵：關於它抵達倫敦一事，有份報紙寫道：「音樂老虎……或許可被視為提波‧薩里布（Tipoo Sahib，即蒂普）對英國深惡痛絕的明證（如果還需要任何證明的話）」。[11] 蒂普這個人在英國已經被打造成印度凶殘的代表人物，在他戰敗陣亡之後，這種殘暴怪獸的形象就轉移到該區其他地方，創造出一種野蠻形象，為東印度公司日益增強的權力賦予正當性。以蒂普為中心打造這樣的傳奇，是一種重要的處理手法：它打造出一頭人們想要竭力摧毀的怪獸，意味他最後的徹底失敗可營造出更大的成就感。在倫敦塔裡，那隻老虎的角色會是一位政敵，應該被關被殺，但在東印度公司的博物館裡，它的角色就可能變得荒謬好笑。它依然是某種恐怖事物的再現，但它變成了玩具而非惡毒猛獸，人們可以品評它的機械設計，還可把它當風琴演奏。當傳奇的主角終於杳遠到不再讓人害怕，甚至可暗暗破壞時，那就是傳奇結束的時候——一個強有力的皇家象徵，如今變成新奇的木頭玩具。

　　寫作此刻，我桌上有一件飾品。它很小，毛氈做的，「公平交易手工藝品，來自尼泊爾喜馬拉雅山區」，標籤上如此寫道。有些細節在翻譯中消失，但這件飾品毫無疑問是蒂普的老虎，可以用十七點五英鎊從維多利亞暨亞伯特博物館的商店買到，你也可以擁有一件邁索爾怪獸的遺

跡。博物館的精選展品當然會製作成商品。你也可以買到那隻老虎的明信片和琺瑯別針，還可以買到迷你紙模型的組裝套件。博物館商店充斥著各式各樣可堪質疑的媚俗：2018年，維多利亞暨亞伯特博物館以兩百英鎊高價販賣花冠向芙烈達・卡蘿（Frida Kahlo）「致敬」，遭到強烈批評，而擁有庫克船長橡皮小鴨擺飾的人，我至少就認識一個。將這類商業空間與藝廊區分開來，是一種權宜之計，但它們依然是機構敘事的一部分：兩者的陳列類似，民眾也會自然而然拿原作和仿品相比較。這些商品會影響我們對博物館典藏的投入程度，因為「被當成珍寶」的文物越容易被仿製，能見度就會越高，原作也可因此取得力量。這與華特・班雅明（Walter Benjamin）那篇影響深遠的名作〈機械複製時代的藝術作品〉（The Work of Art in the Age of Mechanical Reproduction）恰成對比，該篇文章明白指出，攝影和其他複製技術的發展將對藝術體驗帶來根本性的改變。[12] 在他的理解中，原作擁有一種「靈光」（aura），一種獨特且會對觀看者產生作用的力量；移除那道靈光，就能把對藝術家的天才崇拜拿走，開創新的可能，為大眾提供更民主的藝術。班雅明那篇文章寫於1930年代，當時他認為複製品會削弱藝術文物的力量，但時至今日，我們可以說，同樣的方式卻提高了藝術品的力量。人們依然排隊爭看《蒙娜麗莎》，而根據蒂普老虎之類的文物所製作的大量商品，確實提高了宣傳炒作和期待。

　　不過，販售知名文物的明信片是一回事，把文物改造成毛氈小飾品則是另一回事。博物館有禮品店，那是它們賺錢的方式，但要複製哪些文物和以何種方式複製，還是有選擇的。明信片的主要作用是提醒你曾看過某物或與他人分享。它是溝通傳達的載具。買印刷品或展覽圖錄也類

似：這些都是讓人觀看，是重現經驗的方式。但其他「東西」就不相同，例如花冠、玩偶、服飾和流行物，因為使用方式不同。當影像被複製，比方說在托特包上時，它就變成一種圖案，是一個直接實用的東西，脫離了原初脈絡與意義。從紐約九一一紀念館（9/11 Memorial）被指控「粗魯重商」，到博物館引用某位種族主義者的偏執妄語還說那是反諷，多年來，博物館商品化引發諸多爭議。[13] 同樣地，也有些藝術家將自身作品商品化，這其實沒什麼錯。有爭議的是同意與權力的問題：誰有權力決定文物該如何商品化？

殖民史文物商品化帶有政治重量

對帶有殖民史的文物，或與暴力盜竊相關的文物而言，商品化帶有額外的政治重量。蒂普老虎的毛氈飾品再次重申了博物館的控制權。以此方式販賣它的形象，剝除它的歷史，將它改造成某個新物件——飾品的包裝袋上只說它是「維多利亞暨亞伯特博物館最著名最迷人的文物，陳列於南亞展間」——等於是確認它在這個典藏裡的地位純粹是美學上的，它所在的機構將自身呈現為非政治性和教育性的。它是英國剝削南亞歷史的最高潮，以不當方式重演（re-enactment）東印度公司早年的商業殖民主義。

我買下那件飾品當成教具，刺激我們思考殖民史的商業化，以及我們該如何再現它的遺留，每次我看到它，我都會意識到我是這種加工法的同謀。我買它，是因為我不知道該如何看待它：對博物館而言，用一件在戰爭中非法取得、強行帶走的文物來獲取利益，是令人反感的行為，但在這同時，也有可能藉由那件飾品的推廣，將那隻老虎視為抵抗與異議的恆

久象徵。擁有這件飾品的每個人，都可用某種微小方式參與老虎故事的重構。他們可以顛覆它的媚俗暴力，將它視為對博物館的非公開譴責，也可曲意順從那個「迷人的」敘事，繼續扮演暴力的旁觀者。

　　隨著那隻老虎搬進維多利亞暨亞伯特博物館，以及時間模糊掉蒂普的惡棍名聲，圍繞著這件文物的故事也跟著改變。今日，它擺在一個展示櫃中，旁邊是其他來自邁索爾的文物，根據它們的設計歸為一類。博物館的南亞展間完全符合它的教室型敘事：柱子與建築殘片裝置在某個重現的外國空間裡，一座「印度」小劇場塞進一間毫無疑問的維多利亞式廳堂，高度是展廳的兩倍。這個展廳裡的文物大多介於1600到1900年間，也就是從東印度公司成立之初到剛好超過世人記憶的斷點為止，這無疑是一種聰明的好方法，可避開晚近時期所有令人不舒服的政治或創傷。當然，維多利亞暨亞伯特典藏裡的每樣文物，就某種意義上都是政治性的，但對一座如此聚焦於通俗文化及其短暫性的博物館而言，這個與痛苦相關的展廳似乎顯得中立而抽離。做為一個擺滿教具的建築方盒子，這個機構的歷史依然無可質疑，但因為它不願承認自己在分類與控制史中的地位，它的立場公然偏頗。只將重點集中在那隻老虎的製作手藝，並將它的美學從製作脈絡中抽離，這就是在損毀它的歷史。這件文物被抽離化、美學化到荒謬的程度，被層層剝除以符合展廳的敘事，被呈現為消費品。

針對 V＆A 典藏提出各種反解讀

　　但無論博物館如何重構那隻老虎，它的形式依然強大。這裡有種可能性，有個機會可讓那隻老虎重新恢復活力，抵抗當前的策展方式。經

歷過各式各樣的變形之後，它的基本形式不動如山——那隻老虎在大多數情況下看起來都跟在蒂普的宮廷裡一樣。在正確的框架之下，那隻老虎還是有可能被解讀為抵抗的象徵，拒絕順應展廳對此文物的處理方式。如果博物館不打算尊重這隻老虎的起源，那麼就只好仰賴觀看者找到新的方式去體驗這件典藏。要做到這點，可透過教育或藝術作品來重構敘事。藝術家阿瓦妮·坦雅（Avani Tanya）在2017年於維多利亞暨亞伯特博物館駐館期間，製作了一本《維多利亞暨亞伯特博物館南亞典藏精選指南》（*A Selective Guide to the V&A's South Asian Collection*）。這並非傳統的展覽圖錄，而是一本回應集，針對機構的呈現提出各種反解讀。在老虎那個條目裡，她描述了維多利亞暨亞伯特博物館典藏副本與摹本的歷史，當該館無法取得文物的原件時，就會把該件藝術品（大多數是歐洲）的石膏版本收入鑄像大廳，接著拿這段歷史與今日陳列於斯里蘭加帕特納的蒂普老虎石膏副本做比較。那個石膏副本絲毫沒有原作的威嚴，而石膏副本放置在蒂普宮殿的遺跡中，就跟老虎原作放置在倫敦維多利亞暨亞伯特博物館裡一樣不得其所。坦雅的計畫暗示了這些空間擁有的巨大可能性，以及讓多重回應有存在空間能帶來何種好處，除了思考展廳的內容物外，思考它的空間本身也同樣重要。這是個低調的起步，但這些創意回應顯示出，稍微取走策展人與守門人的控制權，不失為解決博物館難題的一種方式。那隻老虎今日或許喑啞依然，置身玻璃後方，帶著再也無法演奏的風琴，但還是有些狂怒殘存下來。即便是在教室型博物館裡，也是有可能叛變，有可能拒絕遵守展廳的課綱。需要花點努力去抵制這些故事，但老虎飾品的視覺震撼如此驚人，或許足以激起行動。

9. 廢奴主義者

Abolitionists

一幅未完成的肖像懸掛在藝廊裡。

主角的臉已完成，一名老者，其餘部分還是草圖。他坐著，重心前傾放在一隻手肘上，身體略略旋向一邊。他的面容文雅，並非溫和也未必溫暖，而是為人師表的模樣——這也難怪，他是一位政治家。黑色背景填滿他的頭部四周，宛如一道反面光環。畫中男子是威廉・威伯福斯（William Wilberforce），英國的廢奴運動家；藝術家是湯瑪斯・勞倫斯（Thomas Lawrence，參見圖12）。1830年勞倫斯去世時，這幅畫尚未完成，後來被私人典藏，在大英博物館待過一小段時間，1857年倫敦國家肖像藝廊（National Portrait Gallery）成立，畫作移入該館。[1]

當你想到肖像藝廊時，腦海中會浮現什麼？這與我們目前提過的其他藝術空間略有不同，因為典藏的標準主要是被畫的那個人而非藝術家的作品。肖像藝廊的空間聚焦於個人，強調受畫者，展示方式可能會根據職業或所屬圈子分類，而非根據藝術家或藝術流派。策展的任務也與其他藝廊不同，即便作品的藝術技巧不傑出，只要受畫者本身有價值，就可納入典藏。當你想像肖像藝廊的典藏時，大概會有一種特定的圖像浮上心頭：就歷史而言，歐洲和北美的肖像博物館裡，白人、男性和有權有勢者占了

壓倒性多數，在種族化、父權化和以階級為基礎的社會中，這或許是可以
預期的。今日，如果典藏當代人物的影像也在肖像藝廊的權限範圍，它們
通常會有相當廣泛的收購計畫。他們無須去查找藝術家的影響力——只要
受畫者足夠有名就可以。這意味著，新舊典藏之間往往會有分歧，比較晚
近的收購會反映出比較多元的社會（不過，即便是新收購的作品，在美學
上通常還是保守的）。

倫敦國家肖像藝廊的任務

打從一開始，倫敦國家肖像藝廊的任務就是要呈現「英國歷史上最
受尊敬最值得紀念的戰士或政治人物，或藝術上、文學上、科學上的傑出
人士」。[2] 你會預期，凡是該館再現之人，應該都能證明自己曾對社會做
出重大貢獻。不過，值得注意的是，依然有許多次要的王室、沒有豐功偉
績的政治人物，以及掌握社會潮流的人物被畫成肖像，但卻沒有停留在大
眾的記憶中。該藝廊裡儲藏甚至展出了無數肖像，其中大部分如果沒附上
說明牌根本認不得。「歷史重要性」的定義會隨著時間改變：這不表示這
些肖像不該展出或理應遺忘，但它確實意味著，總是有些人物在他們活著
的時候並不被認為值得留下肖像，他們的重要性是在死後才得到認可（如
果有的話）。

肖像藝廊的使命是教室型博物館的精髓——你去那裡就是為了學習
先人的典範，從他們的光榮事蹟中得到啟發。但它終究是藝廊，人們還
是會預期，陳列的作品要符合一定的美學標準。既然有一道視覺低標必須
越過，那麼將一件未完成的肖像陳列在藝廊裡是何用意？它的含意不外兩

種：一是那位藝術家的作品相當罕見（而且相當有價值），足以壓過受畫者的身分，他的每件殘作都必須典藏，但勞倫斯並非這種等級的藝術家；二是受畫者的身分高到足以用自身名望輾壓美學標準。當然，任何歷史人物的肖像數量都有限，不足以分配給各博物館。在威伯福斯這個案例裡，他的確廣為人知且深受敬重，他的肖像無論狀態如何，都有可能得到展示。但在受畫者去世後二十四年收購一件未完成的肖像，依然有某種宣示作用，特別是考慮到威伯福斯的肖像是該館的第三件典藏（基於某種背景，該館取得的第一件典藏是非常著名的錢多斯〔Chandos〕莎士比亞肖像）。

威伯福斯是英國廢奴運動的關鍵人物，其他人在下議院外帶領的活動，由他在國會內部代言發聲，後來他也從體制外進行倡議。他大概是英國歷史上最廣為人知的廢奴鬥士，但這並無法精準反映出他的貢獻。只要奴隸制度存在，就會有人發言反對，並致力廢除。其他一些英國行動家，例如格蘭維爾・夏普（Granville Sharp）、漢娜・莫爾（Hannah More）以及湯瑪斯・克拉克森（Thomas Clarkson），都在威伯福斯之前介入該運動——當威伯福斯的兒子們在傳記中將他描述成廢奴運動的主要推動者時，克拉克森覺得有必要出言反對。當時，整個蓄奴產業都致力將騷亂的風險降到最低，奴隸貿易和種植園主人也仰賴「被動的共犯」（passive complicity）迷思，所以，如果你不知道那些揭竿而起爭取自由的奴隸名字和故事，並不表示它們不存在；那只意味著，他們一直被敘事刪除。某種程度的抵抗始終存在，從個人到牙買加馬龍人（Jamaican Maroons，逃亡的非洲原住民奴隸，從1720年代到1740年間，他們不斷與英國殖民勢力

對抗）之類的組織團體，還有最著名的奴隸起義，他們參與海地革命，最後在1804年獨立建國。研究顯示，1760到1761年的海地奴隸起義，並非一連串的偶發事件，而是一股重大且有組織的威脅。[3] 在這些事件上演的時候，威伯福斯還只是赫爾城（Hull）的一名嬰兒。

當我們事後回顧一些歷史事件，特別是與社會正義相關的運動時，很容易把某些時刻獨立出來，也很容易想要找出戲劇性的轉捩點。我們很容易忘記，緩慢而堅定的行動總是在變革發生之前；很容易忽視轉變之前的數十年籌謀。為改革社會、終結不平貢獻最多之人，往往也最容易被他們奮力爭取的志業邊緣化，最後的功勞很少記在他們頭上。未完成的威伯福斯肖像，很適合當成隱喻，讓這個故事得到更全面的講述。我們看到一張臉和一幅草圖輪廓——有太多空白等待填補。

黑人廢奴主義者的圖像

黑人廢奴主義者的圖像在哪裡？奧拉達・艾奎亞諾（Olaudah Equiano）、奧托巴・庫戈雅諾（Ottobah Cugoano）以及倫敦「非洲之子」（Sons of Africa）團體的其他成員，那些早在威伯福斯介入之前就為終結奴隸制度奮戰的前黑奴在哪裡？艾奎亞諾和庫戈雅諾都曾出版過自身的經歷，並與夏普密切合作，但不曾發現兩人的肖像畫。艾奎亞諾的自傳裡有一幅他的版畫（參見圖11），就算那幅版畫是以某張肖像畫為本，那張畫也沒留存下來，而同一張版畫也經常在網路上被標註為庫戈雅諾。[4] 艾克斯特（Exeter）皇家亞伯特紀念館（Royal Albert Memorial Museum）有一幅肖像畫（參見圖10），長久以來一直被認為是艾奎亞諾，但其實最

可能是伊格內修斯・桑喬（Ignatius Sancho），一名得到解放的奴隸，在倫敦以僕人維生，後來成為知名作家及目前已知的第一位具有選舉資格的英國黑人。[5]也就是說，這三位傑出作家生前都相當有名且廣為人知，絕對符合國家肖像藝廊的典藏標準，但只有兩張肖像由這三人分享。

這裡有一層又一層的抹除（erasure）需要對抗處理。首先，在十八到十九世紀初的西方藝術裡，社會的再現範圍非常狹窄。只有少數人會被描畫，而這些人都來自嚴格限定的一小撮社會特權階級（有財力委託畫作或購買藝術），所以白人占了絕大多數。至於艾奎亞諾這樣的人物，就算名聲響亮也未必能保證被再現，而他們的肖像也未必會被珍藏。我們已經在麥伊的畫像中看到（參見第七章），那個時代的圖像如果含括了某個有名有姓的有色人種，往往會把他們處理成外人，處理成罕見的標本。還有一種視覺傳統會把再現當成寓言，會在有權有勢的白人肖像畫裡放進一名僕人或奴隸，彰顯他們的國際化與財富。在湯瑪斯・庚斯伯羅（Thomas Gainsborough）的一幅肖像裡，桑喬被畫成一名有價值的僕人，那件作品是由他的僱主蒙塔古公爵夫婦（Duke and Duchess of Montagu）委託，送給他做為禮物，也就是說，桑喬最著名的肖像是用來標示他與公爵夫婦的關係，而非歌頌他自身的公共角色。[6]

我們只能使用留存至今的圖像，還要扣掉下落不明、遭到損毀或被主要藝廊認為不值得收購的，然而，通過上述所有難關留存下來的影像，也未必保證能得到展出。當然，還是有些例外，但很稀少。阿尤巴・蘇萊曼・迪亞洛（Ayuba Suleiman Diallo）是居住在本都（Bundu，今日的塞內加爾）的富拉（Fula）人，原本是一位高階的穆斯林神職人員，後來被

賣身為奴，於1731年運往馬里蘭（Maryland）；他逃跑，但又被捉到，帶
往英國，被迫為皇家非洲公司（Royal Africa Company，一家英國殖民公
司，是捉捕和販賣西非黑人的主力）工作。他的肖像是由該公司委託，當
時他在倫敦，那是留存至今最早的一幅身分明確的前奴隸圖像。該作品今
日屬於杜哈（Doha）的東方主義博物館（Orientalist Museum），不過在
本書撰寫的此刻，暫時出借給英國的國家肖像藝廊，該館的展覽敘事聚
焦於迪亞洛的信仰；迪亞洛的傳記是由皇家非洲公司的一位官員所寫，
把他的故事當成英國道德的勝利，讚許那些能看出他的聰明才智並給予
教育之人。另一幅肖像可能出自約書亞・雷諾茲之手，畫中人物應該是法
蘭西斯・巴柏（Francis Barber），一位自由奴隸，後來變成山謬，約翰生
（Samuel Johnson）的祕書與繼承人，不過這幅畫通常只題為《一位年輕
黑人》（*A Young Black Man*）。[7]另有一些艾拉・阿德里奇（Ira Aldridge）
的現存圖像，他是一名美國演員，也是第一位飾演奧塞羅的黑人——不過
他大多是以角色的形貌出現，有時甚至會擺拍成奴隸。[8]這個時期英國唯
一一位擁有認證肖像的有色女性是狄朵・貝爾（Dido Belle），首席法官
威廉・莫瑞（William Murray）勳爵的姪女，在那幅畫像中，狄朵站在她
的白人表親伊莉莎白・莫瑞小姐身後，並指著自己的皮膚。那幅畫陳列於
司康宮（Scone Palace），莫瑞的祖宅，直到1990年代，作品介紹上都只
說那是伊利莎白的肖像。首席法官莫瑞勳爵，也就是這兩位女孩的叔叔，
因為參與1772年的薩默塞特案（Somersett case）而聞名，在這個案子裡，
他判決奴隸制度不受英國不成文法（common law）支持（這項裁決並未
真正終結對非洲人民的奴役，它只意味著，不能將逃脫的奴隸強行逐出英

國，在殖民地接受懲罰），而他的知名度正是狄朵故事家喻戶曉的部分原因。*在英國以外的地方，有些菲麗絲・惠特雷（Phillis Wheatley）的版畫，她是一位非裔美國詩人，但據以製版的肖像畫已經佚失。1773年，為了出版她的詩集而製作該幅版畫，當時，她還是奴隸身分——要再等上幾個月才得到解放。南亞人與東南亞人的少數圖像，通常都無法確認身分，可以指出姓名的受畫者，通常都是住在英國之外。我們已經看過一位太平洋島嶼男子的圖像（參見P.109-12），另有一些「第一民族」（First Nations）的肖像留存至今。或許還能指出其他一些肖像，但從我們可不假思索地列出一張例外名單，就可證明他們的數量有多稀少。[9]

肖像藝廊能做什麼？

　　歐洲與北美十八、十九世紀的藝術裡缺乏有色人種的再現，奴隸和前奴隸的再現尤其欠缺，這表示種族化的排外與壓迫更加廣泛。如此稀少的圖像說明奴隸制度在英國歷史上的不可見性，而當你無法將某一經驗展現出來，你就很難找到方法使它成為討論重點。有些博物館可能會以空畫框或陳列櫃來暗示，如果某件文物得到保存應該會放在哪個位置：華盛頓特區的敦巴頓之家（Dumbarton House）就是範例之一，策展人留下一只空櫃子，代表曾經住在那裡的黑奴失去的財產。這種視覺效果第一次會引發震撼，但很快就會因為沒有東西可看而失去衝擊力。認為可用一個負空

---

* 狄朵・貝爾也是2013年時代劇《貝爾》（Belle）的主角，該劇譁眾取寵，不符合史實，過度強調她對莫瑞司法工作的影響力。

間（negative space）對人們的經驗做出最佳總結，其實是有害的想法（在後面幾章，我們可從一些案例中看到藝術家如何以介入博物館的方式回應這個議題）。關於「不同的時代」和不幸選中的歷史，或許可用一行文字表達歉意，但這還不夠好，除非藝廊能同步行動，積極主動追求平衡。

除了委託新作來傳達被排斥者的身分，或冀望能「發現」「佚失」的圖像（這兩種方法都需要受畫者有留下足夠的紀錄，或是一開始就有當時的圖像存在），但並無太多選擇。那麼，肖像藝廊能做什麼呢？嗯，如果不可能展出黑人廢奴者的圖像，那麼，比方說，藝廊至少可以從批判性的角度去處理它們自身與奴隸制度的關聯。在適當情況下，可以承認它們典藏的文物來自與奴隸貿易有關的個人或家庭，那些人擁有種植園，或與蓄奴制度有其他產業上的連結。這正是麻薩諸塞州伍斯特美術館（Worcester Art Museum）所做的，用附加說明牌註記肖像受畫者所擁有的奴隸數量，不去更動既有的藝廊文本，但添加新一層的脈絡與詮釋。[10] 這是有趣的一步，以新的路徑討論排斥的歷史，它開始關注推行排斥之人，而不只是尋找可增補的人物。

在英國，沒有獻給蓄奴制度受害者與倖存者的國家級紀念碑。蘭開斯特的「非洲俘奴」（Captured Africans）紀念碑，承認蘭城涉入奴隸貿易；1834年由廢奴運動者在斯陶德（Stroud）豎立的反奴凱旋門（Anti-Slavery Arch），標誌著廢奴時刻；倫敦也有一座紀念碑揭幕，紀念跨大西洋奴隸貿易終結兩百週年。[11] 接著我們看到國會大廈後方的巴克斯頓紀念噴泉（Buxton Memorial Fountain），紀念投票支持廢奴法案的國會議員，還有一些藍色說明牌貼在廢奴要角的故居門前。可以說，奴隸史是英

133

國帝國主義裡討論度最廣但可見度最低的元素：它出現在十一到十四歲學生的歷史選修（非必修）課程上，在大眾文化裡廣獲再現，雖然大多數的再現內容來自美國。但英國人普遍有一種感覺，認為這是發生在其他地方的事件，跟犯下罪行並從中獲利的英國人沒什麼關係。這是一種虛假的疏離，它暗示廢奴的過程相當平順，暗示奴隸制度之所以能在英國殖民地長久延續完全是一種意外——因為沒人留意到它。

　　2007年，在廢除跨大西洋奴隸貿易週年紀念日前後，有一陣熱鬧的活動，而隨後持續進行的研究，也清楚顯示奴隸制度為英國帶來的財政與社會影響。[12] 藝廊舉辦展覽檢視這些故事，但大多都是短暫特展，沒有太多永續投入。在常設空間中，利物浦的國際奴隸制度博物館（International Slavery Museum）脫穎而出。這座博物館具有清晰的教育宗旨，仔細而全面地再現歐洲貿易商抵達前的非洲社會，展出奴隸販運路程（Middle Passage）和被奴役的生活，並將焦點放在與廢奴運動有關的黑人行動主義（在第十章我們會看到一些案例，對這段歷史做出略微不同的處理）。不過，特定博物館和專屬藝廊的危險在於，會把這段歷史圈隔開來，無法與不同的典藏敘事交錯纏繞。這正是美國黑人歷史月的悖謬之處：它的所有想法就是在這四個禮拜裡糾正根深柢固的偏見和排斥，而非持之以恆地將這些故事與人物呈現在它們的脈絡裡。我們的確看到一些名字與臉孔，但由於焦點自始至終只對準歷史書上的偉大人物和他們的貢獻，這張圖只能永遠處於未完成狀態。

10. 英國的偉大

England's Greatness

一名女子將書遞給跪在腳下的男子。

　　男子吃了一驚，輕輕移動指尖撫摸裝幀。他以慎重的感謝看著那本書，女子面無表情地俯瞰他，注視他的反應。他與眾不同：他的黑色皮膚、耀眼頭巾和珠寶，以及豹皮披風，在正式的英國場合裡極不搭調。那名女子是維多利亞女王，旁邊站了亞伯特親王、威靈頓公爵夫人、約翰・羅素勳爵（Lord John Russell，外相）以及帕默斯頓勳爵（Lord Palmerston，首相），那名男子是姓名不詳的「非洲親王」。畫中場景是虛構的：是在好幾本期刊裡流傳的一則故事，講述一位神祕的統治者從非洲（從未具體說明是何處）造訪英國，與維多利亞會面時，他被眼前的力量展示震懾，不禁跪了下來，乞求女王告訴他「英國偉大的祕密」。根據那則故事的說法，女王不發一語，遞給他一本聖經。

　　這幅畫出自湯瑪斯・瓊斯・巴克（Thomas Jones Barker），他並非今日最知名的維多利亞時代藝術家，但在當時頗為成功（參見圖13）。這幅畫又大又引人注目，最初的厚重金框上，雕了一本打開的聖經，上面寫著詩篇裡的一段文字：「我愛你的命令勝於金子，更勝於精金。」這幅畫可說是《東方向不列顛妮雅進貢》（參見第四章）的續集，持續以種族化的

手法再現殖民臣子。和羅瑪的畫作相同，這幅畫也是一則寓言，但繪製時間晚了約八十五年，影像中的權力動態差異很大。此外，這幅畫是倫敦國家肖像藝廊的典藏之一，在許多有色人物再現付之闕如的情況下，將此畫納入典藏委實令人吃驚。

畫中描繪的軼事源自《英國工人》（*The British Workman*），一份月報，以貧窮的工人階級為受眾，與戒酒和福音運動關係密切。[1]「非洲親王」（因為姓名不詳，之後將以「親王」相稱）的身分說法不一，包括馬達加斯加親王、尚吉巴蘇丹（Sultan of Zanzibar）和蒙巴薩總督（Governor of Mombasa）等，由此可清楚看出，對英國受眾而言，「非洲」這個概念有多籠統。這個故事毫無根據，是由維多利亞時代一些不同事件拼湊而成。[2] 在《英國工人》的故事裡，那名男子是使節，而非親王本人。親王的「昂貴禮物」與維多利亞「高貴而美麗的答案」形成對比：

　　我們摯愛的女王送給他的，並非她的艦隊數量，也非她的軍隊數量，更非她取之不竭的財富細節。她並未……向大使秀出她的鑽石珠寶，她的豐饒裝飾，而是遞給他一本聖經，她說：「告訴親王，這就是英國偉大的祕密。」[3]

這個故事恰好很吸引《英國工人》讀者的社交圈，因為它強調道德財富高於金錢財富。來自亞洲的財富是否會透過東印度公司腐敗英國政治，這問題曾引發過一陣疑慮，想到這點，就會發現這個故事裡也有同樣的恐懼，在這兩者中間的那個世紀，確實有一小撮有權有勢者透過殖民主

義的剝削變得富貴無比。親王和他的禮物無法令維多利亞分心（雖然很重
要的一點是，她可能比他有錢），因為她的心靈非物質所能及。

白人／非白人的歷史再現

還有一點也很重要，在《英國工人》的原版故事裡，維多利亞接見
的是使節而非親王，而即便在巴克的畫作裡，他也是被稱為親王而非國
王，強化他身為懇求者的地位——他的位階永遠不可能超越女王。這幅油
畫的一張早期草圖收藏在聖彼得堡的冬宮博物館，畫面逼仄許多：維多利
亞坐著，親王的膝蓋直跪在她腳旁。在完成的作品裡，女王站著，構圖開
敞；兩人間的距離拉得較開。他的懇求色彩更加明顯，場景較不親密。聖
經介於兩人之間，在一個暫停時刻。聖經既是橋梁也是障礙，是他們藉以
溝通的媒介。它讓兩人接觸——它認證了維多利亞的權力，引發親王的畏
懼之心，並增加崇敬的氛圍。兩人之間沒有肢體接觸，但場景扣人心弦。
在許多方面，這兩位人物都是彼此的鏡像——她的手臂斜伸向他的手臂，
兩人的羽飾和腰帶相互呼應。但這只是為了凸顯兩者的差異，白人的女性
氣質對上黑人的男性氣質。

這幅畫處理了一位黑人的再現，具體而言是一位非洲男人，因此，
這裡的討論不會將它直接轉譯成維多利亞時代其他種族化群體的再現。
維多利亞時代的英國白人社會將「白」建構成默認值，這在藝術與文學作
品裡表現得非常清楚——這是那個時代留給我們的明確形象，儘管未必準
確。我們很容易滑坡，將其他所有人都視為同質化的「他者」，認定維多
利亞時代所有有色人民的經驗都是相仿的，不過，雖然最主要的區隔是

「白人／非白人」，但在英國維多利亞時代藝術家的作品裡，種族主義與種族化的光譜還是相當寬廣。在任何時代或任何文化裡，都沒有相同一致的經驗存在於所有人當中，十九世紀對不同群族的種族化與再現也不例外。處理非洲對象的方式並不同於亞洲或太平洋島嶼，我們在前幾章已經看到，膚色主義以及同化或文化差異普遍存在著層級之別，此處亦然。雖然這裡的故事是一位非洲黑人男子在英國白人脈絡裡的形象，但對他的描繪與更廣泛的他者化和客體化的筆觸之間，仍有相似和類比之處。

對於核心所在的維多利亞女王形象，有個弔詭之處。在英國文化的框架裡，傳統上，王權的本質是男性的，所以當女性擔綱那個角色時，她們不是會有一位共同攝政，就是會被建構成某種程度的雌雄同體。她們會被打造成引不起慾望或高不可攀，通常是藉由否定她們的性特質或否決她們的生育力，明目張膽地摧毀她們的女性特質（例如，在伊莉莎白一世漫長的統治期間，她的圖像學也極為複雜，從與婚姻和生育有關的象徵物，轉變成歷來代表權力與男性氣質的圖符，例如王冠、地球儀和刀劍）。[4] 但維多利亞是英倫三島上自蘇格蘭女王瑪麗之後唯一擁有存活子嗣的女王，所以原先的敘事必須修改。她必須被呈現為有能力的君王，但也要以忠貞妻子和母親的公開形象示人。她的形象是一種平衡操作：她的書信與日記展現她深切想要參與政治，但她從未把統治一事看得太重。反之，她看起來像是以身作則，對她的立法者發揮母性影響力，具體展現完美女性氣質的方方面面。[5] 她的形象打造不是雌雄同體或無法生育，而是走到另一個極端，被描繪成帝國之母，她的感性與關懷認證了她的統治資格，她是國家的道德指南。她是人人想要取悅、想要贏得注意的家長，是值得捍衛與

欽慕的忠實伴侶。

在這幅畫裡，維多利亞似乎是某種寓言：她是真實、令人感到撫慰、看似沒有武裝（但當然，有無限的武力可供她支配）的不列顛妮雅。與羅瑪和《東方向不列顛妮雅朝貢》裡的不列顛妮雅不同，巴克筆下的維多利亞沒有接受外人的禮物，並未受到他們的影響。她的角色是給予者。她是完美無瑕的母親，以人們期待父母教育子女的方式提供指導與信念。

英國文化裡的種族與性別關係

這裡有一個更大的論述是關於英國文化裡的種族與性別關係。從十八世紀起，性別便經常被拿來與種族相提並論，在當時的世界觀裡，認為這兩者同樣都偏離了白人男性這個默認值。（不過，這麼說並不意味白人女性的經驗可以等同於英國有色男性的經驗——這樣會忽視不同類型的特權運作）。巴克的畫作來自十九世紀的文化圈，專注於組織差異和比較差異。我們先前看到由班克斯和其他人推動的啟蒙運動觀（參見P.92），鼓勵將萬事萬物放在某種秩序之下，是十九世紀中葉興起的優生學的直系祖先。[6] 維多利亞時代為他們的世界觀創造出偽科學的證據：科學家根據片面觀察的人相學和種族主義理論，建構出類比式層級制度，在這套制度裡，「低等種族代表人類裡的『女性』，而女性則是性別裡的『低等種族』」。[7] 在所有這類敘事裡，白人都是優越者，膚色被建構成內在性格的標記，膚色越白，五官越符合歐洲審美標準者，就越受讚揚。我們可以將這些標準的創建與編碼直接映現在英國殖民主義不斷變化的臉孔上：從1780年代起，隨著屯墾地與前哨站逐漸變成殖民主義者的永久住所（而非

商人和軍人的臨時駐地），界定英國身分的新需求也開始出現。新世代將會在遠離「故鄉」（英國）之地出生，於是種族變得比國族更重要。當時出現一種「本土化」（going native）的新危險，也就是逐漸與原先的身分認同失去接觸，日益受到眼下居住的新地方支配——這意味著你的白皮膚將被曬黑加深，內在轉變將顯露於外。

我們反覆看到，這種清晰、理性的世界幻想如何把焦點集中在富有、白色、歐洲、男性的經驗之上，而女性特質基本上就是非理性的，跟非白人與非歐洲人對世界的理解如出一轍。[8] 由於女性是以偏離男性標準的形貌存在，在人們眼中，她們更有墮落腐敗之虞，更容易誤入歧途，更可能「本土化」。在當時人眼中，白種女性尤其脆弱，特別是遇到黑人男性時。[9]* 這種變動的形象，是因為當時人假定女性的美德時時處於危險之中，會受到性偏執形塑。當然，這麼做是為了掩飾白種男女經常施加在有色婦女身上的暴力與賤斥（abjection）敘事（在討論大英博物館的海達族〔Haida〕雕像和卡拉・沃克〔Kara Walker〕的《糖雕》〔A Subtlety〕時，我們會回頭探討這個主題，參見第十二與二十章）。正因如此，維多利亞以具體的母親形象出現在《英國偉大的祕密》裡，才會顯得如此重要：它改變了那則故事，所以這並非男子與女子的會面，而是母親與孩子的會面。刊登在《英國工人》裡的那張版畫中，她站在大使旁邊，站在一個幾乎與他齊平的位置上，而在巴克的第一張草圖裡，她坐著，下跪的親

---

* 我這裡指的是黑人男性的再現，因為該幅畫作便是與此相關，不過類似的恐懼也投射到其他有色男性身上。

王也因此與她親近許多。在最後定版的油畫中，當親王向她懇求時，他們的肢體語言強化了她的威望。她身邊圍繞著提供建言與支持的男子，她還有聖經可避開她與親王的肢體接觸，如此一來，他所代表的危險戰慄被降到最低，雖然並未完全抹除。[10]

傳播女王形象的跨文化圖像學

這幅畫很可能完成於1861年，差不多是亞伯特親王去世之時，出於對親王的尊重，隔了幾年才首次展出。最初的反應並不特別吸引人，一直要到1864年以大型美柔汀（mezzotint）銅版畫展出之後，才有了比較多的觀眾。[11]這些版畫在英國各地陳列，讓更多大眾能夠目睹該場景。

在整個維多利亞統治期間，她的形象傳播相當重要。她滲透到英國及其殖民地的物質文化，出現在印刷品中，出現在郵票和硬幣上，後來還出現在照片裡。在她的帝國境內，藝術家們想像著維多利亞，然後將她轉譯成自己的視覺方言。一個特別明顯的例子，是西非約魯巴（Yoruba）的維多利亞雕像，這類作品在英美典藏中相當常見。這些雕刻展現出毫無疑問的女王形象，但以在地藝術家的風格做了轉化：一個身材小小、有點矮胖的女人，有一顆放大的頭顱（顯示她的智慧與高貴），一頂小皇冠戴在頭上。她通常握著一柄扇子，長裙及地，端莊高雅。這些雕像引人注目，因為它們是一個歐洲人被塑造成非歐洲美學的案例——是麥伊肖像的反例（參見第七章）。圖像創作是雙向的，就像藝術家帶著他們的歐洲見識去旅行，自然也會有原住民以他們的見識做出回應。這些人像展現出帝國權力與既有視覺形式的碰撞，以及如何打造一個可向跨文化人民訴說的圖像

學。無論維多利亞以何種形式呈現，她都是帝國的領袖，是權力的象徵，但看到她被這樣轉譯，讓我們有機會從接觸地帶的另一邊進行窺看。

約魯巴的維多利亞雕像受到英國旅客追捧，當成古怪有趣的紀念品。這些人像進入英國典藏時，被當成新奇文物：它們的地位比不上歐洲人製作的維多利亞雕像，因此常被分派給考古學博物館當成好玩之物，而非在藝廊裡與歐洲的同類雕像一起陳列。它們有著不同的造型與歷史，但它們與其他的維多利亞肖像一樣，都屬於英國藝術故事的一環。它們同樣是為了歌頌她而製作，並以對臣民而言通俗易懂的風格來呈現。這是一種奇怪的區分，是受到這些機構的歷史影響所致：藝廊通常是從私人典藏發展而成，是由少數的私人品味所主導，往往對自身社群的美學具有強烈偏好；考古學博物館則和旅行者的組織較有關聯。

為何我選中這幅畫，而非維多利亞的其他圖像？因為這個奇想場景比其他任何真實故事更能說明帝國時代的英國想像。它訴諸感性，還有一條宗教意識形態的獨特線索，它曾對殖民歷史發揮深遠影響。基督教福音主義以及隨之成長的宣教團體，塑造了英國本土與海外的教育與認同。雖然許多傳教士曾發言反對殖民政府的一些細節實務，但他們依然是帝國拓展的關鍵角色：他們的任務是傳播信仰與世界觀，而且是驅動並指導軍方的同一套信仰與世界觀。[12] 這是一種文化帝國主義。英國的福音派會社也參與打造眾所熟悉的帝國形象。他們大量廣發印刷品（藉此籌募傳教基金，描繪並描述那些他們想要使其歸信的社會），並對救贖許下各種承諾。[13] 不出意料，倫敦傳道會（London Missionary Society，簡稱LMS，規模最大的新教組織，整個十九世紀傳道不輟）有它自己的博物館，裡頭有

各種民族學的素材典藏，有一座圖書館，以及由傳教士積聚的各種文物。

我們在這裡特別把焦點放在聖公會（Anglican）福音主義，該派在維多利亞時代相當興盛，不過歸信與殖民化總是攜手相連。1455年頒布的教宗詔書「發現理論」（Doctrine of Discovery），敦促基督教國家入侵所有非基督教國家並使它們歸信（必要時可使用武力）；這份文件經常被視為現代歐洲殖民主義的開端。[14] 始於十六世紀的耶穌會傳教，在亞洲（特別是臥亞〔Goa〕、印度和菲律賓）及南北美洲奠下基礎。他們的典藏由不同神學院持有，密蘇里州的聖路易大學博物館（Saint Louis University Museum）有重要展示。梵諦岡也有一座民族學博物館，陳列傳信部（Propaganda Fide，今日的萬民福音部〔Congregation for the Evangelization of Peoples〕）的典藏，大多是由傳教士收集累積，或是送給歷代教宗的禮物。比利時的非洲博物館（Africa Museum，前身是比屬剛果皇家博物館〔Royal Museum of the Belgian Congo〕）擁有耶穌會傳教士在中非地區蒐羅的大量民族學文物。

在1850和1860年代，也就是女王與親王故事最初流通的時候，我們今日所謂的人類學和民族學典藏並不存在。做為一種實務訓練的人類學，它出現的脈絡與博物館相同，都是想要透過研究、描述和收集來了解事物。傳教博物館裡的藏品，確實和我們先前看過藉由軍事行動取得的藏品相當類似，但兩者目的略有不同：LMS並未把這類文物當成戰利品提高價值，而是將它們陳列出來，做為沒落社會的痕跡，做為前基督教生活的遺物。這是不同類型的戰利品，標誌著英國文化的凱旋，而非英國軍事的勝利。

　　因此，當維多利亞交給親王一本聖經時——從封面可看出那是英文版——她將他拉進這個動態關係。跪在她腳邊的他，並非臣服於她的軍事力量，而是心悅於她的精神影響。他們的互動訴說了英國的態度轉變，逐漸從武力走向更深層、更潛移默化、更具破壞性的帝國形式。這幅畫暗示了文化帝國主義和強勢推行英國理想的黑暗效應——心理創傷、強迫同化與文化滅絕。

11. 盾牌

The Shield

一只橢圓形木件放在玻璃陳列櫃中。

那是一只盾牌，一般認為是格威蓋爾人（Gweagal）所做，一支原住民，居住在今日的雪梨盆地地區（參見圖14）。那只盾牌如今陳列在大英博物館「啟蒙展廳」（Enlightenment Gallery）的「貿易與發現」（Trade and Discovery）區。很容易錯過：它不起眼、黯淡，擺在靠牆的陳列櫃裡，旁邊都是更明亮、更鮮豔的文物。如果事先對這只盾牌一無所知，它恐怕不太耀眼，但它其實是個高度爭議的文物。它一直被要求歸還給澳洲，歸還到格威蓋爾人的土地，而如今，它的完整歷史正在討論中。

在我們目前檢視過的所有文物裡，這件的觀看體驗受到展廳文本的形塑最為明顯。因此，讓我們先來看一下今日對這只盾牌的介紹，以及它在英國的故事，一個遠離故鄉的地方。

未被釐清的盾牌來歷

這是博物館中來自新南威爾斯的最早期盾牌。1770年，庫克登陸植物學灣（Botany Bay）時，兩名持矛男子走上前來。庫克開槍，擊中一名男子的腿，男子撤退，丟下一只盾牌。據說這就是那只盾牌，但未確認。

與太平洋地區的最初接觸往往緊張且暴力。

　　編號Oc1978,Q.839（「格威蓋爾」盾牌）作品的展廳說明

　　讀到這樣的說明，你會怎麼想？儘管有「據說……但未確認」這樣含糊其辭的小警語，但它是一個會引發特定聯想的故事，而且清楚說明了盾牌的出處。這件文物與庫克船長有關（參見第六章），雖然說明牌的用語謹慎、閃爍，但從這則敘事可毫無疑問看出，在這只盾牌的歷史核心之處，有過一場激烈暴力的時刻。如今，無論這只盾牌與庫克的關聯能否得到最終證明，這個想法都已在心中扎根——文本如此明白地指向海灘上的那只盾牌，儘管用詞謹慎，還是很難把文字描述與眼前的文物區分開來。這個說明牌約莫撰寫於2017年底；在那之前，那只盾牌的描述如下：「〔代表〕英國人與澳洲原住民在植物學灣首次接觸的時刻」。[1]這只盾牌也收錄在《看得到的世界史》（*A History of the World in 100 Objects*）這本書和同名的廣播系列裡，由大英博物館前館長尼爾・麥葛瑞格（Neil MacGregor）編纂，書中的描述如下：「由探險家庫克船長……從澳洲帶回英國的最早期文物之一。我們知道它落入庫克手上的確定日期：1770年4月29日。」[2]這個強有力的故事讓那只盾牌除了是格威蓋爾人製作的文物之外，也是庫克生平的遺物。既然如此，說明牌上的不確定性究竟從何而來？這只盾牌的原真性為何突然受到動搖？

讓歷史扁平化與同質化的展示方式

　　1978年之前，那只盾牌並沒有確切的紀錄——沒有登錄號，沒有陳

列史，也沒有明確資訊。[3] 有些徵象顯示那只盾牌曾經典藏在大英博物館，有編目條目，有紙質標籤的痕跡，和一塊十九世紀末的小金屬牌，寫著「庫克船長」（CAP: COOK），但跡象模糊。[4] 博物館的文物溯源工作總是不太可靠。這件文物之所以如此歸檔，大半是由於「被發現的」那只盾牌很像1771年約翰・佛雷德里克・米勒（John Frederick Miller）為班克斯典藏繪製的插圖裡的一只盾牌。[5] 米勒為班克斯從南太平洋帶回來的典藏畫了許多（但並非全部）插圖──同一典藏後來還包括史塔布斯的袋鼠和丁格犬圖，一起掛在麥伊住過的屋子裡（參見第七章）。在博物館「發現」盾牌之前，大多認為由班克斯典藏並由米勒繪製過的那只盾牌，已在中間那幾個世紀佚失或毀壞。

大英博物館的「啟蒙展廳」本身就是一件文物──一種歷史重現。該展廳創建於2003年，以模擬十八世紀的博物館為目的。這是一座博物館中的博物館，是最自由無拘的教室型博物館。模仿十九世紀初的博物館陳列技術，將文物放置在安裝於牆上的玻璃與木頭陳列櫃中。黃銅與鑲板，深暗色調，帶著一種富有裝飾又無法親近的圖書館氛圍。這個展廳裡的許多文物並沒有自己的說明牌，而是根據類型大致區分，展品與位置清單上也沒有任何身分標誌可分辨哪一件是哪一件。倚牆的陳列櫃從地板頂到樓廳，環繞展廳四周排列，裡頭塞滿文物，很多根本看不見，除非蹲下或隔著一段距離伸長脖子看。它是一個現代版的珍奇櫃（cabinet of curiosities），模糊了自然史與人造文物，但它並未察覺到，這樣的重現對現代觀眾意味著什麼。這裡有個重要的問題：為何要重建一個世界觀如此歐洲中心、如此優越和如此帝國主義的空間──以及，更重要的，為何

不對受到這種世界觀傷害的遺物提供最起碼的批判性討論。

相對於麥葛瑞格《看得到的世界史》裡的其他文物，博物館不曾企圖凸顯那只盾牌，把它當成傑作或珍寶。它甚至很不容易看到，深色的木頭放置在暗紅色的背景中，必須從斜角觀看，玻璃的反光讓它看起來支離破碎。那只盾牌旁邊的櫃子裡，展廳的文本列出一堆來自太平洋各地的文物，典藏時間跨越好幾個世紀。這種缺乏專屬性，將迥異且無法相比的文化胡亂湊一起的情況，提示我們，在博物館陳列的各種典藏中，第一民族普遍受到的忽視。這幾乎是大英博物館南太平洋所有展品陳列的整體情況。* 這種時間與空間的崩解斷裂，某種程度反映了這些陳列所模仿的「啟蒙」類型，那類典藏家更在意如何呈現他們對文物的詮釋，而非將文物放置在它們原初的脈絡中，由於未能解釋啟蒙展廳企圖達到的目的和理由，結果就是讓這些歷史扁平化與同質化。大英博物館裡有些最早期也最富爭議的典藏——由班克斯、庫克以及英國在該區的第一批殖民者所取回的文物——一直遮遮掩掩、難以近用或遙不可及。無論是否刻意，這都是一段尚未得到認真對待的歷史。只有當某件文物或某個文化層被某個白人觸碰過，博物館才會將它的故事呈現出來。

博物館未呈現任何先備知識，也沒提供任何脈絡，只說「與太平洋地區的早期接觸往往緊張且暴力」——這是一種驚人的輕描淡寫，抹除了對原住民土地的積極侵略，略過白人殖民主義者施加在原住民身上的暴

---

* 其他的小區塊展示包括第二展室的「典藏世界」（Collecting the World）和第二十四展室的「生與死」（Living and Dying），這兩者都是主題性的展示。沒有任何專門陳列南太平洋文化的地區性展廳。

力，這種暴力在首次接觸之後還延續了很長一段時間，而且完全漠視原住民族長期不輟對抗帝國主義的歷史。當博物館在要求歸還的聲浪中繼續將這些文物握在手中，當成典藏，卻又不去陳述這些文物最初取得的背景環境，這樣等於是在抹除那些陳列文物的歷史以及博物館自身的歷史。把這些「百科全書式」的典藏處理成正面積極的跨文化關係，確實很吸引人，因為這種方式可以用最普世和最平等的方式呈現人類的故事，但問題是，這些博物館空間至今仍被它們的殖民出身壓得喘不過氣。藝術vs.工藝、內團體vs.外來者，這種根深柢固銘記在「啟蒙」博物館裡的等級制與二分法，至今仍深植在這些理應廣納百川的空間裡。建議博物館歸還典藏中的文物，藉此學習如何讓它們講述的故事更具代表性與包容性，這建議聽似會有反效果，但還是有成功的機會。就目前的情況而言，當陳列格威蓋爾盾牌這樣的文物時，博物館可以將該件文物的存在視為殖民關係史的體現，而無須拆解掉它的意義和影響。倘若，大英博物館必須用在英國製作的文物來呈現這段歷史或那些殖民關係的進展，又會如何？有一些由早期澳洲殖民者製作的圖像和文物，可再現原住族群與外來入侵者的首次接觸，它們能講述的故事，會比今日由這些機構所展示的文物更加全面。當你考慮到那些「緊張與暴力」的時刻有多少只被暗示卻從未被探索時，你就會知道，博物館並不保證能善用它們典藏的文物，將它們說故事的能力發揮到淋漓盡致。失去這些文物——讓它們回歸故鄉——可在博物館的敘事裡開展一個空間，但也無須將帝國主義的故事全面移除。或許只需要一些創意思考，一些更周全、更自我反思的帝國敘事。

同樣展品，不同的策展方式

2016年，那只盾牌去了澳洲。它曾是大英博物館2015年特展《澳洲原住民：源遠流長的文明》（*Indigenous Australia: Enduring Civilisation*）的重頭戲，接著在澳洲國家博物館（National Museum of Australia, NMA）的姊妹展《相遇：大英博物館文物所揭露的原住民和托雷斯海峽群島人的故事》（*Encounters: Revealing Stories of Aboriginal and Torres Strait Islander Objects from the British Museum*）裡重新登場。這兩個展覽的陳列文物大致相同，但陳列方式截然有別。大英博物館主要是順著單一路徑依年代展示，所以那只盾牌出現在靠近展覽最開頭的地方，澳洲的展示則是根據地理組織排列。參觀者可以控制自己的路徑，還可在某種程度內決定他們如何介入展覽。在《相遇》展裡，那只盾牌的重點並非它與庫克的關聯以及可能取得的時刻，它的力量來自於文物是過往時代的殘留。它可從三百六十度角觀看，旁邊擺了同一時代取得的長矛，並用植物學灣的影像連結物件與地方。根據區域組織文物，也是對抗大英博物館啟蒙展廳將經驗普世化的一種方式：因為並不存在單一的原住民文化橫跨澳洲與特雷斯海峽，而各地區的殖民化經驗也有天壤之別。

不過，《相遇》展與《源遠流長的文明》展最顯著的差異在於展覽專刊的風格。《源遠流長的文明》展遵循相當典型的風格——由策展人和專家撰寫批判性文章，一種老師教書的語氣，幾乎沒提供什麼先備知識，只把焦點放在傳達事實；《相遇》展的專刊則幾乎全是由原住民長老和社群成員的話語構成。為不同的觀眾策展需要特別關照的聲音也不同；澳洲

國家博物館的澳洲原住民參觀者很可能遠多於大英博物館，而且它的觀眾裡也有更多人對原住民的習俗和文化有最起碼的熟悉度。有權利在《相遇》展裡談論那只盾牌的發聲者，就反映了這點：肖恩・威廉士（Shayne Williams），一位達拉沃族（Dharawal）長老，專刊中大量引用他的說法，他將那只盾牌定位為澳洲「國寶」之一和1770年之前的生活痕跡，也認知到它在當代引發的共鳴：「〔那只盾牌〕提醒我的是原住民的抵抗。不僅是當時的抵抗，還包括抵抗直到目前為止對我們文化的破壞。」[6] 整體的語調是個人的、情感的，而非疏離的、學院的。這種風格鼓勵民眾在這些文物中發現他們自身的內在價值，而非等著別人來交代它們的意義。在某種程度上，這個調子也被帶入《相遇》展對這只盾牌的陳列方式。回到啟蒙展廳，那只盾牌被隔離起來，困在玻璃後方，而且這麼做並不是為了呼應某種遭到囚禁和失去身分的經驗。在啟蒙展廳裡，它的價值只來自於庫克，來自於它的年代。但在《相遇》展裡，那只盾牌屬於一個故事網絡，屬於一張身分與體驗的大地圖，遍及整個地區與時代。沒有單一路徑——每個人似乎都能為自己發聲。

但他們無法這麼做。《相遇》展的最後一天，格威蓋爾男子羅尼・凱利（Rodney Kelly）去澳洲國家博物館參觀，並聲稱他的社群擁有那只盾牌的所有權，要求將它歸還給格威蓋爾族。[7] 凱利並非受邀為《相遇》發表回應的兩百人之一（無可避免，即便是包容性的展覽也總是會有被排除在外者），但他趁機分享了他與該件文物的關係：他家族的祖先，正是盾牌被取走那天站在海灘上的其中一人。之後，凱利又去倫敦看過那只盾牌好幾次，不斷重申他的要求，說那只盾牌對澳洲原住民具有「治療能

力」，其潛在價值遠大於做為大英博物館的典藏（博物館顯然對其南太平
洋的展示不感興趣，這點更加強凱利的說法）。[8] 自從凱利的行動和歸還
訴求之後，大英博物館對那只盾牌所使用的語言有了轉變，將先前總是隱
藏在背景中的不確定性介紹出來。如果能把「代表帝國侵略最重要且最有
力的象徵」[9] 歸還澳洲，將可為兩國關係寫下新的篇章，但這需要博物館
全面重新思考註銷典藏的程序。

讓大英博物館釋出典藏？

就目前而言，如果大英博物館想釋出任何典藏，都必須遵從理事會
的意見。而理事會的決定則是受到《1963年大英博物館法案》（*British
Museum Act of 1963*）的規範，我將該法案詳細轉錄於下，因為它已經變
成一個十分複雜的文件：

(1) 大英博物館理事會可販售、交換、贈與或以其他方式處置歸屬於
它們以及包含在其典藏中的任何文物，如果符合以下要件——

(a) 該文物為另一文物的摹製品，或

(b) 理事會認為該文物的創作時間非早於1850年，並且是由印刷
品組成，而該印刷品是透過攝影或類似攝影的技術製成的副
本，並由理事會所持有，或

(c) 根據理事會的意見，該文物不適合保留在博物館的典藏裡，
可以在不損害學習者利益的情況下進行處置〔……〕

(2) 理事會可以銷毀或以其他方式處置歸屬於它們或包含在其典藏中

的任何文物，如果該文物基於毀損、物理上的變質或受到破壞性
生物的侵害而無法對博物館的宗旨發揮作用。[10]

也就是說：如果是副本，如果「不適合保留」，或如果因為受損而
無法陳列或使用，那麼理事會就可以將它處置、轉讓或出售。這並非全
面禁止轉讓（在第十三章，我們將看到一些文物透過這套程序轉讓），但
相當嚴格；2005年時法官裁定，即便在某些案例裡博物館有「道德義務」
歸還不當取得的典藏文物，該法案依然有效。[11]*在如何界定「不適合保
留」這點上，有些可操作空間。難道可以將某件神聖或與神祕文化知識有
關聯的文物納入典藏？或一件透過暴力取得的文物？不過，在實務上，如
果要讓大英博物館開始主動朝歸還的方向努力，這條法律還是得修改。博
物館的藏品中還有許多文物因為自身的意義或取得方式飽受爭議，博物館
不得不花費心力來保持其典藏的完整性。[12]*有些時候，這意味著要堅稱
沒有什麼可爭辯之處。那只盾牌是博物館敘述的一環，是將博物館串連起
來的故事網的一部分，割捨它必然會傷害博物館整體的意識形態與原則。
如果解開那個鈕結，承認博物館非法持有那只盾牌，而且並非是唯一可以
照護它的單位，那麼該館身為全球性博物館、身為世界級教室與寶庫的身

---

* 這個案例牽涉到四張素描，是納粹於1939年從費德曼（Feldmann）家族洗劫來的。然而，這四張素
描顯然不符合任何處置標準，所以它們必須留在博物館中。到最後，博物館付了一筆錢給該家族做為
補償。

* 這點目前正受到檢視，特別是和1868年英軍從馬卡達拉（Maqdala）取走的塔波特（tabot，神聖碑
板）被要求歸還有關。塔波特在衣索比亞的東正教裡屬於聖物，必須供奉在最神聖的聖祠裡，只有教
士可以目睹。大英博物館典藏了好幾塊塔波特，但無法展出，甚至連策展人也不能看。

分，就會開始動搖。[13] 在這裡通常可看到一種偏執，認為如果博物館開始歸還有爭議的文物，很快館內就會一無所剩，但這想法並不合理。在這等規模的博物館裡，往往有太多文物無法陳列，沒有被要求歸還的文物更是不計其數（在本書稍後，我們會看到更多博物館透過文物缺席來講故事）。在本書書寫的此刻，大英博物館表示，它將開放格威蓋爾盾牌借展。但這與歸還並非同一件事，而且也沒保證格威蓋爾盾牌可以造訪自身的故鄉。該只盾牌可暫時造訪澳洲，然後返回英國，這想法真是殘酷。

《源遠流長的文明》的展覽專刊淡淡地總結：「這些博物館文物持續引發熱烈討論，喚起人們對澳洲社會核心主題的好奇與關注，這正是它們具有恆久價值的明證。」但這種「恆久價值」計算起來差異甚大，端看你站在歸還討論的哪一方。[14] 那只盾牌困在一種弔詭的狀態中。大英博物館的保存使它今日能讓數百萬參觀者欣賞，並將它解讀成抵抗的見證物，但正是基於這樣的見證性，而有了歸還澳洲的呼聲。

做為回報，博物館也被那只盾牌所困，無法以建設性方式介入盾牌的衝突歷史與歸還爭議，因為那樣可能會開了先例，危及它的大多數典藏，所以只能仰賴相遇者的「緊張與暴力」這類故事，為那只盾牌賦予敘事價值。此刻，那只盾牌被西方的知識體系所圍繞，那個體系只提供極其有限的空間與最低度的價值給其他形式的原住民知識。

面對盾牌的象徵性意義

2018年，大英博物館對那只盾牌做了深入研究，由尼古拉斯·湯瑪斯（Nicholas Thomas，劍橋考古學與人類學博物館策展人）、瑪麗亞·

紐根特（Maria Nugent，澳洲國家博物館）和蓋伊・斯克爾索普（Gaye Sculthorpe，大英博物館非洲、大洋洲和美洲部門策展人）等人撰寫的文章做出結論，那只盾牌根本不是格威蓋爾盾牌。湯瑪斯的論據主要建立在視覺分析上，把那只盾牌與米勒繪製的班克斯典藏圖做比對，發現把手的位置跟盾牌中間的孔洞無法完全契合，所以肯定不是同一只。[15] 盾牌的材質也有問題——紅樹林（red mangrove），來自卡瑪伊植物學灣（Kamay-Botany Bay）北方五百公里處。雖然有證據顯示，當時原住民族之間有貿易往來可解釋這點，但因缺乏更令人信服的出處可將盾牌與奮進號之旅連結起來，因此紐根特和斯克爾索普認為那只盾牌的典藏時間較晚，而且來自不同地區。[16]

但展廳卻沒任何改變。這次的研究目的似乎是為了保護博物館，擺脫歸還要求，而不是想為大眾提供更多資訊。那只盾牌的歷史還是由它與庫克的關係所界定，以及它在「啟蒙」敘事裡的位置。格威蓋爾的口述歷史與傳承知識可以證明這只盾牌來自1770年，但卻得不到任何空間。我們有的，只是「據說……但未確認」這樣的引導，這樣的不確定性足以避免盾牌歸還，但不足以把它從陳列中撤下或切斷它與庫克的關聯。

那只盾牌或許與庫克或班克斯無關，而且，除非有什麼重大的檔案發現，我們根本不會知道，但我們必須認知到，這裡有一股更深層的力量。我們必須面對這只盾牌的象徵性，面對它的視覺吸引力，面對這種抵禦入侵的情感圖像，把它當成治療過程的一部分。

博物館將盾牌從它原本的脈絡中抽離，不斷重演接觸區域的那個時刻，而且只從抵達的角度呈現雙方的相遇。庫克朝當天海灘上的格威蓋爾

男子開火，被呈現成一次沒有結果的行動；沒有提示那聲槍響如何在接下來的兩百五十年裡迴盪。在1770年後的澳洲故事裡，那只盾牌不僅是一件文物；它是雄辯滔滔的抵抗隱喻。它訴說一種保護家園、抵禦可怕入侵的本能。在啟蒙展廳裡，絲毫見不到這層涵義：那裡只有庫克，發射他的毛瑟槍，將那只盾牌當成蝴蝶一般釘在展示櫃裡。

　　盾牌倖存至今，因為它典藏在博物館裡；展示櫃保護它，但也切斷了它的歷史和脈絡，將它困在一個無菌且無歧義的世界裡。下一個階段，一個調解的歷程，一個可以將盾牌重新與今日連結的歷史，必須在博物館外上演，在格威蓋爾人的土地上。

PART III

The
Memorial

紀念型

　　這一篇會有點困難。我們正進入一種不同的空間，遠離宮殿型和教室型的奇觀。這是緬懷的場所，且往往帶著哀戚——紀念型博物館。

　　如何打造一座消亡博物館？我們在這篇談論紀念館時，我想超越傳統上可能與這名稱有關的那類場址。我們通常稱之為紀念館的空間，多半是獻給某一特殊時刻或事件——例如紐約的九一一國家紀念博物館，位於世貿中心曾經矗立之地。它們也可能位於暴力和死亡之地——奧許維茲集中營（Auschwitz-Birkenau Camp）或廣島和平紀念資料館（Hiroshima Peace Memorial Museum）。這類空間通常會有某樣東西提供一種尺度感——想想在奧許維茲或廣島這類空間裡的一堆堆鞋子、衣服和個人物品，或是戰爭紀念碑上的人名。這類空間是紀念性的，不是為了歌頌某個人物或某種觀點，而是為了感動和面對。這類紀念館創造記憶的地景，創造沉思與感受的空間。它們有些共通特色：花園、泉水或其他水景、大型空間與留白；一長串名字，或許還有類似墓地的視覺感。這類空間是「缺席」（absence）的建築。這類場所甚至包括墓地：侵華日軍南京大屠殺遇難同胞紀念館，紀念1937年日本侵略該城時遭到殺害之人，裡頭就包含一處叢葬地，還陳列了遇難者的骸骨。

　　但是，如果你願意，確實有可能將幾乎所有地方都弄成紀念館。紀念館的質性定義是一個反思的空間——一個促進同理心與情感力的場所。雖然並非所有紀念館都是哀戚的，*但它們的確都聚焦於時間與流變：紀念型博物館懸置時間，將時間分成事件「之前」與「之後」。這類空間的重點是受到衝擊的人生——主要是那些無權之人的人生。宮殿型博物館緬懷它的偉大創建者，教室型博物館反映教師們的偉大抱負，紀念型博物館

159

則是收容那些微小貢獻之人。這類典藏經常是一些最平凡的文物，是如蜉蝣般的千百條性命。紀念館最深刻之處，就是擷取日常生活中幾乎不可見之物，一些正常到毫不起眼之物，並利用它們將我們與某個過往之人或過往之地連結起來，在今昔之間創造一種親近感。

這幾章將全力處理人與遺體的陳列，包括一個保存人類頭顱的典藏，以及重演十九世紀「人類動物園」（human zoos）的行為藝術。這些故事都有高度的情感糾葛，需要我們以同理心去理解。當我們目睹這些文物和工藝品時，我們必須在往事與它們的當代意涵間穿梭，這個過程不僅是為了鑑往知來，也是為了釐清闡明，將那些結果拆解開來，找出可避免它們重演的最微小改變。在本篇的理解中，紀念型博物館也可稱之為良心場址（sites of conscience）：這些地方帶有某種魂縈夢繫的氛圍，更加關注那些主體的人性與人生，而非那些文物的材料或美學質地。

在下面幾則故事裡，我選擇不收入影像，因為我認為在這些案例中，讓讀者看到文物會是一種侵害，是在讓他們參與一種殘酷的奇觀。要相信這些故事是真的，並不需要目睹暴力或恐怖。在接下來這幾章裡，攝影將成為經常出現的主題。做為一種技術，我們依然傾向把它和見證聯想在一起，是真實可靠的觀看事物的方式。顯然，情況並非總是如此，我們畢竟是活在一個數位修圖稀鬆平常的時代，不過，攝影報導以及影像的見

---

* 名人堂（Hall of Fame）之類的博物館也符合我對紀念型的定義，是一個緬懷與歌頌的空間，但它運用的是短暫人生，而非更容易被界定為「藝術」或民族學典藏的文物，驅動它的力量是對記憶與愛的渴望。「優雅園」（Graceland）或「名人堂」之類的空間，模糊了紀念型與宮殿型的界線。有些比較不尋常的典藏，例如童年博物館，則是結合了教室型與紀念型的特色。這類空間仰賴懷舊、熟悉與回憶的色彩，對時間有著深刻關注。

證力量，依然能得到一定的重視。

為了銜接本篇與上一篇，我們會檢視一個在教室型博物館裡舉行的紀念型專案。牛津的皮特・里弗斯博物館（Pitt Rivers Museum）是最道地的教室型博物館，因為它的典藏都是教學用的。它擁有牛津大學的人類學典藏，那是1884年由軍人考古學家奧古斯特・皮特・里弗斯捐贈的。他喜歡組織文物的演進史，繪製矛、盾等文物的類型發展和擴散圖，也就是文物的家族樹或系譜之類。博物館自取得他的遺贈以來，規模已擴大許多，但展廳配置依然沿襲他的做法，文物的分類是根據類型而非地區或日期。該座博物館最著名的大概是它的維多利亞式內部：自皮特・里弗斯的時代以降，展廳空間幾乎未曾更動。

文物的民主？異國情調的怪奇？

典藏很多，空間不大，文物密密麻麻塞在最初的木頭展櫃裡，加上最初的手寫說明牌——很美，很有歷史感，這是當然，但也狹仄到不易走動，說明牌往往無法閱讀。這是一座博物館中的博物館，宛如掉入某位十九世紀典藏家的腦海。博物館將這種類型學的展示稱為「文物的民主」（democracy of things），沒有上下等級之別，但這些典藏顯然都是由歐洲見識所主導，幾乎沒留下任何空間給文物所來自的社群，在這種情況下，「民主」似乎難以企及。

由於這樣的歷史淵源，加上該博物館的一成不變，有些典藏與展示中的項目無法在今日完成登錄。該館有一個展櫃裡放了好幾顆經過乾製、縮小的人類首級，是由今日祕魯和厄瓜多的舒阿爾（Shuar）社群製作，

這是該館最受歡迎的展品之一。這裡有個挑戰：陳列這些文物並不適合也不尊重，在博物館裡，這些首級因為被帶離原本的脈絡，只能用來為異國情調的怪奇與危險敘事增色，但博物館對於移除它們也很緊張，因為會惹惱癡迷的參觀者。裹在如此厚重的歷史裡，根本沒空間深究它們，也沒空間可以讓博物館或舒阿爾社群重新想像它們。[1]*

在處理具有創傷歷史的典藏時，藝術家的介入能成為一條推動之道嗎？在接下來這幾章，我們將看到各式各樣的藝術家以介入手法創作紀念化作品，在博物館的空間裡打造同理與沉思的空間（雖然並非人人都能勝任——我們也會看到一些糟糕的構想）。既然皮特・里弗斯博物館無法改變它的內裝，對他們而言，這或許是可以帶入差異的一種方式？2012年，克里斯蒂安・湯普森（Christian Thompson，一位比加拉族〔Bidjara〕藝術家，首位拿到查爾斯・柏金斯澳洲原住民獎學金〔Charlie Perkins Scholarship for Indigenous Australians〕前往牛津大學研讀的得主）在皮特・里弗斯博物館展出他的系列作品：《我們埋葬自己》（*We Bury Our Own*）。他創作了八張自畫像，他穿著大學制服，將部分或全臉遮住，以此回應博物館的澳洲原住民照片典藏。原初的照片典藏有些是人類學家為了打造「原真」影像而做的擺拍，它們的立場並不穩固：在許多澳洲原住民的社群裡，與死亡相關的儀式大多禁止唸出死者的名字或展示他們的影

---

* 皮特・里弗斯博物館正在為其大多數典藏重貼標籤，希望增進社群與典藏之間的良好關係（在某些案例裡，是增進各種關係）。這是一項大有可為的計畫，而且令人期待已久，因為雖然這是一個研究與教學用途的典藏，但始終不變的展示性質，意味著這項工作通常會在幕後進行，而且不會清楚傳達給觀眾。

像，但在英國，這些照片則是可以當成教學資源。這些照片至少有部分是經過加工的文件，是根據白人歐洲攝影師的意圖與期待形塑出來的，而對照片的詮釋往往聚焦於攝影師和他們的研究，而未去思考原住民參與者（願不願意）的涉入。死者的影像充滿對祖先的記憶，承載著他們的痕跡，並替代了他們的肉身，因此，他們在博物館裡的照片檔案幾乎就像是一座墓園，湯普森寧可親自去皮特・里弗斯博物館看那些影像的實體副本，也不願接受那些照片的拷貝或數位掃描，不願「擁有」那些再現——因為將它們帶在身邊的想法，實在沉重到難以承受。[2]湯普森說，他的作品是在執行一種「精神歸還」（spiritual repatriation）：為這些影像創造一種崇敬的氛圍，一種新的記憶地景。他的自畫像並未以直截了當的實體方式歸還這些影像，它們還是留在博物館的檔案裡，它們還是可供研究者使用，但當它們陳列在皮特・里弗斯博物館的展廳中時，它們引進了湯普森的藝術見識，以及他以原住民身分在今日體驗這些影像的觀點。這裡的歸還指的是讓這些照片回歸到它們所屬之處，不過是在情感的空間而非實體的空間中進行。

當然，「精神歸還」有其缺點。對要求歸還文物的社群而言，這樣遠遠不夠，對機構而言，以為邀請一位駐館藝術家採取類似的行動就能解決自身的難題，也是太過天真。湯普森之類的計畫，雖然可以將紀念性空間的情感力量帶入不願或無法以永久方式改變其典藏敘事的博物館，但其功能只是暫時性的。這只是第一步。

我們必須溫柔地保存本篇即將討論的文物。比起先前看過的故事，這些文物需要更敏感、更同理的心態。在必要時感覺悲傷，感覺憤怒。請

記住，這裡我們談的是人，是他們的生命，他們的身體，而這些故事雖然典藏在博物館裡，並不意味它們不再真實，不再可感。創傷有可能癒合，但癒合會留下疤痕，做為過去的印記。這幾章是關於疤痕，以及學習與它們共處。

12. 海達族雕像

A Haida Carving

一名男子拽著一名女子的頭髮。

她想掙脫他，但他捉緊她。他一身歐美人裝扮，高帽子、厚外套、手上拿著槍——毛茸茸的厚褲子為寒冬做了準備。他面容平淡，沒洩漏任何暴戾之氣。他幾乎像在微笑。女子的服飾比較曖昧：簡單的裙子與緊身胸衣是歐洲風格，但蓬鬆的頭髮顯示她是原住民，一名來自太平洋西北部的海達族（Haida）女子。[1]*這組人物是用泥板岩雕的，一種軟質的黑色石頭，高約19.5公分（參見圖15）。

這是一個暴力場景。雕像捕捉到攻擊前的時刻；很可能是一次性攻擊。誰會描繪這種場景，又是為了什麼？這件文物小到可以當成裝飾品，會讓人聯想到紀念品的那種裝飾物。但這樣的時刻在什麼情況下會是適合的主題呢？描繪殖民者對原住民施暴的作品相當罕見——特別是攻擊女性的作品。那麼，這件雕像是如何出現在博物館裡，而館方又期待我們作何反應呢？

---

* 這尊雕像最可能的日期是1850年代到1870年代，這個日期支持該名女子為原住民的詮釋，因為在那段時期，海達瓜伊群島沒有任何已知的歐美裔女性。

自十九世紀初開始，海達社群的泥板岩雕刻就成為蓬勃發展的旅遊藝術品。這些雕刻主要是為商業市場創作，在殖民商人與定居者抵達之前，幾乎找不到製作泥板岩文物的證據。穿越海達瓜伊（Haida Gwaii）的歐美商人購買一些小型雕刻當成旅遊紀念品，通常是菸斗或裝飾用湯匙。海達藝術家將他們的傳統圖像拼貼起來並故意弄模糊，創造出一種獨特類型，看似原真但不具備其他文物的文化力量。這些雕刻以新奇玩意的身分廣為流傳，並不可免俗地變成人類學典藏的核心之一；在加拿大、美國與歐洲各地的博物館裡，可看到大量的泥板岩菸斗和其他小雕塑。在大英博物館的「北美區」典藏裡（北美大陸第一民族各文化的高倍濃縮史，這尊雕像就收藏在該區），有一百二十九件泥板岩雕刻被列為「海達製造」。大多是小型的，日期可回溯到十九世紀下半葉。大多數雕刻都只有粗略的出處資訊，因為它們大多是由遊客而非謹慎的藝術藏家購買，只有一些陳列出來。這件特別的文物相當奇異，在博物館的典藏裡似乎獨一無二，也沒參照任何傳統的海達視覺主題或敘事。* 那名女子的臉部受損，所以無法得知最初她是否有戴鼻環（如果有，就可明白將她標示為海達人），不過可以清楚看出她沒戴唇環，這表示她的階級比較低。[2]

欠缺收藏脈絡下的多重解讀

看不出什麼明顯的理由要在展廳裡陳列這件雕像，而不是儲藏庫裡

---

* 搜尋英國、美國和加拿大主要博物館的數據庫，找不到任何類似場景的雕像，事實上，連以女性為描繪主題的雕像都很稀少。

的那麼多其他作品，雖然這種情況也不罕見——如同我們看到的，大多數
博物館都不覺得有必要說明為何某件文物比其他文物更值得陳列。但展出
這樣的場景，尤其這並非典型的場景，而是僅此一件的場景，確實是有意
思的選擇。這件雕像的出處不明：它是1950年代由維康研究院（Wellcome
Institute）捐贈給大英博物館，但並無更詳細的資料說明它當初是怎麼來
到研究院的。[3]* 沒有任何買家或藝術家的資料——許多海達藝術家的身分
如今已不可考，連要從哪裡查起都不知道。這也意味著，這個場景沒有明
確脈絡：我們不可能標出它的地點，也不可能弄清楚這個動作再現了哪個
明確事件。這對男女是怎樣的關係？這重要嗎？無論他們是誰，這都是在
描述一次暴力攻擊，而且沒有任何條件可以改變這點。不過，思考兩人間
的關聯還是相當重要，因為它可以讓我們對加拿大和其他定居殖民地的殖
民權力史有更廣泛的理解。

　　雕像中的女子可能是性工作者。在十九世紀末，原住民婦女從事性
工作的情況並不罕見，無論自願與否，這是她們少數可以仰賴的工作來
源。到了1870年代，商人、傳教士與殖民定居者帶來的疾病肆虐，加上流
離失所與傳統生活遭到破壞，造成海達人口銳減。在這個場景被雕刻的那
段時間，加拿大政府正在加強立法，根據女性與男性的關係來確認女性的
法律身分。如果原住民女性與非原住民男性一起生活、生了孩子或步入禮
堂，她將失去她的法定地位，她和她的所有子女都不再具有原住民身分。
殖民地全境的有色女性與白種男性的子女，將強制送入機構和監獄，或帶

＊ 維康研究院的重點是醫藥史，所以這尊雕像放在它們的典藏裡有點不適合。

離原生家庭，以便「同化」。惡名昭彰的是，加拿大的原住民子女會被送到寄宿學校，強迫他們接受歐美文化，切斷他們與傳統生活的關聯。根據聯合國的定義，禁止孩童接受自身文化是種族滅絕的行為，而且是一種更為深刻的種族歧視。立法不可能剝除某人的身分認同，但失去法定名稱可能意味著該名女性再也無法與家人生活在保護區裡。如果這種情況發生，她有很高的機率會轉入性工作。原住民女性以賣淫被逮的紀錄不少，或許這就是該件雕像的背景。[4]當然，那名男子也可能是她的顧客。

另一方面，這件雕像也可能是在描述一起綁架或隨機攻擊。在現代加拿大，原住民婦女和女孩依然經常失蹤，估計是遭謀殺或綁架，這種不成比例的數量一直被視為國家緊急事件。自1970年代起，在穿越英屬哥倫比亞通往海達瓜伊的「眼淚高速公路」（Highway of Tears）上，有二十多名婦女失蹤或被殺，其中大多是原住民。將這兩位人物放進這個脈絡裡，這是一起綁架嗎？她會是今日那些失蹤原住民女性的祖先嗎？當我們不了解一件文物的故事時，我們會以本能腦補；我們會試著對文物所呈現的內容做出直覺反應。這件作品圍繞著一團創傷，就算無法確認那對男女的身分，也可清楚看出他們之間的衝突。由於不知道該件作品的藝術家名字，也不清楚該場景的脈絡或背景，我們必須在那些空白之處解讀敘事。先說我們確知的：這是一次攻擊。接著，我們必須把自身的知識和經驗加到文物之上：這攻擊是否變成強暴？性暴力是殖民主義的武器，就跟其他的暴力形式一樣，而且它在北美原住民所承受的身體暴力中，擁有一段漫長而痛苦的歷史。[5]展出這件文物，在許多方面都是在重演那次攻擊：我們以觀眾的身分成為共犯，看著它發生，無力逆轉。既然這種風格的雕刻

是做為旅遊伴手禮，難道這件作品是一種殘酷的玩笑，為了娛樂白人觀眾而參與了對原住民婦女的賤斥（abjection）？不無可能，但將它解讀成一種比較私密、比較情感的敘事，也是合理的。

見證文物展現的創傷經驗與歷史

那件雕像的展示方式很難看清楚。它放置在一個大型展櫃的底部，離地只有一英尺，照明也很尷尬，如果你想看個仔細，就得坐在地板上，面對玻璃。說明牌跟真實的人物幾乎無關，主要是提及泥板岩雕刻的整體歷史，只有一行提到這個場景可能是「一名男子正在虐待他的妻子或一名海達婦女」。我曾經談過這件文物，也跟導覽團一起參觀過，導覽團的成員總說這是最令他們沮喪的文物——我們講解時用詞謹慎，也都加了適當警語，但實際目睹還是令人不舒服，特別是受到性攻擊的倖存者，除了不快的情緒之外，也經常會感到身體上的疼痛或失調。

在博物館裡，我們很常會受到真實的情緒牽引。有許多文物和創傷經驗有關，我們先前提過的文物就有不少可從這個角度解讀，但很少有文物會被展示成情感的來源。常可見到藝術作品被當成「症候群」或當成創作者心理狀態的表現，但我們卻很少提供同樣的空間給人類學或「民族學」典藏的文物。想想那些把畫作當成表現，那些歌頌天才人物的話語——這類推崇很少給予西方「美術」類別之外的工作者。

某人製作了這件作品。某人得知這個故事，並為它創作一個實體表現，讓它可見並存在。我們不知道他們是不是這個場景的參與者、旁觀者或倖存者，在這個無從知曉的空間裡，思考這些選項並決定如何回應，是

我們的責任。我們成為見證者，在看到那件雕像的時候，我們完成了這個場景。這勉強算是一件肖像——或許不再是某個特定人物的肖像，而是某種經驗的肖像。

我們應該別過頭去，或是將雕像移除？在這個案例裡，我不認為上述兩者哪個會是最佳選項。反之，我們有機會重新思考博物館所採用的故事。如果我們開始將博物館視為聖祠，並非奉祀藝術大師的個人才華，而是奉祀記憶與持久性，那會怎樣？以目前而言，這尊雕像是用來講述海達泥板岩藝術的一般性故事。它被視為正常——這個攻擊的場景被當成泥板岩雕刻的總和。這項選擇沒有顧慮細節，而這會影響到參觀者如何詮釋整個海達民族。2011年，《無名手藝人之墓》（*The Tomb of the Unknown Craftsman*）展將這件雕像列為展品，該展是由藝術家格雷森・佩里（Grayson Perry）策展，將大英博物館典藏中許多創作者不詳的文物與佩里本人的作品混在一起。佩里在展覽專刊中說，這件雕刻是一個「神祕且令人不安的文物」，並用斯堪地那維亞的維京人來比喻海達民族的「殘酷武士和奴隸」。[6] 他指出那名男子的歐洲服飾，以及「據信這是該時期海達手藝人製作的諷刺和雙關雕像，用來嘲笑歐洲文化」，但對與雕像相關的殖民大脈絡也就只是點到為止。佩里的展覽顯然是以他自身的作品為焦點，這件海達雕像只是其中微小的一部分，但該展對這件雕像的處理方式倒是和博物館相當類似：只要沒提及該件文物的獨特性，或沒把該次攻擊的脈絡當成加拿大殖民史的一部分，焦點就只會集中攻擊行為本身。這樣做的危險在於，久而久之，海達文化的特色就會變成性暴力。

這件文物所在的展廳在其他方面相當具有教育性，將北美各地原住

民族的歷史與經驗濃縮在一小撮文物中。這座博物館雖然具有國際性的廣度，但這樣的簡化透露出它的目標觀眾並非來自這些文物所代表的社群。這件雕像本身是後殖民的文物，是海達人對一種特殊經驗的紀錄，沒有殖民者出現就不會存在的經驗。今日的博物館參觀者都是生活在這段歷史之後，但博物館卻對那段歷史毫無所感，對它的當代共鳴也沒任何暗示。

我們可以學習反叛教育性博物館，以及它所假定的所有理性與邏輯，將博物館空間視為情感場所。許多參觀者對這件文物的本能反應，讓這樣的可能性昭然若揭。當我們注視這件雕像，真心注視且見證它的歷史，就會像我們把一個寧可忘記的故事視覺化後那樣，讓我們的情感浮出表面。面對它，我們可以把博物館空間轉化成哀思的場所，讓自己在其中感受與紀念失去之人，向倖存者致敬，並將以同化之名所施行的暴政銘記在心。當我們以這種方式去理解時，那件海達雕像就是一座紀念型博物館。它是化為實體的情感，是雕刻在石頭上的私人證詞。

在本篇的其餘部分，我們會花比較多時間討論類似這件雕像的文物，思考它們所體現與引發的苦痛。但這麼做並非要打造苦難的奇觀——而是要連結同理心。不要只是旁觀這些文物，要試著去感受它們。請牢記，本書一開頭提出的那個問題：博物館如何說故事，而這些故事又想做些什麼。現在，我們必須去見證它們，並真正介入它們，如果我們想要證明它們為何應該留在博物館裡。

13. 毛利族風乾頭顱

Mokomokai

一名男子端坐等著拍照。在他身後，固定在牆上的，
是三十四顆斷頭。

那些斷頭稱為「Toi moko」或「mokomokai」，是經過木乃伊處理的
毛利人頭顱。那名男子雙腳交叉，一隻手插在口袋裡，另一隻手拿著一根
毛利巴圖（patu，一種扁匙狀的兵器）。他看起來很放鬆，一位完美的維
多利亞紳士。他的名字是霍雷肖・羅伯利（Horatio Robley），是一位英
國陸軍軍官、藝術家和典藏家。他牆上那些頭顱的身分至今不詳，它們的
故事淪為一種怪誕奇觀。它們是怎麼去到那裡的？

在這一章，我們將討論博物館裡的人體遺骸。我選擇以毛利族風乾
頭顱為例而非其他族群的祖先遺體，並無意貶低這些族群的經驗或普及這
種經驗，而是想挑選一個特定故事，並觀察將毛利族風乾頭顱歸還給紐西
蘭奧特亞羅瓦（Aotearoa）社群（iwi）的協調工作進行得如何。首先要講
明，我個人並不贊同在博物館內陳列人體遺骸，因為我從未看過那些遺骸
以尊重死者所屬群體的喪葬習俗做處置。不同文化對祖先的展示方式各有
不同，我當然不認為，所有的喪葬習俗都該搞得神神祕祕，隱而不顯。但
問題是，將遺體從墳墓中挖掘出來陳列在展廳裡，而且通常是與原本安息

之所相隔遙遠的展廳，供訪客參觀，這並非常見的墓葬禮儀。

要在網路上找到文中所提的羅伯利照片，以及其他毛利族風乾頭顱的照片，相當容易，雖然這些頭顱不常在博物館中展出。但我決定不將這類影像收入書中，因為我覺得並不適合。蘇珊‧桑塔格（Susan Sontag）的《旁觀他人之痛苦》（Regarding the Pain of Others）是一本討論攝影的書，但書中沒收入任何圖像。該書談論受苦與痛苦的再現，以及暴力的照片如何感動我們卻也麻木我們。毀滅與死亡的照片可強迫我們目睹一些與日常生活相距遙遠的人事物——先前我曾用海達雕像所見證的暴力場景舉過例子（參見第十二章），在稍後有關愛默特‧提爾（Emmett Till）和私刑受害者那章還會回頭探討——但這類照片也可能太具壓倒性，太讓我們沉浸在恐怖之中，而無法冷靜處理它們。桑塔格指出，有些時候，我們必須「讓殘暴的影像縈繞我們」，[1] 避免我們忘記人類曾經做過且可能再犯的暴行，但在這個案例裡，我認為觀看是一種二度暴力。將這張照片展示給你，等於是重演一個殘酷的奇觀。視覺也可能是一種暴力。

強調擁有、控制和體驗的文化典藏

不過，觀看毛利族風乾頭顱並非總是暴力行為。毛利族風乾頭顱是毛利人喪葬傳統的一部分，是由死者家族私下保存與敬拜，或是用敵人的頭顱製作而成，當成戰利品展示出來，做為力量的象徵。無論在何種情況下，它們的陳列都得恪遵儀禮規範：有資料指出，敵人的風乾頭顱應在戰爭結束後交換，做為和解的標誌。[2] 它是一項受人崇敬的習俗，如「tapu」（神聖的、精神性的或禁制的）一樣受到保護。

　　非毛利人取得風乾頭顱，留有紀錄的第一起案例，是來自庫克船長的第一次太平洋航行。1770年1月20日，班克斯描述一位毛利人帶來：

　　四顆還留有血肉毛髮的人頭，要我當成戰利品保存，性質有點類似歐洲人抵達之前的北美人頭皮；不過他告訴我們，腦子已經取出，也許腦子在這裡是某種佳餚。頭顱上的血肉相當柔軟，但經過某種保存處理，不會發出任何臭味。[3]

　　根據庫克的日記，班克斯買了其中一顆頭顱，但那顆頭顱的去向並無記載。*自那之後，將風乾頭顱賣給歐洲人的交易持續開放，直到新南威爾斯總督拉夫・達林（Ralph Darling）在1830年代下令禁止，希望藉此平息因這類交易所導致的殺戮。對刺青皮膚、遺體和頭骨的大量需求，助長了新紐西蘭的暴力，而風乾頭顱的價值也從親密轉變成商業。非毛利人很樂意用高價值的工具武器，最主要是毛瑟槍，來交換風乾頭顱。由於社群通常（可理解）不願販賣家族和領袖的風乾頭顱，於是發展出一種新趨勢：毛利人開始在囚犯和俘奴死前幫他們刺上與毛利文化無關的圖案，殺害之後將他們的頭顱拿去賣。在1830年代前的這段時期，為家族製作的風乾頭顱數量有所減少，主要就是擔心它們會被偷去賣。*

　　「Tāmoko」是毛利人的紋面藝術，從過去到現在一直是標誌人生各

---

* 班克斯是人類遺體的狂熱藏家，經常向澳洲與跨太平洋區的殖民官員索取頭顱和身體的其他部位——參見第二十一章。

階段的重要儀禮，而風乾頭顱的傳統有部分就是為了保留死者的刺青。這類刺青從一開始就令太平洋的歐洲人深感著迷：那是刻刺在皮膚上的差異記號，藏不了也洗不掉，是阻止當地人融入英國殖民文化的有形障礙。[4]*希尼・帕金森為約翰・班克斯製作的繪圖裡（參見P.96），就有好幾張紋面毛利人的肖像。完整且複雜的紋面圖案表示被刺青者的階級地位很高──但他們大多無名無姓，只被稱為「來自紐西蘭的人頭」。

根據帕金森和後來其他藝術家的繪圖製作而成的版畫，在歐洲廣為流傳，雖然刺青在英國並非無人知曉，但是擁有驚人紋面的毛利人形象，倒是完美契合「啟蒙運動」的世界觀。刺青是刻入皮膚的記號，給人暴力之感，更重要的是，它在歐洲帶有犯罪和殘暴的文化意涵。它正好強化了南太平洋是混沌陌生之地的信念。毛利紋面與風乾頭顱的歷史，就是毛利文化與歐洲恐懼和執迷的碰撞史。圖像不錯，但無法適切傳達出刺青的過程：紋面不會留下平滑的皮膚，它不像墨針刺青，它是用名為uhi（一種鑿子）的骨製工具在皮膚上雕出凹槽。塑造麥伊形象（參見第七章）與班克斯典藏的那種文化，那種強調擁有、控制和體驗的文化，要求有形的實體標本。

---

* 毛利人風乾頭顱的歷史大部分是取自羅伯利的書。這實在極為諷刺，在這項習俗已然消逝的今日，他的確是這項習俗最早也最廣受引用的英國作家之一。羅伯利譴責毛利人點燃歐洲人典藏風乾頭顱的欲望，他指出在火槍戰爭（Musket Wars, 1805–43）期間，毛利人經常用風乾頭顱交換武器，這種說法很方便為他自己和同僚的行為脫罪。

* 麥伊雙手的刺青（參見P.107）就是明顯的例子。刺青在他的肖像與描述中扮演首屈一指的角色，是他陌異性（strangeness）最強有力的標記，證實他是外人與他者。

該用何種方式對待遺體？

　　無法估計1770到1830年代之間賣出多少數量的風乾頭顱，也沒有管道可知道在達林總督下禁令之後還有多少數量祕密賣出。羅伯利在1890年代列出博物館典藏中他所知道的八十九件風乾頭顱，主要分布於歐洲與北美各地。這不包括照片中他自己典藏的三十四件，而且勢必有更多數量落入私人手中，或是毀壞佚失。紐西蘭國家博物館（Te Papa Tongarewa）估計，有多達六百件koiwi tangata（毛利人遺體殘骸，包括風乾頭顱）依然為機構和私人典藏所持有。[5]

　　羅伯利將他的典藏視為一種檔案，認為風乾頭顱的交易是暴力與破壞，因為它導致毛利社群中紋面的數量下降。他認為，紋面的歷史很快就「只能根據前人的評論和風乾頭顱的標本典藏」來書寫。[6]這是從一種不可思議的客觀角度在觀察一個活文化，而且把責難的對象放在參與這類貿易的毛利人身上，而非助長這類貿易的典藏家。他們將帕金森、羅伯利與其他人製作的紋面毛利人影像擺在這個脈絡裡，繪製出一個客觀化的歷史：亟欲記錄不同與陌異的事物，並將這種衝動轉化成一種強迫症，想要取得並展示殖民對象的身體。展示就是控制，這些影像就是人們想要擁有風乾頭顱的幫兇之一。

　　這種情況與今日差很多嗎？博物館的典藏裡依然有風乾頭顱，私人收藏很可能也是如此。先前它們曾經公開展示，雖然現在要看到展出中的風乾頭顱並不容易，但很容易搜尋到圖像。博物館真的有更適合的方式典藏人類的遺體嗎？在本人生前未明確同意的情況下，我不認為有這種方式存在。

　　眾所周知，博物館在歸還遺體這個問題上總是採取拖字訣，即便是與盜墓明顯有關的案例。2019年時，蘇格蘭國家博物館只同意將諾諾斯鮑舒特（Nonosbawsut）和德瑪斯杜伊特（Demasduit）的頭骨送還給渥太華的加拿大歷史博物館（Canadian Museum of History），這兩位貝奧圖克人（Beothuk）的遺體是在1820年代從他們的墓地挖掘出來的。諾諾斯鮑舒特和德瑪斯杜伊特的遺體以及一些墓葬品，是被蘇格蘭裔的加拿大探險家威廉·艾普斯·寇馬克（William Epps Cormack）偷走，送給愛丁堡大學的自然史系。寇馬克的目的顯然是要「拯救」貝奧圖克文化，該文化因為外來的疾病、屠殺和流離失所而逐漸消失；他為了收集這些殘存物質而定居該地。

　　包括歐洲在內的許多社群，都有將身體當成聖物公開展示的悠久傳統，但當個人是進行展示的文化的一部分時，事情就不太一樣。說到底，就是是否取得該人的同意，以及是否反映出該人所尊崇的文化習俗：被帶到某座博物館的德瑪斯杜伊特遺體，跟陳列在地下墓室裡的天主教僧侶遺骨，無法相提並論。你能想像在哪些情況下，人們會覺得挖掘或移走遺體以便公開展示給陌生人看是正常和合適的？[7]*還有，將遺體從它們的原葬地帶到其他地方展示？這項論辯碰到古代典藏時會變得更混亂，因為我們無法遵從一個已不存在的群體的意願。不過根本的議題卻是相同：人們該如何以同理的方式對待人類遺體？

＊　自1990年代起，岡瑟·馮·哈根斯（Gunther von Hagens）便一直在四處舉辦塑化人類遺體展。《人體奧妙展》（The Body Worlds）是劇場性的，而且說白了，相當詭異──雖然哈根斯表示，展示的所有遺體都是捐贈的，但有關這些身體的來源仍持續引發爭議。

博物館不該是安息之所

在這些遺體的後裔社群還活著的情況下，這些遺體擺放在博物館裡顯然無法得到完全合適的對待。由於大多數的風乾頭顱都缺乏資料，不知它們在哪裡取得，屬於哪個社群，如何落到歐洲藏家手中，因此對紐西蘭奧特亞羅瓦社群而言，要個別提出歸還要求實在難如登天，所以紐西蘭國家博物館在政府同意下，提出歸還風乾頭顱與遺體殘骸的要求。自2003年起，紐西蘭國家博物館陸續收回四百多件這類文物。[8] 當這些遺體進入紐西蘭國家博物館時，它們並未被加入典藏名單，而是保存在「wāhi tapu」裡——一個神聖領地，它們留在那裡，直到有機會回歸社群。這很接近博物館所能做到的同理與尊敬，它們的重點很明確，就是協助遺體回返故土。但這項工作需要典藏風乾頭顱與其他遺體者的合作與善意。它得仰賴博物館願意放棄對這些藏品的持有，願意承認它們對這些案例的專業知識其實很有限。這項歷程的第一階段，就是接受博物館並非安置這類遺體的正確處所，無論遺體當初是如何去到博物館，唯一的適切做法，就是歸還它們。在這些案例裡，博物館並非唯一的知識保存者：毛利人的口述歷史才是研究的關鍵所在，而藏家的紀錄未必都是準確的。[9]

2006年，大英博物館收到紐西蘭國家博物館的要求，希望歸還十六件遺體遺骸，包括七件風乾頭顱。紐西蘭國家博物館提供獨立人士的建議與證據，說明風乾頭顱應該被視為「tūpuna」（祖先）而非文物，但大英博物館還是決定留下風乾頭顱（但歸還對方要求的九件遺骨）。為了證明這項決定有其正當性，博物館的理事會表示：

博物館此項決策的出發點來自於一項保留權推定，在某些情況下，該項推定勝過其他條件。在七件受保護的紋面頭顱這個案例中，他們認為，目前並不清楚是否曾有喪葬處置受到打斷或干擾；也不清楚那些遺體對原初社群的重要性是否勝過那些遺體做為人類歷史資訊來源的重要性。[10]

理事會的論點是，唯有證明風乾頭顱的確是為了紀念先祖而製作保存，博物館才會將它們註銷，但既然無法確知這些人曾經屬於哪個社群，或這些遺體如何被取得，那就表示它們也有可能是為了賣給歐洲藏家而特別製作。若沒有進一步的紀錄可資佐證，風乾頭顱將得到默認保留。這論點令人悲痛：這些風乾頭顱過去不曾、未來也無法在博物館展出，而為了表示尊重，任何近用都必須限制。自從這判決做下之後，一直沒有明顯的跡象可證明風乾頭顱被當成「資訊來源」；也就是說，就算有相關研究正在進行，也始終沒有發表。這項陳述毫無疑問地顯示，這座博物館並無意卸下全知全控的自我形象。

雖然我是從一張你無法看到的照片說起，但它存在，可以在網路上找到，這張照片不斷提醒我這類典藏有多殘酷。持續據有這類紀念先祖的遺體，特別是那些申請歸還且能保存在更適合之地的遺體，是一種暴力行為。說到底，這些風乾頭顱為何製作，或它們是否曾被當成葬禮的一部分，都無關緊要。這裡的暴力在於獲取，以及持有。那些祖先遺體的貿易源自於歐洲——這段歷史不限於毛利人，不過毛利人參與其中。羅伯利甚至知道，令他著魔的這種貿易助長了紋面藝術的衰落，因為接受紋面得承受被盜賣的高風險。遺體總是會被放置在奇觀的脈絡裡，被當成吸引人的

詭奇之物，而非「資訊來源」。而博物館也是其中的一分子：這類圖像的
生產、傳布與展示，就是由帕金森、班克斯和羅伯利等人推動，他們讓人
物淪為文物，強調他們的外表勝過他們的人性與個體性。將這類圖像呈現
出來，必然會引誘人們想要找到這類身體，將它們陳列展示。無論基於什
麼理由和藉口，對一個緊抓住遺體典藏不放的機構而言，這行為在今日傳
達出一個明確訊息，那就是該機構著重身體勝於個人。這不僅是關於大英
博物館的風乾頭顱；也是關於我們與人類及其遺體的關係，關於機構如何
成為幫兇，將殖民化與種族化的社群去人性化。這是關於該如何找出方法
與之對抗。博物館不該是安息之所；我們不能容許博物館繼續當墓園。

現在來到本書的轉捩點

到目前為止，我們看過一些歷史性文物，討論了它們在典藏中的呈現，但從這裡開始，我們將把焦點放在當代藝術家如何重新框架和重新詮釋這些故事。第十四章討論的那場展覽，已成為這類取向的原型。

14. 挖掘博物館

Mining the Museum

博物館入口處放了三個空台座。

　　它們都是用黑石做的，上面的牌子說明這是獻給三位黑皮膚的歷史人物：哈莉葉・塔布曼（Harriet Tubman）、菲德烈克・道格拉斯（Frederick Douglass）、班哲明・班尼克（Benjamin Banneker），但台座上並沒有半身像。這些台座立在大型地球儀形狀的「真相獎盃」（Truth Trophy）一側，獎盃是頒給「廣告宣傳中的真相」。地球儀的另一邊是三個灰白大理石台座，上面的半身像分別代表拿破崙、亨利・克萊（Henry Clay）和「石牆」傑克森（'Stonewall' Jackson）。這些文物都是來自馬里蘭歷史學會（Maryland Historical Society, MdHS）的典藏，有的是從檔案室裡挖出來的，有的則把常設展品重新排列。塔布曼、道格拉斯和班尼克都來自馬里蘭州，而拿破崙、克萊和傑克森（都是白人男性）則是和這個州沒什麼實質關係。它們組成一個迎賓團，歡迎大家參觀內部展覽。我們看不到其中三人，但可以看見另外三人，還有一個許諾真相的地球儀。

　　這是佛雷・威爾森（Fred Wilson）1992年《挖掘博物館》（*Mining the Museum*）的展覽入口，由巴爾的摩藝術組織「當代」（The Contemporary）與馬里蘭歷史學會的區域歷史與藝術博物館策劃。威爾森

是非裔美籍藝術家和行動主義者，他受邀挖通馬里蘭歷史學會的基地與商店，重新配置該空間，讓我們「面對將多樣化理論與歷史修正主義付諸實踐的困難，並提供一個模式改變對我們這個特定社群的回應」。[1]在為期數個月的時間裡，這座博物館經過重新配置，將蓄奴制度、對黑人和北美原住民的種族主義與歧視，以及刪除與其遺留的故事再現出來。威爾森呈現的所有敘事，原本就潛伏在博物館中。他所要做的，就是讓它們浮出水面。

讓潛伏敘事浮出水面

有些展覽的藝術家與策展人企圖將典藏中的種族與權力故事顯現出來，《挖掘博物館》就是其中之一，它不斷受到引用，被視為這類展覽的萌芽時刻。它一再受到檢視，一次又一次接受詰問，如今已成為藝術史的經典之一。*無論你是否意識到，《挖掘博物館》都徹底塑造了這個類型，達成博物館與藝廊想要去殖民化與多樣化的企圖，並為其他特展與常設展的設計打下地基。

威爾森的展覽是以「為缺席賦予形式」（giving form to absence）破題。前文提到的空台座延續了我們之前討論過的廢奴再現（參見第九章）：塔布曼和道格拉斯是美國歷史上的兩位重要人物，兩人都是奴隸出身，兩人都沒有半身像；班尼克則是自由人出身和自學有成的占星家與調

---

* 如果你在任何文化研究課程指定的「種族週」研究了威爾森的作品，有很高機率會遭到孤立，這就像安娜・門迪埃塔（Ana Mendieta）和卡蘿里・詩妮曼（Carolee Schneeman）是「性別週」的標準選擇。這些藝術家都是公認的變革性人物，但在課程中都被極度標記化（tokenized）。

查員，他曾寫信給湯瑪斯・傑佛遜，呼籲廢除奴隸制度，但他也沒有任何
當代圖像。塔布曼有一張眾所周知的殘存照片，道格拉斯在史密森學會的
國家肖像藝廊中則有幾十張照片與一幅油畫，但問題依舊：為何對馬里蘭
州的歷史而言，拿破崙比這兩人更加重要？這到底是要紀念什麼？

展場中並置與命名的力量

　　空蕩的空間可能引人震驚，空無的台座會立刻點出有東西不見了，
但單只暗示某樣文物不適合出現，也能切中要點。在展覽內部，威爾森
承認：他讓文物變得無法不鮮活搶眼。在一個名為「金工，1793-1880」
（Metalwork 1793–1880）的展櫃裡，他把奴隸鐐銬擺在精緻的銀器旁
邊。這並非隱約巧妙的並置──但隱約巧妙並非此處所需。鐐銬和銀壺是
同一文化的產物。它們有著千絲萬縷的關係：財富與權力的產物，以及資
助它們所導致的壓迫。當我們看到這些東西擺在一起時，有何感覺？在博
物館裡，創造財富的行為往往會被掩蓋。可能會在某張風景畫的說明牌上
間接提到種植園或工廠的所有權，在某張肖像的運輸與交易時提到和資金
相關事務，在歷史大宅型的博物館中提供民眾參觀奴隸或僕人區，但這類
細節很少會以正面、核心的方式呈現。威爾森的並置以高效率的方式提醒
我們，這所有東西，展間裡展示出來的所有財富和文化，都是來自某處。
總是有人要付錢。

　　回到威爾森的展覽，在名為「家具製造，1820-1960」
（Cabinetmaking, 1820-1960）的展間裡，一根巴爾的摩監獄的鞭刑柱放置
在排成半圓形的椅子中間（參見圖16）。這個暴力結構物變成奇觀的焦

點，宛如劇場一景。椅子（裝飾藝術博物館裡的標準物件）與鞭刑柱（通常不會展示，因為它並非美學故事的一環）的反差再現出酷刑與高級社會的碰撞，擴大了我們對兩者的理解。我們感受到懲罰的執行與規訓之痛，椅子則是為那些執法者和監法者準備的。僅此一次，我們擁有行動和結果，並且肩並肩。

展覽的其他地方，威爾森運用了命名的力量。他根據檔案紀錄列出某幅田野畫中奴隸勞工的真實姓名，同時比對了繪畫日期與人口普查紀錄。威爾森還展出一幅畫作，裡頭的主角是一名年輕黑奴，他將那幅畫取名為《菲德烈克送上水果》（*Frederick Serving Fruit*），而非《田園生活》（*Country Life*）這個常見的名稱——畫中的男孩姓名不詳，但威爾森稱他為「菲德烈克」，意在把那個場景弄成某種自畫像，同時向道格拉斯致敬。[2] 威爾森表達出那種感覺自己在展廳中除了以無名侍者和勞工身分之外無所存在的經驗——那種幾乎看不見的被奴隸的存在，於那些畫中出沒，在美術館裡流連。

前一段時間，我針對博物館與敘說故事發表了一場演講，內容也包括《挖掘博物館》。我利用金工展櫃裡的鐐銬解釋這項計畫，以及它的影響力——其中一位聽眾就是擁有那些銀器的家族後代。他們的反應充滿敵意，他們似乎不覺得有罪惡感，也不特別在乎該家族對奴隸的所有權，他們氣的是以這種公然不敬的態度聚焦於他們祖先生活中的這一元素。他們對於威爾森沒有提及該家族其他成就感到沮喪。總之，這種覺得不公平與憤怒的場景並非唯一。沒有承受過祖先行為後果的後代對這種歷史的再檢視感到憤怒，對我而言，正是「白人脆弱性」（White fragility）的一個明

證：包括惱羞成怒，自我中心，當別人請他想想被壓迫群體的感受時就覺得受到冒犯，堅稱他們不是種族主義者，以及無法理解白人有必要承擔責任。*

那麼，《挖掘博物館》是如何塑造出藝術介入這個類型呢？威爾森並非第一位以這種方式處理博物館文物的藝術家，但他擁有出人意表的銳利眼光，挑選的文物也具有莊嚴的意義，並能將兩者結合起來。就某方面而言，他並未替展覽創作出任何新作品——這種介入並非藝術家把展廳當成沙盒，或將展廳當成自身作品的參考書區——但當他致力重構業已存在的典藏時，馬里蘭州歷史學會就變成一個不同類型的計畫。威爾森的作品之所以如此令人興奮，是因為他接收了博物館內的所有張力，所有未說出口的歷史，並不加粉飾地呈現。他在2017年談論《挖掘博物館》留下的影響時，說他第一次造訪該博物館，有一種「發自五臟六腑的回應。我覺得那裡很不舒服……我有一種發自本能的反應，但並不清楚究竟是怎麼一回事，我想去探索原因」。[3]於是在他手上，馬里蘭歷史學會變成一個人感受不安的空間，讓人必須自問我們該如何回應歷史：它該引發五臟六腑的本能回應嗎？如果應該，那是為何？如果不應該，那是在保護誰的感受？威爾森創造空間讓人觀看與體驗種族主義、殖民歷史，並認知到這些歷史行動對當代的重要性。威爾森的並置手法並不巧妙，但由於館內先前的詮釋水平實在很低，參觀者不得不以批判性手法為自己拆解每件展示品；威

---

* 想要理解並揭開這類防衛性反應以及這樣的反應何以會造成傷害，我強烈推薦以Robin DiAngelo的White Fragility, Beacon Press, 2018做為首選參考書。

爾森將素材呈現出來，但每位參與者必須自行權衡，決定它們該落在哪裡。有某種歷史修正主義正在這裡上演，它讓這件作品不僅是對機制的批判，它還更進一步，提供一種另類取向。

再現痛苦與復原的故事

　　許多藝術家曾模仿這項技巧，效果有高有低。近期一個不錯的範例是卡德・阿提亞（Kader Attia）的裝置《從西方到超西方文化的修復》（*The Repair from Occident to Extra-Occidental Cultures*, 2012），該件作品檢視了受損與修復以及治療、結疤與創傷的文化象徵主義。他以個人檔案的形式呈現該項計畫：日積月累的物件、照片和文本，陳列在冷硬無裝飾的金屬儲物架上與古董風的博物館展示櫃裡。這並非直接模仿威爾森，阿提亞的作品本身就令人印象深刻，但這兩位藝術家都不僅止於將文物呈現出來，還提出新的空間敘事，並巧妙運用觀眾對每件文物的視角與參與。威爾森要求觀眾俯下身子，往嬰兒車望，才能看到一件三K黨的帽兜；阿提亞將以下兩者並置：一是在一次大戰期間留下嚴重疤痕與臉部傷口的士兵投影，二是東非穆爾斯人（Mursi）與薩拉人（Sara）的半身像，這兩個部族素以臉部裝飾的文化習俗著稱，半身像陳列在架子上，觀眾可以繞著它們走動，花時間共處。阿提亞講述一則以不同方式再現痛苦與復原的故事：歐洲社會追求的，往往是將傷害隱藏起來並盡可能將修復的地方掩蓋住，但在其他地方，耐受的印記會受到獎賞與鼓勵。

　　這裡還有更深的隱喻，亦即：處理歷史的方式是隱藏或揭露。目標是模糊發生過的事情，掩蓋事件，好讓暴力行為在表面上幾乎不留痕跡，

還是去紀念該項行動,將破壞與修復結為一體?阿提亞將西方作家的文本與影像與被殖民和被征服民族的生活實況結合起來,創造出一個空間,讓西方文化在裡頭成為研究的對象,成為受檢視的事物,而非理所當然的真理。阿提亞的作品呈現在藝術空間裡:《從西方到超西方文化的修復》最初是為文件展創作的,那是在德國卡塞爾(Kassel)舉行的藝術特展,每五年一次,而那項裝置後來也成為他個展的焦點作品。阿提亞的作品是一座藝術家版本的博物館,而非一座被藝術家重構過的既有博物館。兩者有些不同,威爾森是去策劃一個已經完整的典藏,選擇如何呈現它的敘事,阿提亞則是可以按照自身形象自由匯集出一個典藏。

從比較廣義的角度,博物館本身也做過嘗試,採用威爾森《挖掘博物館》的某些方法。例如麻薩諸塞州的伍斯特美術館引入附加說明牌,在上面羅列每張畫作與奴隸制度的關聯(參見P.133)。[4] 2019年,有兩項展覽源自於丹妮絲・穆瑞兒(Denise Murrell)的博士研究,該研究根據畫作所呈現的黑人模式重新為作品命名,藉此重構畫作,那兩項展覽分別是《擺姿現代性:從馬奈、馬諦斯到今日的黑人模特兒》(*Posing Modernity: The Black Model from Manet and Matisse to Today*)與《黑人模特兒:從傑利訶到馬諦斯》(*Le Modèle noir, de Géricault à Matisse*),先後在哥倫比亞大學的瓦拉赫藝廊(Wallach Art Gallery)與巴黎的奧塞美術館展出。稍後將在本書第四篇「樂園型」博物館裡登場的藝術家,大多都曾以某種方式處理過這個議題,是「做為批判的介入與策展」(intervention and curation as criticism)大趨勢的一部分。

15. 人類動物園

Human Zoos

　　並非每位從事博物館介入的藝術家都能創作出政治或社會進步的作品，藝術家很容易淪為重演而非重構。當講述的故事是暴力和物化時，請讓我們更仔細地檢視有關重演的倫理論辯。

**　　一名男子與一名女子站在籠子裡。兩人都戴了上扣的頸圈。**

　　他們也戴了用塑膠做的珠寶，用摔角面具和草裙組成的服裝。女人戴了墨鏡，腳上穿著匡威（Converse）運動鞋。他們看電視，玩電腦，以超現實的並置手法結合異國情調化、拜物化（fetishized）、「部落」（tribal）文化的美學與當代物件、材料和服飾。有三天的時間，他們住在籠子裡，接受觀眾餵食、觀看、觸摸和拍照。他們跳舞，用難以理解的語言講故事，藉此討賞。

　　1992年，吉耶摩・高梅茲佩尼亞（Guillermo Gómez-Peña）和寇寇・富斯柯（Coco Fusco）表演了他們的作品《白熊》（*White Bear*），又名《兩名未被發現的美洲印第安人造訪……》（*Two Undiscovered Amerindians Visit…*），做為哥倫布發現美洲的「反五百年」（counterquincentennial）紀念。他們宣稱自己來自墨西哥灣一個不

存在的瓜阿提瑙（Guatinau）島，是一支新發現的部落代表，他們創造出虛構化的「人類動物園」體驗。這件作品最初是在加州大學爾灣分校（University of California, Irvine）上演，之後陸續在美國、歐陸、英國和澳洲演出。這件作品令人震驚，這是最含蓄的說法。看到兩個人站在籠子裡，把自己弄成奇觀主角，娛樂觀眾，即便是看照片，那畫面都讓人震撼。

展示活人的歷史

這件作品是所謂「人類動物園」的重演——展示活人，環境往往是模擬他們真實的住家，被當成外國文化的標本。這些人類展示通常都和來自太平洋、南北美洲和非洲的原住民族有關，而且從殖民接觸開始便可找到一以貫之的案例（而且都可回接到與麥伊同一路線的表演行為，參見第七章）。倫敦埃及館，也就是貝佐尼重現塞提一世法老之墓的地方，裡頭就有許多這類展示：1822年，一個薩米（Sámi）家族（被稱為「拉普蘭人」〔Laplanders〕）與一群馴鹿住在館中；1847年，一群被宣傳為「布希曼人」（Bushmen）的桑人（San），在館內展演他們的「禮儀與習俗」。[1] 原住民村莊可以整個搬到世界博覽會上重建，村裡的居民一連好幾個月都活在展示裡，包括在1893年哥倫布發現美洲大陸四百週年慶中成為活動的一部分。[2] 1897年，比利時國王利奧波德（King Leopold）命令兩百六十七位剛果人在一次公開展覽中住在他的王宮庭園裡；1950年代，布魯塞爾世界博覽會建了一座「剛果村」，裡頭再一次住滿展示用的民眾。[3] 比較晚近的2005年，德國有座動物園因為設置了「非洲村」而廣

遭責難——那其實是一場博覽會,目的是要歌頌非洲的文化與藝術,但被許多人形容成「Völkerschau」(德文的動物園之意)。[4]

　　值得將這類例子列舉出來,說明展示族群這個概念並不稀奇:在所有的定居殖民地和帝國主義國家,都可看到這類主題與形式。以社群或個人為主題的展覽都是制度性種族主義(institutional racism)的一部分,也都示範了科學探索——這些被視為活標本的族群,往往被當成研究機會——如何與更廣泛的權力敘事和強加的等級制度融為一體。

諷刺西方的異國情調

　　在這個脈絡下觀察《兩名未被發現的美洲印第安人造訪……》,不舒服的感覺顯然就是創作者想要的反應。寇寇‧富斯柯寫到這項計畫時如此解釋:

　　我們的初衷是以諷刺手法評論西方的異國情調、原始「他者」觀;然而,在發展這件作品的過程中,我們得面對兩個意料之外的現實:一,有為數不少的一群大眾認為我們虛構的身分是真實的;二,有為數不少的知識分子、藝術家和文化官僚試圖把注意力從我們的實驗內容轉移到我們的偽裝所引發的「道德意涵」,或用他們的話說,我們「誤導大眾」我們是誰所引發的「道德意涵」。[5]

　　最犀利的諷刺看起來會有點傷人,因為它強迫我們重新檢視自己以及自己在其中扮演的角色,藉此將世界反射到我們自身。但如果你的觀眾

並不熟悉你想諷刺的故事，就可能陷入無法超越重演的危險。如果沒有能力展開批判性對話，再好的用意也會走岔。

在這個案例裡，觀眾因為困惑而對高梅茲佩尼亞和富斯柯做出性別化與嘲笑的反應，而且當著他們的面大肆談論，彷彿他們真的聽不懂自己在講什麼。富斯柯事後描述了這些反應：「在華盛頓特區，有位憤怒的參觀者打電話到人道主義協會（Humane Society）抱怨，但被告知人類不在該協會的管轄範圍……一群造訪馬里蘭的小學生告訴老師，我們很像對街蠟像館裡的阿拉瓦克印第安人（Arawak Indian）。」[6]表演的照片和影片（參見圖17）顯示出，許多觀眾的直接反應就是很樂意附和這個奇觀，把高梅茲佩尼亞和富斯柯當成寵物餵食，根本沒提出任何有關展示倫理的問題，也沒抗議或拒絕參與，而這正好說明了大眾的心態，也說明大眾沒有能力看出自己的反應正是更廣義、更深層的種族主義歷史的一部分。這顯示出，民眾很樂意為了集體，或說為了那些完全沒感到不舒服的人，而把自己的不舒服擺到一邊。

一場精心設計的騙局

高梅茲佩尼亞和富斯柯身為這件作品的設計者和表演者，將自己暴露在嚴重的情緒不適之下，這種不適的情緒讓藝廊的工作人員和「動物園警衛」緊張萬分，甚至有兩名警衛「為自己的認知失調所苦」，決定離開這項計畫。[7]警衛的角色主要扮演獄卒，遛著繫上鏈子的藝術家，從欄杆縫隙餵食他們，還要在表演者與觀眾之間負責斡旋，執行這項任務時總是令人沮喪：你必須盯住某些觀眾的煩人反應，你自己的角色也需要你攔

置現實，想像這是一場真實的原民住展示。我們並不清楚這項計畫是否曾為藝廊工作者預先做好心理建設，或是否曾為他們的心理健康提供額外支持。前台員工和展間人員總是得首當其衝承受參觀者的反應，常常得面對謾罵或敵意。觀眾第一時間看到的就是這些人的臉，所以在塑造觀眾的體驗時，必須將這些人扮演的角色牢記在心，這點很重要：在這個案例裡，因為他們促成觀眾與藝術家的互動，於是變成這場騙局的共犯。對這件作品最具同理心和一體感的參觀者，大多是具有拉美文化或種族背景者，或是美國原住民，他們「認識這件作品的象徵意義」，會將它放在侵犯的敘事裡，並注意到藝術家對自身種族化的質問（富斯柯是古巴裔美國人，高梅茲佩尼亞是墨西哥人）。[8]

今日會出現這樣的表演行為嗎？我不認為，原因之一是科技變革，特別是社群媒體的出現。隨著個人性的數位監控來臨，今日很難想像人們會做出如此漠視藝術家人性的行為（不過稍後我們會看到觀眾對文物表現出「不當行為」的案例，參見P.253）。《兩名未被發現的美洲印第安人造訪……》之所以有如此效果，是由於觀眾的不確定性。無論藝術家說什麼，這整件作品本質上都是一場精心設計的騙局，是為了欺騙而建構。即便是純以諷刺為目的的藝術作品，依然會期待參觀者相信那可能是真的——它是在利用人們的易感性。在某種程度上，說這些人真的是來自某個未發現的社群，的確貌似合理。即便他們的行為怪異又使用現代科技，但假造的地圖與百科全書的詞條還是給人一種真實感，不會立刻遭駁斥。不過另一方面，社群媒體顯然也不曾扼殺騙局，反而是讓騙局更無所不在也更危險，所以，或許今日還是有人會對這樣的行為藝術作品深信不疑。

不同時代對痛苦影像的反應不同

不過，除此之外，還有哪些文化轉變會讓這樣的行為表演不太可能出現？有一項重大的社會改變是關於人們對痛苦影像的反應，特別是對那類將苦難弄成奇觀的藝術。這當然不是壞事，但它也確實意味著，對《兩名未被發現的美洲印第安人造訪……》的批判與負面反應大概會更為普遍，更有組織，可能會以抗議和抵制的形式出現。今日美國邊境監獄與勞教所拘留的絕大多數是拉美裔或原住民，在這樣的脈絡下，很難想像人們可以容許兩位假扮原住民的拉美裔藝術家被關在籠子裡的行為藝術。今日，《挖掘博物館》（參見第十四章）的啟發性有可能得到稱頌，但也會哀嘆它並未真的讓博物館的調性朝它期望的方向走去，不過，《兩名未被發現的美洲印第安人造訪……》就只是它那個時代的作品而已。

2014年，另一件行為藝術登場，探索的主題類似《兩名未被發現的美洲印第安人造訪……》，但接收方式極為不同。《展覽B》（Exhibit B）是由倫敦的巴比肯中心（Barbican Centre）策劃，由藝術家暨劇場導演布雷特·貝利（Brett Bailey）構思。該項裝置包含十二幕真人靜態畫面——場景以不動的黑人表演者為主角，接受經過的觀眾注視。所有場景全都汲取自歷史或當代事件，指涉種族主義與帝國主義暴力——對奴隸婦女的性虐待，剛果人民在比利時殖民統治下遭受的殘殺，奴隸起義者所承受的酷刑，在驅逐出境的船班中窒息而死的移民。

《展覽B》已經在其他好幾個國家上演過（它被設計成三部曲中的第二部，《展覽A》是比較早期的表演版本，《展覽C》是接下來的版本，但兩者都未上演過），每次都由當地卡司擔綱，但倫敦展的開幕晚會因為

「黑英人」（Black Brits）的強烈抗議而取消，該組織認為該件作品是重演這些侵犯行為給以白人為主的觀眾欣賞。藝術家暨行動主義者莎拉・邁爾斯（Sara Myers）組織了一項請願活動，她是一名黑人女性，呼籲取消該件作品，並取得兩萬個連署簽名。[9]貝利是一名南非白人，很多批評者都把重點放在這裡，身為一名白人，架構那些展現黑人受苦的場景，似乎是在他聲稱要重構的場景背後，重演同樣的權力關係。與此同時，許多巴比肯中心《展覽B》的出演者則是高聲支持貝利，並捍衛他們在作品中的角色。對某些人而言，將這些受苦的場景呈現在世人眼前，藉此紀念那些承受苦難者，是一個找回能動性（reclaim agency）的機會。雙方的論辯在網路上與報章上你來我往；貝利寫了一篇回應，指控抗議者是言論審查，堅稱他的作品遭到誤解。[10]*開幕晚會當天，一群人占據表演場外的馬路；巴比肯中心以顧慮演出者、觀眾和工作人員的安全為由，正式取消演出，並說此舉「令人深感不安，這類手段逼迫藝術家與演出者噤聲，剝奪觀眾欣賞這件重要作品的機會。」（雖然似乎沒有任何參與者或工作人員真的曾在任何時刻受到威脅。）[11]演出繼續巡迴到巴黎，雖然當地也有類似反應，但還是如期開演。

兩種被觀看的對照方式

　　《展覽B》與《兩名未被發現的美洲印第安人造訪……》（甚至是

---

* 儘管貝利大聲哭喊言論審查和使人噤聲，但他的生涯似乎未曾大受其苦。時間過去，雖然《展覽》系列的第三部曲從未實現，這項計畫的惡名亦並未讓他遭受蔑視。

《挖掘博物館》）大相逕庭的原因，是貝利的立場。雖然所有出演者都是自願參與，但他依然是他們的行動設計師。他挑選場景並塑造他們；他指導出演者。是的，他推了觀眾一把，逼他們去面對寧可忽略的歷史，而他所再現的經驗也是他自身歷史的一部分，但在這個敘事裡，他身為一名白人的角色，更可能是侵略者而非倖存者。有一幕真人靜態場景是一間臥室，有個女人被鍊在床上，透過鏡子注視觀眾，指涉殖民地官員囚禁非洲婦女並不斷強暴她們；在一次訪談中，貝利思忖道，是否可說他扮演了那名官員的角色：

　　那是我覺得可將自己代入的唯一一幕。床上有一套被脫下的官員制服，她坐在那裡，等著被強暴。這暗示壓迫者在場。如果我走進那個場景，有沒有可能，會增加什麼？在我羅列這次展覽的組成元素時，我是把自己當成藝術家或殖民官員，或其他什麼？這是我還沒解決的問題。[12]

　　雖然白人確實有必要去處理種族主義和帝國暴力的歷史，但只是建構一些模擬歷史的場景並讓黑人演員沉默無聲，似乎不是最有建設性的做法。*這兩件作品還有另一項重大差異，就是被觀看的方式。《兩名未

----

* 巴比肯中心並未公布觀眾的統計資料，由於這場展覽並未真正開幕，自然沒有參觀者的數據，但值得謹記的是，2018年時，巴比肯員工有76%自我認同為白人，而根據2011年倫敦人口普查資料，自我認同為白人的比例是59.8%。促成這項體驗的員工——售票、寄物、裝置和推廣該演出——絕大多數是白人，這點必然會影響到接下來觀眾看到黑人出演者的感受。巴比肯中心就跟大多數藝術機構一樣，是個壓倒性的白人空間。裡頭還有種族定性（racial profiling）的課題，據信其他藝廊的員工在這方面也是同謀：https://www.theartnewspaper.com/news/ massachusetts-investigates-reportedracism-mfa-boston。

被發現的美洲印第安人造訪……》是同時和一群觀眾互動，現場的反應取決於群眾的行為，《展覽B》的觀眾則是一個接一個進入每個場景。他們有比較私密的空間——展場的安排讓人聯想起窺視秀（peepshow）。可以將這解讀成誘導觀眾與所再現的場景正面對質，但整體而言，它減輕了觀察者成為共犯的程度——他們可以私下做出反應，無須承擔責任。貝利堅稱「〔演員〕是真正的觀看者，〔觀眾〕才是演員」，[13] 但還是很難擺脫這件作品只是強化舊日殘忍的感受，特別是演員只能見證每一位觀眾的反應。在所有評論、訪談和專欄裡沒說出口的假設是，這件作品的觀眾大多是白人（再次提出這個問題，這體驗究竟是為了誰——一場再現黑人身體苦難的表演，陳述的對象卻是沒有明指的白人觀眾，這樣的作品就是重演，很容易淪為它立意批判的那種暴力的複製品），看了這些場景或許能改變他們對殖民史的理解。但為何必須觀看這些場景才能知道它們很殘酷？社會學家暨行動主義者克辛德‧安德魯斯（Kehinde Andrews）曾與《展覽B》的一名演員訪談，他拿自己不願意和這件作品「勾結」與其他種族主義機制做比較：「我從來不曾也永遠不會去看由白人扮演黑人的黑人走唱秀（minstrel show），但我確定他們是種族主義者。」[14]

在這幾章裡，何時要放圖片何時不要，我做出了選擇，做決定時，我衡量的標準是我覺得必須看到什麼，以及如果沒有圖像可以理解什麼。在《展覽B》這個案例裡，並未對歷史敘事做出什麼真正的改變，沒有足夠的理由需要再創這些敘事——它不是諷刺，也沒超越震驚，它對人類動物園的相關論述也沒重要貢獻。不需要黑人演員這樣的奇觀角色也能理解那段歷史。就美學角度而言，這些場景也沒以《兩名未被發現的美洲印第

安人造訪……》的方式顛覆歷史：貝利的視覺參照比較缺乏創意，只是想建構一種劇場式，就某方面而言比較美麗的（畫面、燈光與框架比較具有美學愉悅感）氣氛，與富斯柯和高梅茲佩尼亞那種混亂的人造原真性剛好相反。

但最深刻的，是社會氛圍不同。《展覽B》登場的時間，只比密蘇里州的佛格森騷亂（Ferguson Unrest）晚幾個月，當時的政治大環境裡充滿了黑人在種族主義機構手上痛苦受死的影像。對於種族主義，這些表演所訴說的內容，能超越年輕黑人被警察殺死或「黑命貴」（Black Lives Matter）抗議者的照片和影像嗎？歷史並不需要重構：它已經浮在表面，時時可見。創作《兩名未被發現的美洲印第安人造訪……》是為了回應對於哥倫布的正面謳歌與擦脂抹粉，是為了對抗那種不加批判的狂熱，是為了重新激活隨著時間逐漸瘖啞的原住民觀點，但貝利的作品，做為一件正統戲劇，卻沒做到這點。《展覽B》並未開啟有關這類歷史的新對話（超過該不該取消演出這類的討論），貝利的心血並未在當代論辯中引起任何注意。這個案例並非重揭舊傷疤，而是在已經揭開且正在流血的傷口上又抓了一把。最重要的是，這是一種很容易受到傷害的作品類型，因為它總是由經驗和反應所構成。表演者可利用它們，但也會讓自己暴露其中。任何表演者，特別是走在重演鋼索上的表演者，都需要足夠的敏感度：撇開藝術家的意圖，最後的作品永遠是其觀眾的真實寫照。

16. 棺木

The Coffin

　　真正被博物館展覽打動的情況有多罕見？藝廊令你哭泣的次數有多頻繁？華盛頓特區國立非裔美國人歷史與文化博物館（National Museum of African American History and Culture, NMAAHC）裡的艾默特・提爾紀念室（Emmett Till Memorial），要求我們面對這類與紀念有關的問題，以及與緬懷相關的建築與意識形態。

一具棺木陳列在博物館中。

　　房間涼爽、安靜、狹小。棺木擺在一道矮桿後方，架在平台上。棺蓋打開，一塊玻璃板覆在內部上方，原本枕靠頭部的位置放了一張照片。照片裡是一名小男孩躺在這個棺木裡，是他死時的模樣：他的臉遭到殘酷毆打，血肉模糊，殘破不全。牆上，有一段引文：「讓人們目睹我曾看到的景象。我想人人都該知道艾默特・提爾的遭遇。」

　　提爾，來自芝加哥，十四歲大的非裔美國男孩，1955年8月，在密西西比遭到米藍（JW Milam）和羅伊・布萊恩特（Roy Bryant）綁架、折磨、殺害。布萊恩特的妻子卡洛琳（Carolyn）在審判中宣稱，提爾曾經調戲她，這顯然是為了替謀殺行為找藉口。那兩名男子被無罪釋放，後來

在一次訪談中坦承一切，並因此得到三千五百美元。2017年，卡洛琳‧布萊恩特終於承認很多人相信了五十二年的事實：她的證詞是謊言。

上文描述的房間，就是國立非裔美國人歷史與文化博物館裡的艾默特‧提爾紀念室（史密森學會的一部分）。牆上的引文來自提爾的母親，瑪米葉‧提爾莫布里（Mamie Till-Mobley）。當兒子的屍體被送還，將埋葬在芝加哥時，她決定葬禮要讓棺木打開。守靈夜有高達五萬人看過他的屍體，葬禮也有數千人參加。至於看過照片的就更多了。提爾莫布里允許《Jet》雜誌的記者參加並記錄葬禮，他們用一整期的內容介紹提爾的故事。棺木裡的那張照片就是出自該雜誌。

需要感受痛苦的紀念空間

那具棺木是2009年由史密森學會取得（提爾的遺體在2005年對他的謀殺案進行新調查時掘出，後來重新安放在另一具棺木中），該紀念室是博物館歷史展廳的核心部分。國立非裔美國人歷史與文化博物館與我們到目前為止看過的博物館與典藏不同，這個空間是專門為了一段黑暗歷史打造。其他博物館多半是想呈現勝利者的故事，並根據這樣的欲望塑造而成，絕大多數都會刻意忽略相伴而來的被壓迫與被排斥的敘事，而近來致力於面對與改變這點，則是需要藝術家與策展人打破機制的結構。不過，這裡的歷程並不相同。國立非裔美國人歷史與文化博物館花了好多年才完成：2003年建立，2016年開幕，它是專門了為容納這段歷史而設計。

從底樓寬闊開放的中庭開始，你可以直接往上參觀各展間，裡頭的內容聚焦於當代非裔美人在運動與藝術上的文化與成就，或者，你也可

以往下走，進入歷史空間，這部分有三個樓層互聯展示。你必須深入地下才能找到起點，開端位於最低樓層，逐漸向上走。這是美國黑人歷史的時間軸，從殖民奴隸貿易開始，經過獨立戰爭、南北戰爭、民權運動，直到今日。這些低樓層的展間是為了崇敬而打造。在整座博物館裡，都可感受到近乎寂靜、黑暗、沉重、有如聖殿的時刻。在早期歷史那區，有個展間講述奴隸販運路程，也就是從西非到加勒比海的旅程，那個展間幾近全黑，一條窄窄的通道引領觀眾穿越一個會引發幽閉恐懼症的空間，觀眾彷彿掉入虛無之境，只有牆上的引文（引自廢奴主義者奧拉達・艾奎亞諾〔Olaudah Equiano〕等人）和打了聚光燈的文物。還有孩童大小的鐐銬。順著時間推移往上走，博物館逐漸開闊起來，有了更多光線，更多空間。展覽內容包括一間奴隸小屋，是從南卡羅萊納州的種植園運來重建的，一列種族隔離的火車車廂，個人物品和衣服，地方與生活的殘片。

這是痛苦的，也需要感受痛苦。如果未將依然由許多人承受的痛苦、失落和代代相傳的創傷表達出來，就不可能公正合宜地處理這段歷史。美國大屠殺紀念館（United States Holocaust Memorial Museum，也位於華盛頓）和九一一國家紀念博物館（位於紐約）的顧問們提出建議，說明該如何引導參觀者穿越創傷的歷史。[1] 雖然無法直接拿國立非裔美國人歷史與文化博物館與戰爭博物館或戰爭紀念館相提並論，這是不同的故事，應該各以專屬的方式去體驗，但兩者有個共通之處，都是與暴力物質史搏鬥的空間。它是復原力與抵抗力的紀念碑。

這是一個以幽微但高效手法運用照片的空間。提爾的故事因為報章照片而廣為人知，因為報導而得到編排與重新上演。觀眾沿著廊道前進，

在進入陳列棺木的內殿空間之前，廊道完整展示了《Jet》雜誌的文章，介紹了提爾出生與死亡的背景。他的故事具體明確，並因所有的脈絡資訊而與這個場所緊密結合，但它其實是放置在民權運動這個大主題之下，與抵制和抗議的故事密不可分。提爾的謀殺並非該館唯一報導的案例：在其他地方也以紅色相框（將它們標示出來，如果觀眾不想看，可避開這些令人沮喪的影像）陳列各種私刑照片。照片做為無可否認、令人震驚、強而有力的紀錄，它的存在幾乎令人筋疲力盡。博物館複製提爾面目全非的影像，將它放在棺木頭部的位置，藉此崩解時間，將觀眾帶回往日，讓他們目睹他的死亡。當觀眾有意識地重新執行觀看他屍體的體驗時，葬禮的情感性空間以及提爾莫布里「讓人們目睹我曾看到的景象」的呼聲，瞬間闖入了博物館空間。這裡有某種宣洩淨化的作用，可以重演葬禮的這個部分，並向提爾致敬。在建構了他死亡的故事細節之後，這間紀念室簡直像是一種解脫，儘管在其中參觀是一種強烈又深刻的痛苦經驗。

正視影像潛在的殘酷性

在毛利風乾頭顱那個脈絡裡，我提過影像潛在的殘酷性（參見第十三章），這裡我想回頭探討。提爾莫布里做出決定，允許攝影秀出她兒子的傷口，當時，世界對於種族主義的暴力程度普遍抱持否認態度。類似提爾的死法並不罕見：根據塔斯基吉學院（Tuskegee Institute）的紀錄，1882到1951年間，美國共有四千七百三十人死於私刑（三千四百三十七位黑人，一千兩百九十三位白人）；2018年開幕的國家和平與正義紀念館（National Memorial for Peace and Justice）記載了遭受私刑者的姓名，以

及發生過這類謀殺案的八百零五個郡縣名。[2] 但提爾謀殺案的能見度讓事情出現改變，這是一個令人震驚的案例，展現了攝影逼迫人們見證事物的力量。沒錯，國立非裔美國人歷史與文化博物館基本上允許攝影。我去參觀那天，大多數人都在記錄自身的體驗、拍攝展覽和彼此。對我而言，允許攝影是合理的：國立非裔美國人歷史與文化博物館是一座稀有的博物館，這裡講述的許多故事，一直受到其他機構輕忽與漠視。但饒有意義的是，提爾紀念室禁止攝影。乍看之下可能會覺得這太不合理，因為我們都知道影像在他的故事裡有多重要，但我認為，這是一項清楚明智的策展決定。走進空間拍下照片，實在太容易了。這太簡單，太快速，快到你無法記錄那個體驗，捕捉那個體驗。少了相機這個盾牌，當你無法去記錄那個時刻，你別無選擇，只能讓自己深深投入那個空間，真正去感受它。這是一種強制性的親密；你必須沉浸在那種情感裡。

這故事傷痛至今。提爾遭謀殺的惡名在密西西比縈繞不去——標示謀殺地點的牌子在2007年豎立，之後不斷遭到破壞，甚至到了2018年7月還有人用槍射擊。[3] 布萊恩特雜貨店（Bryant's Grocery）還矗立著，但已廢棄，是民權之路（Civil Rights Trail）的一站。2003年，提爾莫布里去世，但在取得棺木與打造提爾紀念室的過程中，史密森學會的工作人員始終與提爾家族密切合作。有一股強烈的意識貫穿這座博物館，那就是一個機構盡其最大努力以同理周全的態度溝通傳達。提爾的故事經常受人引用，特別是在年輕黑人遭到謀殺以及那些謀殺者不獲信任的時候。

2017年，惠特尼雙年展（Whitney Biennial）展出黛娜·舒茲（Dana Schutz）的畫作《開棺》（*Open Casket*）。[4] 她說那件作品是根據躺在棺

木中的提爾照片以及提爾莫布里的敘述所畫，創作動機來自近日有關槍擊暴力的新聞。[5]那件作品引發議論——主要是質疑舒茲為何挑選這個主題，因為那幅畫和她以往的風格大相逕庭（那幅畫比較小，色彩比較柔和，而且她的其他作品很少以真實事件為本）。她的影像挪用提爾的故事，這點原本並未受到質疑，直到有位評論家在Instagram上用「美麗」形容該件畫作，這才引爆了討論，指責以這樣的詞彙去形容一名小孩遭到謀殺的可怕主題是否適合。*舒茲是白人，而以發言和行動反對《開棺》，絕大多數是黑人，許多人抗議她為了自身目的重新定位提爾之死，甚至沒跟她家人打過招呼。這點值得我們仔細思考。提爾的故事可說是美國文化史的一部分，他的死對民權運動帶來深刻衝擊，影響了居住在密西西比的每個人，也影響了今日的美國。但舒茲批評者強調的是，她拿自己身為一名母親的情感與提爾莫布里相提並論，並假設她有能力對照片做出有意義且體貼的回應，她在這點上越界了。想到某位白人婦女在提爾之死中扮演過的角色，就更令人震驚於舒茲居然會錯失這個自我反思的機會：居然沒考慮到她自己在這種暴力史中的共犯地位，有多少黑人男子或少年的謀殺案，是拿白人婦女的情感受傷當成正當藉口。無論你能否接受一位白人藝術家以這類主題作畫，但她的辯詞都是想用她身為母親的角色進行開脫。[6]*她的反應是為自身行為辯護，而非為她造成的傷害道歉。而在辯護的時候，她以自身感情為重點，藉此打消她所激起的正當憤怒與批評。作家暨評論家麥克・哈里奧特（Michael Harriot）為《根》（*The Root*）撰寫《開

---

* 傑瑞・薩爾茲（Jerry Saltz）的原始圖說經過大幅編輯，貼文如今已刪除。

棺》的評論時，將舒茲的立場歸結為「白人主義」（White Peopleing）：

　　白人主義就是那種你不僅有權利，你還得到允許可以為所欲為的特權和該死的自信……「可以」說不代表「應該」說。有些地方、有些主題和有些時代，就是不需要白人的聲音。更過分的是，白人主義還常常偽裝成感同身受或同一陣線，但終歸是跟白種人負擔同一套的白人救世主自戀狂。[7]

　　這幅畫在雙年展期間持續展出，惠特尼館方試圖用一些活動和討論化爭議為教育，但並未就展廳裡的配置做出任何改變與調整。批判討論的內容和《展覽B》非常類似（參見P.195-7；但有個顯著差別：參與貝利作品的表演者都同意加入，而且並未再現某個指名道姓的人物，但提爾的親戚卻未參與舒茲的作品），分成言論自由派與作品審查派，知性對話派與情感宣洩派。《藝術評論》（*ArtReview*）雜誌編輯查爾斯沃斯（J J Charlesworth）甚至以這段說法駁斥了「身分政治」（identity politics）：

　　例如，畢卡索《格爾尼卡》（*Guernica*, 1937）被駁回不是因為它的模樣，而是因為藝術家身為住在巴黎的安達魯西亞移民，對於遭到納粹轟

---

* 在一次意外轉折下，哈蜜希・法拉（Hamishi Farah）根據在網路上找到的照片，畫了一張舒茲兒子艾羅（Arlo）的肖像，借此挑戰因為提爾已經是公共財，再現提爾是公平遊戲的說法。不出所料，人們對法拉作品的反應是憤怒以及「白人的脆弱」（參見P.186-7）──但法拉對舒茲隱私的侵犯並未超過舒茲對提爾家的侵犯。

炸的巴斯克小鎮鎮民的苦難沒有任何真實體驗——更別提他還是一位「享有特權的」男性。[8]

（當然，拿這與畢卡索相比，可說是藝術版的高德溫希特勒類比法則〔Godwin's rule of Hitler analogies，編註：1990年高德溫的格言，指網際網路上很多人看到不喜歡的人事物就以希特勒來類比〕。）

對我而言，查爾斯沃斯的論述至少是過於簡化；他的假設是，當舒茲的評論者要她管好自己的事就好，是要求她的作品應該是全自傳性的。舒茲可以畫一些跟她生活沒直接相關的事物，但如果她想再現提爾，她就越界了，而且把自己當成重點更是既不需要也不受歡迎。真正的重點是她缺乏自覺，以及她沒考慮到她的畫作已經和可能造成的衝擊。舒茲從對提爾的故事感同身受進而相信她也能對提爾莫布里的經驗感同身受，而繪製畫作並提供公開展示，等於是帶入商業元素，使得這整件事有如粗魯的挪用。她繪製《開棺》時或許立意良善，但結果並非如此。當那件作品離開她的畫室進入大眾眼中時，那些意圖就消失了。在惠特尼這樣一座現代美術館的空間裡，人們首先會從美學的角度去理解那幅畫。在雙年展中，它先是被視為（並在Instagram上被評為）美麗的作品，然後它的意義與意圖才逐漸成為焦點。無論她想用這幅畫達成什麼目的，那幅畫的觀眾必定會成為物化提爾的幫兇。

勿拿黑人痛苦賺錢

2017年3月7日展覽開幕那天，藝術家帕克·布萊特（Parker Bright）

穿著寫了「黑死奇觀」（BLACK DEATH SPECTACLE）字樣的T恤上走進藝廊。他站在那幅畫作前方，一副要擾亂空間的姿態，他向參觀者訴說他覺得那件作品造成的傷害（「我認為那幅畫對黑人經驗真的沒任何幫助……不該有人利用黑人的屍體賺錢」），並暗示這八成是惠特尼館方想要吸引注意力的手段。[9]幾天後，藝術家暨作家漢娜・布萊克（Hannah Black）針對《開棺》寫了一篇聲明，她在文中提出這點：「真心想要凸顯白人暴力可恥本質的非黑人藝術家，首先應該停止將黑人的痛苦當成素材。」[10]布萊克和布萊特都是黑人，他們對舒茲的回應是在由該件畫作引發的廣大論述圈中流傳最廣、討論度也最高的代表之一。目睹黑人之死的痛苦被非黑人的藝術家客體化和美學化，這樣的感受得到普遍共鳴，從倫敦藝術團體BBZ集體穿上「勿拿黑人痛苦賺錢」（Black Pain Is Not For Profit）T恤抗議2018年透納獎（Turner Prize），到質疑電影與媒體對警察暴力的各種再現。[11]這個問題延伸到惠特尼美術館之外，並非從舒茲開始也非到她就結束——她的畫作只是痛苦遭到物化這項更大爭議的避雷針，是讓痛苦浮上檯面的媒介。可以用溫柔的方式趨近這些主題，國立非裔美國人歷史與文化博物館就為我們做了示範。對所有藝術家（或作家、教育者、策展人，無論是誰）而言，處理創傷與失落的故事時，最重要的就是自覺，以及願意與他們自身所承繼的角色搏鬥。任何善意都敵不過實際影響。

改變將至前的靜思

離開國立非裔美國人歷史與文化博物館的歷史展區，重新進入中

庭之前，有最後一個房間。水從巨大的圓形天窗四周落到淺塘裡，並可瞥見外面的國家廣場（National Mall）。這裡很涼，雖然昏暗，但沒有樓下那種壓迫性的鬱黑。沿著牆面設有長椅，長椅上方有句引文：「我珍惜我寶貴的自由，但我更在乎你的自由」（納爾遜·曼德拉〔Nelson Mandela〕）；「我們決心……努力戰鬥，直到正義似水滾滾，公道如溪滔滔。」（馬丁·路德·金恩博士）；「我不要求紀念碑，驕傲高聳，截捕路人目光；我所嚮往的一切渴盼，是勿埋我於奴隸之地。」（法蘭西絲·愛倫·威特金·哈珀〔Frances Ellen Watkins Harper〕）；以及很簡單的「改變將至」，來自山姆·庫克（Sam Cooke）的歌。這裡是沉思庭（Contemplative Court），一個情緒緊繃之後的安靜所在。它是一個療癒空間，復原之所，但它並未許下和解的虛假承諾，或明言改變何時將至。卡洛琳·布萊恩特還活著，黛娜·舒茲的生涯觸底反彈，但艾默特·提爾的照片與棺木將會超越上述二人留存下來。他們懷著他人無須再忍受的期盼忍受著。

　　所有悲戚，無論是個人、社群或國族層級，都會隨著時間逐漸鬆手。它沒有走開，它留在骨子裡，但若以誠實訴說和溫柔對待，它的苦痛可能會感覺遠一些。唯有當這些機構所再現的所有生命都得到謹慎細心的對待，這裡的苦痛才能收拾乾淨。

　　我想留出這空間讓人思考，讓人哀悼，如果你想哀悼的話——或在看完這些故事之後讓你靜坐下來，找出你在其中扮演的角色。在我們繼續之前，請見證這些經歷，以你能使用的任何方式。

PART IV

———————

The
Playground

樂園型

歡迎來到最後一種藝廊。我們即將進入旅程中最當代的一些博物館，這種展示類型是在近幾十年裡真正起飛——我稱它為「樂園型」博物館。

這種思考藝術的方式是從我們前幾章看過的介入與表演中衍生出來的；這類作品開始把博物館當成可以重構和重塑的空間。本篇介紹的藝術家都是在類似的框架下工作——他們提問：是誰在談論歷史與身分，又是如何談論。我用「樂園型」稱呼，是因為這些作品裡有強烈的幽默元素，還有些搞笑或超現實的意圖內嵌在作品中。樂園型看中體驗與裝置，是你必須全身投入體驗的作品。

這篇和前幾篇略有不同，因為本篇檢視的都是近三十年左右的作品，跟殖民史比較沒有明顯關聯。但沒有明確談論遣返與歸還，並不意味殖民歷史與此無關。本篇檢視的藝術家，為了更加理解種族主義和暴力歷史對當代的影響，正在重述和重構這類故事。這些作品依然是關於權力與控制；我們將看到藝術家如何重申權力，抵抗被控制。此外，這些藝術家很多都致力於挑戰博物館的概念，戲弄現有的藝廊展示和美學，或乾脆搬離傳統的博物館空間。這裡有種一以貫之的創造性，這種創造性順著博物館空間的排斥性政策思考，並找出方法創造作品，挑戰這項政策。

參觀當代藝術的博物館時，*通常會有一種美學貫穿整棟建築。想想那些大型的工業空間，混凝土大廳加上鋼骨架構。它們先前或許是發電廠

---

* 如何界定「當代」藝術？我通常將它理解為過去五十年的作品。基於本篇的目的，這裡指的是典藏二十和二十一世紀藝術的博物館，以下各章提到的具體作品都是1980年後完成的。

或工廠，例如泰德現代美術館（Tate Modern）、羅馬當代藝術館（Museo d'Arte Contemporanea di Roma, MACRO）、麻薩諸塞州當代藝術博物館（MASS MoCA）、迪亞畢肯美術館（Dia:Beacon），或相關的仿造建築。這些空間是用來容納巨型雕塑和大規模的現代主義作品，擁有大型展廳和銳利線條，通常有一堆玻璃。一開始，這些空間在設計上是為了擺脫宮殿型博物館那種舞台似的頹廢展廳，重新打造出一種空曠的功利主義氛圍，與藝術家的工作坊更為近似。不過，這種設計造就了另一個極端。如今，這類藝廊也變成一種典型，有著類似的包袱和期望。當初的嶄新震撼已經消磨掉了：本質上，這些就是二十和二十一世紀重建的宮殿型博物館，或許支持者換成企業而非親王，但依舊是用來展示財富與權力的戰利品空間。

這些空間就是白立方、空盒子，不應賦予任何時間或空間感，只要當個完美自然的「中性」畫布，供人觀看文物。但它們根本不自然也不中性。這種美學是在1950年代左右，於美國抽象藝術這種特定風格的脈絡裡浮現，反映了低限主義的信念，也就是說，極簡在某種程度上意味著更高的道德價值。

宮殿型或特定、親密的紀念型博物館強調獨特的癖好或特質，樂園型剛好相反，它們典藏的作品傾向「國際性」，也就是可以橫跨廣大區域的風格和趨勢。今日，藝術的區域性遠低於以往，因為在地學派不再是藝術家訓練的唯一來源。巡迴展覽、展覽專刊、交換駐村、網際網路：這些全都餵養了藝術史的全球化，甚至同質化。

當然，博物館也在這過程中發揮了一定作用。如今，博物館宣稱自

身典藏如何為藝術家提供靈感，已成了老生常談：畢卡索是在巴黎的托卡德侯民族誌博物館（Musée d'ethnographie du Trocadéro）看到中非洲的面具與雕像；馬諦斯受到來自日本的版畫和裝飾藝術影響，這些東西在十九世紀末滋養出東方主義時尚；亨利・摩爾（Henry Moore）在大英博物館參觀了墨西哥和中美洲展區……這些都是博物館津津樂道的故事，有助於鞏固它們在塑造現代藝術上的重要性。這份遺產由當代藝廊承接。這些空間絕大多數都是工業家塑造和資助，這些工業家因為殖民主義大獲其利，他們的財富還不斷受益於曾經是殖民強權的國家，而那些典藏所歌頌的藝術家，也是受到帝國主義影響並蒙受其利者。如此這般，循環往復。

當代藝術的體驗型、行為型和社會型藝術潮流

在過去十年裡，當代藝廊接受了體驗型、行為型和社會型藝術的潮流；這些交互重疊的類型關注焦點並非創造文物，而是藝術家的行動與觀眾的被迫行為。體驗型藝術往往會在展廳裡建構空間，建構全面性的人造環境：最棒的一些範例包括卡斯坦・霍勒（Carsten Höller）可讓參觀者親身體驗的巨型螺旋溜滑梯（倫敦的泰德現代美術館與海沃藝廊〔Hayward Gallery〕，以及紐約的新博物館〔New Museum〕）；或艾默格林與德拉塞特（Elmgreen & Dragset）的房間（這個藝術雙人組曾在倫敦的白教堂藝廊〔Whitechapel Gallery〕打造一座游泳池，藝廊環境之外的案例則有：在德州的沙漠城市瑪法〔Marfa〕附近蓋了一棟完整但不曾開幕的普拉達〔Prada〕門市）。這類藝術也可能更加超現實，例如安・維諾妮卡・詹森斯（Ann Veronica Janssens）的「凝霧雕光」（mist sculptures）

213

或詹姆斯・特瑞爾（James Turrell）的燈光裝置。行為藝術更加明顯：藝廊的參觀者可觀看或參與行為演出。我們在人類動物園那章（第十五章）討論過這點，接著會用瑪莉娜・阿布拉莫維奇（Marina Abramović）的作品再次討論。而我所謂的「社會型」藝術，也可稱為「社會實踐」或「參與式藝術」：這些計畫結合了體驗與行為表演元素，打造事件或環境。社會型藝術一般會強烈關注社群的關係、政治和不平等，而且是刻意為之的集體作品，也可能以某個藝術節或活動為中心。這是一個很難界定的類型，因為它更關注過程而非結果，而要複製也很棘手，但這正是許多駐村藝術家想要追求的目標——某種社區型、行動主義式的參與。我們會在第十八章討論塔妮雅・布魯格拉（Tania Bruguera）時，花更多時間講述這點。

當代一場引發熱議的行為藝術展

那麼，先從瑪莉娜・阿布拉莫維奇開始。談論當代行為藝術如果不談她，根本毫無意義，因為她的生涯如此精彩，可說是目前在世最有名的行為藝術家。2010年，紐約現代美術館為她辦了一場回顧展，名為《藝術家在場》（*The Artist is Present*），這是第一場這等規模的展覽獻給一位以行為表演為主的藝術家。為了與展覽同名的作品（特別為紐約現代美術館製作），阿布拉莫維奇每天都在美術館開館期間坐在中庭一張桌子旁，坐在殘酷的泛光燈下。參觀者可以坐在她對面，愛坐多久就坐多久，體驗她的「在場」，直到他們決定離開。為期三個月的展覽，她一共與一千五百六十五位民眾對坐過，總計七百三十六小時又三十分鐘，還有數

千人排隊等候但沒機會坐上椅子。她的參觀者包括藝術家、音樂家和演員，有些人還來了好幾次。每位參觀者都被拍下照片，張貼在網路上。許多人哭了，有人在社交網站tumblr上開了一個「瑪莉娜・阿布拉莫維奇害我哭」（Marina Abramović made me cry）的部落格，把那些照片收集在一起。那些哭泣照片有了自己的生命，在怪異的點擊廣告和特別是小眾迷因中活躍一時。阿布拉莫維奇的作品相當重要，她大大影響了好幾代的行為藝術家，而且還超越該領域，但《藝術家在場》引發的反應實在太瘋狂。有關阿布拉莫維奇的討論把她塑造成某種聖徒，至少是某種偶像，應該受人崇敬，她的在場可以引發特別強烈的情感反應。人們對事物的反應各不相同，有很多參觀者沒哭，也很多根本不在乎，但《藝術家在場》的某種本質和持續性，確實以阿布拉莫維奇為中心，創造出強烈的迷戀和名流崇拜。但在此同時，樓上的展廳裡，表演者重製了阿布拉莫維奇的作品，同時展出她作品的影像與圖像。要辦一場類似這樣的展覽，幾乎難如登天，因為阿布拉莫維奇作品的所有素材和技巧就是她的身體和行動。這個展覽就是看她，體驗她的在場，其他表演者怎麼可能與之匹敵？這場展覽其實是這件行為藝術的一個註腳，是它的脈絡情境，而非主要事件。如今，《藝術家在場》有了它的展後人生，以照片、紀錄片和小說（希瑟・羅絲〔Heather Rose〕的《現代之愛博物館》〔*The Museum of Modern Love*〕）形式存在，還有一部凱特・布蘭琪（Cate Blanchett）主演的偽紀錄片《等待藝術家》（*Waiting for the Artist*）。它依然活躍在流行文化裡，而阿布拉莫維奇的名聲甚至更加高漲——紐約現代美術館的展覽結束後，她曾跟饒舌歌手傑斯（Jay-Z）以及女神卡卡（Lady Gaga）合作，並

在倫敦的蛇形藝廊（Serpentine Gallery）做過另一次持續性作品《512小時》（*512 Hours*）。

　　並非所有博物館都有設備能接受體驗型、行為型或社會型藝術。可能讓這類藝術顯得完美的一些元素——後工業大空間以及有充裕空間可活動的中庭——也可能產生問題。在許多方面，這些現代博物館和裡頭的藝術品，並不是為民眾製作的。* 它們並非舒適宜人的空間：冰冷有回音，沒地方可休息，尺度不符合人性。需要你用身體互動或與空間互動的作品，往往會跟這類博物館有所矛盾，尤其當作品目的是要創造某種協作感或歡迎的環境。參觀者與《藝術家在場》的親密情感體驗，是在極簡、空白展廳的泛光燈下進行，不過阿布拉莫維奇設法營造出一種有利於卸下心防的氛圍。話雖如此，參與者倒是沒有什麼負面回應——但不清楚這是否意味每個人都有類似的參與感，或是覺得無法分享比較不正面的反應。這裡頭有很大一部分的焦點是在她身上，數千位民眾願意排隊等上好幾個小時，爭取與她對坐對望的機會。在經過這番努力之後，恐怕很少人會承認那項體驗讓自己失望。

社群媒體改變了使用博物館的方式

　　2010年當代藝術還有另一個極其重要的時刻：Instagram的推出。我們在本書稍前提過展廳裡的攝影，脈絡是見證與記錄（例如參見P.203-4）：

---

* 有個經驗可以證明許多這類藝廊和藝術品有多難近用。2019年8月，泰德現代美術館選擇在奧拉維爾・埃利亞松（Olafur Eliasson）的特展上不設置斜坡道，他們給參觀者的理由是，這是「策展人的選擇」：https://twitter.com/Cioconnor/ status/1159895452118081536。

在此，我們會把焦點放在經驗分享之上。社群媒體改變了我們使用博物館的方式：展覽有各自的推特帳號，標註位置和主題標籤是標準作業，有些博物館之旅還保證提供「完美自拍點」。策展人和機構也有新的公開身分，可用它們來承擔更多責任，或讓它們承受可怕的批判攻擊。我個人並不認為在展廳裡拍照有何不可，只要不影響他人，也不認為這種欣賞藝術的方式有何對錯。只要有新趨勢或新科技出現，這類老調就會重彈一遍——說什麼現在年輕人無法真正欣賞藝術，因為他們並未以十年或一百年前的方式與藝術互動。這些未必是壞，它們就只是新，而這值得深思，因為過激的反應往往意味著人們意識到事情正在改變，因此民眾和博物館都必須去適應。

這就是本篇真正想談的：博物館和文化空間正以前所未有的程度打造和重建，以呼應公眾輿論和當前事件。機構再也無法維持長久以來的潔身高傲。如今，它們的任務不再是創造荒謬的新體驗吸引民眾進來；它們的任務是找出真正有吸引力的方式，然後論述它們的相關性。本篇將要討論的作品，存在於博物館建築的內部與外部。它們把宮殿型（為特定場所委製的作品）、教室型（顛覆預期的歷史敘事，藝廊變成集體政治行動的空間）和紀念型（藝術家探討當黑暗歷史成為公眾的藝術感知對象時會如何，並對我們用來紀念的素材提出質疑）的元素匯聚一堂。有些事情應該嚴肅以對，但嚴肅中也有一些趣味感，願意寓教於樂，以輕馭重。這種藝術由參與者創作，這些參與者積極投入戲劇性的重大社會運動，忍受著殖民主義與帝國遺緒。

前兩位藝術家是安德莉亞・佛雷澤（Andrea Fraser）和塔妮雅・布魯

格拉，她們在展廳中戲耍權力遊戲，將眼不見心不煩的政治與文化脈絡搬上檯面。最後四章將檢視因卡・肖尼巴爾（Yinka Shonibare）、卡拉・沃克（Kara Walker）、麥克・帕雷考海（Michael Parekowhai）、丹尼爾・博伊德（Daniel Boyd）和麥可・拉柯維茨（Michael Rakowitz）的作品，他們的作品都在探索紀念碑的本質，以輕盈筆觸平衡沉重主題，拆解「誰被紀念」這個問題。

17. 博物館亮點

Museum Highlights

一名女士主持一場博物館導覽。

她自我介紹，說她叫珍・卡索頓（Jane Castleton），是博物館的解說員（志工導覽員）。她穿著得體，乾淨俐落但無特色，形象溫和可敬。打從一開始，她的介紹就有點飄忽，或許是緊張的關係，她說了一段笨拙的歡迎詞，參加過博物館導覽的都很熟悉（但帶過導覽的都覺得尷尬）。她領著團員參觀博物館各個時期的展室，穿越各種歷史風格的內部重建。她趕著他們走過展廳，不停解說比劃。她介紹畫作，但花更多時間講解男廁、咖啡館、噴泉、寄物室。講解警衛座椅時，她說它的「尺度和複雜性……是最雄心勃勃的設計……在偉大的歐洲傳統中……豐富優雅……不受時間與潮流影響……」民眾緊盯著她。她的團員努力跟上，她沒停頓。

這是《博物館亮點》（*Museum Highlights*），由扮演「珍・卡索頓」的安德莉亞・佛雷澤的行為藝術作品，1989年2月在費城美術館上演五天（參見圖18）。佛雷澤是一位橫跨行為、策展、影片和文本的藝術家：《博物館亮點》是她為費城美術館「當代觀點藝術家講座系列」（Contemporary Viewpoints Artist Lecture Series）製作的。第一場導覽的某些參與者是專程去聽佛雷澤的講座，但更多人是在一無所悉的情況下加

入，期待想聽一場貨真價實的導覽。如此產生的作品，是對正規導覽形式的諧仿（parody），戲耍觀眾的期待與信任，但它跟導覽慣例還是相當貼近，讓人半信半疑。佛雷澤的作品很適合做為本篇的起跑點：博物館本身就是她的媒材，而她玩弄的主題，則是在這類空間裡講述的故事。到目前為止我們探討過的陳列政治學，以及在這類機制中發揮作用的意識形態，都在她的演出背景中貫穿。雖然她的作品和殖民史沒有明顯關聯，但我選擇將它納入，是因為她提供我們一個最明顯也最有效的方式來挑戰機制：以子之矛攻子之盾。

當代創作對機制提出批判

佛雷澤的作品是「機制批判」（institutional critique）概念的典型範例。基本上，這個詞彙指的是挑戰或企圖拆解藝術機制（藝廊、學校或市場）的作品，或以更全面的方式對抗權力機制。這類作品通常以行為藝術或裝置藝術呈現，模擬藝廊正常會有的模樣或感覺，但予以顛覆扭曲。這類藝術會刻意自覺，甚至自貶，通常不會把自己搞得太嚴肅。這種藝術模式約莫從1970年代起就以不同形式存在，而且打從一開始，它就和一些大型計畫相關，玩弄人們對博物館該有的作為和藝術品定義的期待。德國藝術家漢斯・哈克（Hans Haacke）是這個類型的早期擁護者：他的作品包括對博物館觀眾進行政治民意調查，幫一位惡名昭彰的地主製作一份完全的財產目錄，當成檔案展示出來，名為《夏波斯基等。曼哈頓房地產控股公司，一個即時社交系統，截至1971年5月1日》（*Shapolsky et al. Manhattan Real Estate Holdings, a Real-Time Social System, as of May*

1, 1971）。另一位藝術家馬塞・布侯德塔爾（Marcel Broodthaers）創作出《現代美術館，老鷹部門》（Musée d'Art Moderne, Département des Aigles）──一間再現老鷹或與老鷹相關文物的「博物館」。《老鷹部門》古怪又搞笑，雖然那個博物館並不存在，但布侯德塔爾真的收集了各式各樣的老鷹打造出一套博物館典藏：老鷹出現在火柴盒、酒瓶、紀念品盤子，以及各式各樣的用具上。它既真且假，陳列在真正的藝廊裡，諧仿得極其完美，真心誠意，然後拋出一個問題：為什麼博物館會典藏這麼多東西？它們的價值來自何處？

比較晚近的機制批判範例包括德瑞德・史考特（Dread Scott）的《昨天遭警察私刑的男子》（*A Man was Lynched by Police Yesterday*），這是2015年製作的一面旗幟，用來回應美國警察殺害黑人的事件。機制批判認定，博物館和藝術空間必須是政治性的；既然藝術是時代與地方的產物，它就應該反映創作地的社會情狀。話雖如此，但機制批判有個與生俱來的風險，因為太把焦點集中在依然是關注中心的機制敘事，反而強化了機制的力量。這類藝術也可能過於自溺而非自覺，過於在乎藝術家是唯一能帶來改變的人，或宣稱能創造某種以社群為焦點的作品，卻未認真思考誰能從中獲益，它是否是人們想要的，或它是否能造成長遠影響。*

佛雷澤的生涯與機制批判史密不可分；她甚至曾經想過，她可能是在文章中使用該詞彙的第一人，並回溯該詞彙的源頭可能來自於1980年代她在視覺藝術學院（School of Visual Art）和惠特尼獨立研究計畫

---

* 關於獲益這點，下一章會聚焦另一位藝術家如何在藝術機構內部創造社會參與性的作品。

（Whitney Independent Study Program）與同學所進行的討論。[1] 她在〈從
機制批判到批判機制〉（From the Critique of Institutions to an Institution of
Critique）這篇文章裡，扯斷曾經主導批判討論的內部／外部二元性：為
了有效拆解這些權力空間，藝術家必須承認他們的同謀關係。機制不會憑
空出現；它是由民眾和他們的行動創造出來的，如果你批判它，你也會拆
解自身的特權和意圖。但佛雷澤並不認為這種實踐無關緊要；它只是需要
重新檢視。想要質疑偏見與排他，藝術家就必須理解，他們正是自身宣稱
要解決的那項議題的產物和獲利者：「這些是機制批判要求我們提出的問
題，最重要的是，向自己提問。」[2]

利用導覽員的「居間性」進行模仿

佛雷澤假冒博物館導覽員這樣做：珍‧卡索頓是一個滑稽的模仿，
但她立基於現實。解說員的角色就是翻譯和發言人，藉由邊走邊展現對
典藏的熟悉度而非專業度，扮演「以白人中產階級為主的那群觀眾的認同
人物」。[3] 佛萊澤藉由她的行為演出，拆解掉支撐費城美術館的權力動態
學，她一再提及成立這座市立美術館的目的，是要為市民提供文化的改善
和價值——它就是監獄、醫院和收容所這類威嚇機構旁邊的胡蘿蔔。導覽
過程中，她提到博物館會以有錢的贊助者命名，接著，她繼續以珍‧卡索
頓這個角色，描述卡索頓如何為博物館的禮品店命名：

「你們知道，我想為空間命名，為什麼？如果我有七十五萬美元的
話，我就會把這家店命名為……安德莉亞。安德莉亞是個好名字。」

珍沿著廊道走了幾英尺，停下腳步，再次對團員解說。

「這是我們的博物館商店，安德莉亞，1989年由約翰・卡索頓夫人命名，她曾當過博物館導覽員，是終身的藝術欣賞者。珍，這是她當時的名字，她老愛說：「提供贊助可以在美麗的藝術之家裡創造一種個人擁有感，可以將社群裡最開明的心靈團結起來，為公共利益做出奉獻。」[4]

佛雷澤正在對博物館發表後設評論，嘲笑那些自視為「開明」空間守門員的典藏家和贊助者的虛榮心。付錢為禮品店命名，並藉此彰顯自己對藝術的貢獻，這種想法非常商業，與此同時，還被美化成一種慷慨的行為，很明顯，她的目標就是要為贊助者打造一個紀念碑。諸如此類的公共捐贈總是會給捐贈者帶來一些好處——賦稅減免，結交關係，文化資本，一些特權管道。「珍」或許也有能力做到，因為她也獲准進入，有機會帶導覽。她以局內人和局外人的身分勇往直前，獲准發言但沒有腳本或束縛；正是她的「居間性」（inbetweenness）讓這件作品如此有效。模仿導覽這樣的日常工作，並將焦點擺在博物館最平凡的區域，像是洗手間、寄物室、售票處、咖啡館等，她可以跳脫對展示的評判，開始搔刮將機制統整起來的那些配備。她打破了偉大典藏可使人敬畏的迷思。美術館不過是一棟擺了東西的建築物罷了。

傳統上，博物館並非是想要受人歡迎的空間，或想讓人感到舒適親切的空間。它是一種公民機構，因此總是會受到金錢、政治、權力，以及理事會和首長意圖的形塑。在人們的預期中，走進這空間是為了提升自我，提升道德，提升創造力。博物館受到各種顯性與隱性行為規範的模

塑：勿奔跑，勿觸碰展品，勿使用閃光燈，保持安靜不逾矩，適當時候發出讚嘆，對世界的改變或典藏的價值發表一些老生常談。這些規則很容易吸收，直到你用直覺本能去感受，直到我們看到某人打破它們，看到一切開始崩解——這就是佛萊澤在她作品中玩弄的現象。

《小法蘭克和他的鯉魚》嘲笑荒謬的語音導覽

2001年，佛萊澤在畢爾包古根漢美術館（Guggenheim Museum Bilbao）創作了一件作品，名為《小法蘭克和他的鯉魚》（*Little Frank and his Carp*）。她用手持攝影機拍下購買和聆聽博物館語音導覽，在中央大廳走來走去的過程。拍攝的重點是她聽到導覽內容時的反應——導覽敘事的聲音帶給她的體驗——還有其他參觀者注視她的目光。一開始，佛萊澤就像個典型參觀者，順著導覽指示，環顧該空間。導覽介紹到博物館建築細節，特別強調了材料的科技性，以及建築師法蘭克‧蓋瑞（Frank Gehry）如何以天才妙手打造這樣一個複合式空間，聽到這裡，佛萊澤整個沉入其中。當語音導覽建議觀眾觸摸柱子，真實感受這座展廳的流動與紋理時，佛萊澤照做，起初還很緊張。但她摸著摸著就忘我起來，全神貫注在材料上，開始用整個身子摩娑柱子表面。她在石頭上磨蹭，撩起裙子，雙手在身上撫摸。攝影鏡頭轉向展廳裡的其他參觀者，他們停下腳步盯著她看，或急忙避開這個場面。語音導覽提到蓋瑞小時候曾在祖母的浴缸裡跟一條活鯉魚玩耍，這個回憶影響了他的建築風格，因為「鯉魚柔滑性感的造型魔力不知怎的融入他的血液」，這時，場面整個失控。當她開始抵著柱子摩擦時，博物館的氣氛有了變化：其他觀眾不知該如何反應，

因為這看起來不像行為表演，但又遠遠超出公共舉止所能容許的範圍。當佛萊澤離開那根柱子，另一名參觀者走了過去，摸了摸柱子，一臉疑惑。佛萊澤的不當行為其實是遵照語音導覽的指示，只是做得比較極端。

最重要的是，該支影片很有趣。它既尷尬又超現實，目標鎖定荒謬的語音導覽（真的，誰會那麼在乎展廳的照明軌道燈？）以及慌亂又搞不清狀況的其他參觀者。真誠有其價值，可為機制批判帶來嚴謹與效果，但讓佛萊澤作品如此精彩的要素，是她能精準掌握使用的時間。她的作品強烈但不嚴肅：《小法蘭克和他的鯉魚》嘲笑展廳，《博物館亮點》則是勾勒出這類空間有多不自然。他們的規則，它們的符碼，都是建構出來的，就跟機制本身一樣。

藝術與金錢的關係

最近，佛雷澤的作品轉向更明確的政治性。在以書本格式印行的《2016：博物館、金錢與政治》（*2016 in Museums, Money, and Politics*）這件作品裡，她繪製了全美一百二十八家博物館的董事成員向政黨和遊說團體捐款的圖表。這是一項龐大計畫，記錄這些機構的董事會在2016年大選中的政治擁護對象，佛萊澤並將這件作品擺在一個令人日益沮喪的脈絡之下：以公民關懷空間自詡的機構內部，竟存在高度保守性的董事會。同樣地，這些機構也經常被視為所謂的大都會或沿海菁英之家，並帶有排他、優越和置身事外的含意。佛萊澤小心翼翼定位自己，對自身在這些機構裡占據的位置表達出自己的憂慮，最後選擇以幾乎不加美化的方式將數據呈現出來，交給其他人詮釋。

　　藝術與金錢的關係，特別是這些機構的贊助資金，一直是個爭議不斷的議題。當博物館的財務和一家腐敗或有害的企業綁在一起時，那會怎樣？藝廊是否該接受靠著買賣軍武、有害藥物或石油獲益的個人或企業捐款？這似乎是機制批判準備前進的方向──製作更直接的行動主義作品，以更明確的計畫拆解這些博物館與藝廊奉為圭臬的不平等性。這就是我們現在所處的位置，在樂園型博物館裡，你必須從內部對機制展開嚴屬批判。一邊是自覺和自省，一邊是直接進行社會評論，這是在兩者之間取得平衡的做法。如果做得好，它可能會非常有趣。

18. 群眾控制

Crowd Control

　　除了「機制批判」之外，博物館還能成為大規模對抗政治與社會不公的場所嗎？要製作一件真正能帶動改變的藝術作品有多困難？

兩位騎警正在演練如何控制群眾

　　他們控制一群民眾繞著空間跑了二十分鐘。他們將民眾趕到一塊兒，把民眾分開，把出入口堵住。他們向群眾發號施令，任意驅趕他們，人們聽命照做。一名警官騎白馬，另一名騎黑馬。他們身著制服，真誠自若，威風凜凜地移動著。突然間，其中一匹馬的便便人在地板上，沒人知道該怎麼辦。沒有任何跡象顯示這不是一場訓練或不是真正的警察值勤，除了這兩位騎警是出現在藝廊裡。

　　這是《塔特林的低語第五號》（*Tatlin's Whisper #5*），塔妮雅‧布魯格拉（Tania Bruguera）的作品，由兩位倫敦警察廳的警官於2008年首次在泰德現代美術館演出（參見圖19）。布魯格拉的作品運用表演、行動和協作空間探討審查制度與控制。《塔特林的低語第五號》是系列作品的一部分（在本書出版前，只演出過第三號、第五號和第六號），該系列「將反覆出現的新聞圖像擺放在博物館或藝術展覽中心內部，變成過渡空間

（liminal layer）中的即時體驗」。[1]騎警出現在公共事件特別是抗議事件中，如今已成為常態；這種帶有攻擊本質的回應，已變得稀鬆平常。當控制與權力工具因為太過熟悉而讓人視而不見時，要抵抗它的使用和濫用就變得更加困難。布魯格拉將這種控制群眾的機制擺到原本的脈絡之外，讓它們看起來像是恣意又超現實的權力行為，她的目的就是要讓這類行動被看見。她規定《塔特林的低語第五號》上演時不得事先宣布，「當觀眾看到時，不會立刻意識到這是一件藝術作品」。[2]她的意圖是要強迫觀眾在一個意料之外的空間裡去面對他們曾經看過甚至經歷過的體驗，迫使他們對真實世界提出疑問與反思。

真正可能改變世界的有用藝術

　　布魯格拉是古巴人，她的作品在古巴一直由於政治內容而飽受審查與限制。2018年12月，她因為抗議349號法令而遭到逮捕，該項法令嚴格限制藝術家可創作的作品內容，且同意政府有權全面控制古巴所有的創作。[3]她的作品有風險，可能危及參與者。2009年，《塔特林的低語第六號（哈瓦那版）》在哈瓦那雙年展上演，布魯格拉提供每個人一分鐘的時間，可發表完全不受審查的自由言論，並鼓勵觀眾用拋棄式照相機記錄這起事件。凡是想要講話的人，都可走上講台，屆時會有一隻白鴿擺在上台者的肩膀上──這個案例所指涉的「反覆出現的圖像」，是1959年卡斯楚（Castro）發表的一場演說，演說期間，有隻鴿子停在他的肩膀上，而這通常被視為一種好兆頭──分享他們對任何主題的想法。一分鐘的時間到了，會有身穿軍服的助理護送他們下講台。這件作品就是在探討對於言論

表達的控制，想測試參與者是否願意讓自己置身險境，因為布魯格拉顯然無法保證他們的安全。參與者必須衡量自由發言的機會有多少，必須決定是否自我審查，也有一些人利用上台的時機「期盼言論自由不再是一場演出的那一天」。[4]

我一直將布魯格拉的作品稱為「行為演出」（performance），但必須指出，這不是她喜歡的用語：她在故鄉哈瓦那組織和主持一個名為「行為藝術學派」（Cátedra Arte de Conducta, School of Behavior Art）的團體。在其他地方，她將自己的作品歸類為「Arte Útil」，通常略譯為「有用藝術」（useful art）。[5]這裡的「有用」並非功能性的；我們可以將它視為有目的或有驅力的藝術，而非某種可量化的東西。這兩個名稱都暗示了創意作品所致力的長期目標；是可以真正改變或改造它們所在世界的計畫。事件（表演、行為，或任何你喜歡的稱呼）過後，留下來東西才是最重要的：藝術家的行動如何影響觀眾的後續行為？

社會型藝術的對抗主義

與社會型藝術相關的議題是，它必然會將自身所處社會的大環境重現出來。任何類型的社群計畫都可能碰觸這議題。當每個人都從外部世界帶著他們的社會訓練與期待參與計畫時，你真的能打造出一個全新的社群或投入領域嗎？參與者是誰——你聚集的觀眾是來自社會各層面，或同樣是那群會去藝廊看展的人？這是所有行動主義都會碰到的議題，畢竟總是會有不願意或無法參與的人，但在藝術空間裡，這種自我篩選的情況會更嚴重，會更局限於在機構裡覺得舒適自在的群體。這並不是說這類藝術毫

無意義，連試都不須試，而是在創作布魯格拉這類作品時，確實有些局限值得思考、理解和挑戰，這是過程的一部分。

時間和資源也有限制。《塔特林的低語第五號》這樣的活動，持續的時間約莫二十分鐘，但在時間更長或更社區型的駐村計畫裡，就會有些進入門檻。如果藝術家企圖和整個社群合作，那就意味著他們必須解決日程安排等問題。你可以找到最棒、最周到的空間，但如果是在週二下午舉行，誰能來呢？你又得做些什麼才能鼓勵民眾積極參與，才能將計畫內容傳播出去，才能觸及到藝廊通訊名單之外的受眾？將參與者帶進某個藝術泡泡裡並無法改變世界：一件作品如果做得好，或許能讓參與者體驗到某種變革，但總是會受到地點的局限。

從本質而言，凡是在機構內部或受到藝廊庇蔭的機構外部創作的藝術，會複製建立在不平等基礎上的動態關係。藝廊可以扮演微型社會，但我們已經看到，這類社會是由嚴格的規範所控制（參見P.223-4），而且有一點必須牢記在心，那就是做為一個社會互動的實驗地景，這些空間並非人人都有同樣的入場機會——不管是有形的或社會的。這些地景塑造並反映了失衡情況，並透過大體屬於強制性的權力結構來助長衝突。藝廊並非免於歧視之地：這些機構的構成分子都帶著有意無意的偏見，而其他參觀者也有各自的先入為主。我們在現實世界裡展現的關係並不總是友好。我們生活的世界大多充滿敵意，得要應付各種攻擊對抗，得跟歧視搏鬥。[6]在我們思考社會型藝術時，這種對抗主義（antagonism）的概念相當重要：凡是想探索人與人關係的作品，都需要解決這種殘酷性，並要牢記，對作品的某些觀眾而言，互動可能是暴力的和有害的。

這有點簡化，但從事社會型藝術之人有兩個基本選項：一是提供積極的體驗，提供一個空間，讓一小群自我篩選的群體假裝改變世界；二是聚焦暴力並理解它，不是糾纏在痛苦之上，而是更通盤了解。社會型藝術有可能揪出社會的不平等，讓尚未因此受苦之人看到它，但這類藝術須時時謹記，不要逼迫參與者重演他們的對抗行為。社會型藝術並非可確切衡量的東西，但它的概念是，藉由將真實世界的社會體驗轉化成藝術作品，觀眾或許能在看展離開時懷抱更深刻的理解與共感，也許他們因此做出微小貢獻，推動更大的文化變革。

在美術館裡激起複雜的政治參與

2018年，布魯格拉回到泰德現代美術館，為渦輪廳（Turbine Hall）創作一件委製作品。渦輪廳大概是最具標誌性的樂園型空間之一：它是存放與展示泰德現代美術館典藏的那座舊發電廠的心臟，一個工業風格的粗獷空間，展示臨時性的藝術裝置。《塔特林的低語第五號》當年就是在那裡上演。布魯格拉的新計畫最初名為《10,143,210》，那是前一年尋求過庇護或從某一國家移民到另一國家的人數，加上隔年死於移民過程中的人數，這個數字在她委製期間不斷上升，因為死亡的數量一直增加。這件作品將熱感應磚貼在渦輪廳的部分地板上，如果參觀者躺在地上，就會在上面留下自身輪廓，如果躺下的參觀者夠多，他們身體留下的印記就能讓尤瑟夫（Yousef）這名年輕男子的肖像呈現出來，他是從敘利亞來到倫敦的一位難民，居住在博物館附近。一個深沉的低音音符在空間中滾動，響到足以擾人但不痛苦。構思這件作品時，布魯格拉與一群在地人合作，他們

的住家跟泰德現代美術館屬於同一個郵遞號碼區，他們被組織成「泰德鄰居」（Tate Neighbours），目的是要以美術館為中心打造一個長期網絡。他們把「鍋爐房」（Boiler House）暫時改了名字，以紀念娜塔莉‧貝爾（Natalie Bell），一位在地的行動主義者和社區組織者。

　　還有一個隔開的房間，裡面放了一種神祕的「有機化合物」（有強烈薄荷味），保證會讓參觀者流淚，也就是在這個房間裡，展覽名稱上的那個數字會印在他們手上。哭泣室的目的是要激起一種「強制同理」（forced empathy），布魯格拉表示，她希望這個房間所觸發的自動流淚可以變成強烈的情緒反應，讓參觀者可以盡情哭泣而不必難為情。除了一些與空間美學相關的議題之外（某個評論認為標記數字令人感到噁心想吐，另一則報導指出一位參觀者形容這種痛苦的感受像被噴了催淚瓦斯），最常見的反應是將它比喻成一帖超強效感冒藥。[7]

　　這裡的議題是，你無法強制同理。眼淚未必激進，甚至不總是同理——想想，當某人受到挑戰或對抗時，會如何將眼淚當成防衛機制。[8] 即便是瑪莉娜‧阿布拉莫維奇的《藝術家在場》（參見P.214），那豐富的眼淚至少有一部分是來自於參觀者想要「有所體驗」的壓力，這種反應比化學反應更受情緒控制。地板上的尤瑟夫肖像只有在數百名參觀者攜手合作下才有可能顯露出來：這是個很棒的隱喻，在各種歇斯底里有關難民危機的頭條新聞中，你無法看到也無法理解新聞背後的真實人物，不過到頭來，他的肖像依然是模糊的。人們選擇以玩耍的方式回應那些熱感應磚，並不表示布魯格拉的作品或意圖失敗了，對任何藝術體驗而言，從中尋找樂趣絕對是正確的回應，但這確實讓我們看到，想要在美術館裡激起一種

複雜的政治參與，確實相當困難。

行動藝術的影響力勝過美學

　　布魯格拉的倫敦作品與古巴作品的差別，在於風險。這有部分和藝術大環境有關，審查制度下的作品似乎總是比沒有審查制度的作品更激進。這並不是說，她的作品只有當她讓自己置身險境時才有意義，而是泰德現代美術館的空間實在太無菌，而它的觀眾對自己即將體驗的東西也早就做好準備。有一些不適感，一些刺鼻的樟腦味，一些讓人反胃的低音，但她最後提供給觀眾的東西實在太安逸了。那個環境在各種規範與控制下會引發哪些反應實在太明顯了：躺在地板上，哭泣，同意那些移民死得很慘。很難不覺得你的情緒反應是受到誘迫，是可以預測的。

　　那個模糊的肖像本來有可能成為一個強有力的核心，帶動媒體對移民再現的討論，但那個肖像的規模實在大到無法令人全面理解。布魯格拉的作品從對抗主義倒退成比較溫和、甚至有益健康的關係藝術（relational art）類型。對抗主義有其限制：如同《塔特林的低語第五號》，運用暴力美學與暴力體驗時，若參與者有可能受到二次創傷，要平衡就很棘手。要讓體驗型藝術引人入勝或引起興趣，未必需要借助殘忍，但當代作品若否認不平等的社會脈絡或以輕描淡寫的方式處理，則會令人厭惡，透露出過度天真的世界觀。要在藝術空間裡運用和塑造對抗主義的體驗，是個複雜的工程：體驗的場所是泰德，但由於呈現的方式缺乏沉浸感，結果就是讓參觀者以一種保持情感距離的方式去參與一件需要同理共感的行為作品。這裡絕無攻擊布魯格拉的意思：若真有什麼，也只是證明，要在一個

機構裡製作社會參與型的作品有多困難，因為在展覽結束那天，機構就會將它清理乾淨，重新命名，為下一次體驗打開大門。

藝術家有可能在藝廊空間裡創造複雜、關係性和關注社會變革的藝術作品嗎？我認為有，但對我而言，最令人印象深刻的機制批判創作，幾乎都是由行動主義者主導的計畫，他們在乎影響力勝過美學。這顯然是一種不同的介入形式，但以藝術家南‧戈丁（Nan Goldin）為首的「P.A.I.N」（Prescription Addiction Intervention Now〔立刻干預處方成癮〕）團體等，曾經推動大都會博物館、羅浮宮、古根漢以及泰德等機構，停止接受薩克勒（Sackler）家族的捐款，因為替該家族累積財富的藥物，就是鴉片成癮危機的直接禍因。「此地去殖民」（Decolonize This Place）是另一個協作性的直接行動團體，他們曾占據惠特尼美術館，要求華倫‧坎德斯（Warren Kanders）辭去董事會的職務，因為他的公司製造了催淚彈等武器。[9]該團體還會在每年的原住民日（Indigenous Peoples Day）上演接管美國自然史博物館的戲碼，讓原住民族與社群的聲音重新成為展廳的重心所在。「解放泰德」（Liberate Tate）團體在泰德現代美術館抗議來自英國石油公司的贊助。在行為藝術的脈絡下描述這些事件和作品，似乎有點奇怪或貶低，但創作這些干預和行動時確實有考慮到美學——雖然重要性次於結果，但還是有一定分量——以便讓人們關注到藝廊內部失德與對抗的情況。就本質而言，它們依然是在表演機制批判，但由於他們的行動是在未獲許可而非得到藝廊批准的情況下進行，所以自由度略高。此外，雖然這些作品有可能外溢，影響到外界有關藥物成癮、武器製造和石油贊助等討論，但它們的主要焦點還是擺在藝術圈。

為了對抗，藝術家最終必須離開藝廊

這些博物館空間提供了一個機會：它們是世界的縮影，它們再現並滋長了存在於這世界的不平等，但卻無法含括或表達世界問題的全貌。可以有效運用這些空間，做為行動主義者的回應場址，但要以藝術家的身分在內部運作就會棘手許多，特別是為了某個專案被引進或委製的藝術家。布魯格拉的作品和她的「有用藝術」概念，為想要創作社會和政治關懷作品的藝術家提供了一個模式，特別是當計畫的關注焦點是打造永續社群而不僅限於展覽之時，不過，與博物館或機構合作總是會有風險，這類計畫到頭來往往只會強化現狀。藝廊需要有人推動，才能改變政策，更加投入社會，但在這過程中，它們也必須交出某些控制權，按捺住想要主導計畫或保護自己免受批判的衝動。要說服機構接受一個可能傷及自身威望與既有敘事的做法的確困難，而要勸說它們在計畫結束後讓改變持續下去，更是難上加難。

我還沒討論到如果博物館策劃以抗議為主題的展覽會發生何事，但這與我試圖呼籲的方向截然相反。2018-2019年於大英博物館展出的《我反對》（*I Object*），沾沾自喜到不忍卒睹，以諷刺和異議範例為焦點，但最後的聲明在政治上卻是矛盾的。它對於政治抵抗的情境只提供最表淺的分析——對於博物館本身也是批判主題這點，力道少得可憐，對來自英國石油公司的企業贊助以及當時正在爭論的典藏歸還等議題，更是完全跳過。2018年設計博物館（The Design Museum）的《希望到無望》（*Hope to Nope*）展，涵蓋了前十年以抗議為主題的藝術創作，但博物館也在同一時間，為一家武器製造公司和經銷商舉辦活動。為了表示反對，三十

位藝術家撤回作品，同時策了一個新展，名為《無望到希望：藝術vs.武器、石油與不公不義》（*Nope to Hope: Art vs Arms, Oil and Injustice*）。[10] 我不認為博物館會讓自己脆弱到真的舉辦一場展覽來公開批判自己——我更不認為有任何博物館會堅持到底並根據接收到的批評做出改變。

於是，藝術家被困一個不可能的位置上——他們的確可以讓委託製作的機構做出真正的改變，如果機構願意放手讓他們做。另一方面，有一股可以理解的衝動想要做出可改變世界的作品，也必然會有一些障礙阻擋你真的去做。這不是說，我認為布魯格拉的泰德作品是失敗的，而是說，博物館的整體架構就是為了防止它成功。她想創作的作品是「可以改革人們的生活，即便是小規模的」[11] 對抗——但這需要搭配深思熟慮的擴展來客規劃，讓更廣大範圍的民眾走進這些表面看來極具改革性的空間。到最後，它必須離開藝廊，走到外面。需要藉由非自溺的作品，把焦點放在更親密更直接的對抗主義上——這些計畫要介於機制批判和關係作品之間，知曉挑戰藝廊並非藝術家職責的終點，而是它的關鍵起點。

這是檢視緬懷紀念的三章裡的第一章。

這些藝術家正在重新想像充斥在許多世界大城與藝廊裡的種族主義與帝國主義紀念碑,檢視它們如何緬懷這些未被承認的主題。每一章都會關注一個不同的國家(英國、美國和澳洲),以及它們特有的殖民與暴力史。這三章和紀念型博物館那篇也有明顯關聯,尤其可視為艾默特·提爾紀念室那章(第十六章)的延續。我們該如何做出更具平衡性的藝術描繪與歷史緬懷,如何填補故事裡的鴻溝?

19. 船艦

The Ship

有一艘瓶中船。

　　它很大，瓶子直徑二點五公尺，長五公尺，放置在基座上。船艦本身是比例精準的「勝利號」（HMS Victory）模型，納爾遜勳爵（Lord Nelson）在特拉法加會戰（Battle of Trafalgar）中的旗艦。不過，它的船帆是用色彩鮮豔的圖案布料製成。那是荷蘭蠟布，以源自於印尼的技術生產，由荷蘭殖民商人經由荷蘭賣到西非。這些獨特的印花布購自南倫敦的布利克斯頓市集（Brixton Market），一些以非洲和非裔加勒比海社群為客群的攤子。船艦由藝術家因卡·肖尼巴爾（Yinka Shonibare）打造，一位英裔奈及利亞藝術家，放置在特拉法加廣場的第四個基座上，一個在歷史上一直空著的基座，放置的日期從2010年5月到2012年1月（參見圖20）。

　　紀念碑該是什麼模樣？在某些城市裡，它們因為無所不在而變得平凡無奇；數不盡的銅像石像高踞在基座上，矗立在公園或廣場中。有時是軍事性──將軍和指揮官，與某支軍隊或會戰有關，一種戰爭紀念。通常，它們都是獻給統治者或領袖，民間英雄或聖人，神明或去世的當地名人。這裡我想到的特別是公共雕像：它們似乎不屬於博物館的職權範圍，

但它們是塑造藝術體驗的元素之一。跟其他公共雕塑一樣，它也是我們每日都會看到的視覺雜物，而且，無論我們注意與否，它們都悄悄進入我們的潛意識，強化了緬懷的高低層級。在西方文化裡，這些雕像通常是擁有世襲權力的皇家貴族，而且絕大多數是白人男性。[1] 公共紀念碑與藝術空間的界線相當模糊，而下面這幾章的藝術家，都利用這種模糊的界線在博物館的內外創作。紀念碑是風景的一部分，但也是身分認同的避雷針，是我們可用來界定自我認同或反認同的文物。

紀念碑從不是普世性的

紀念碑會改變。無論是因為時間、氣候或人為介入，它們終究會磨損消失。新政權推倒舊政權的雕像，街道改名，空間重新分配，這些都是宣稱擁有文化所有權的過程之一。紀念碑有它的生命跨度：初建時所引發的特定共鳴，必然會隨著時間與文化的推移而消退。* 每個都有自己的時間表，有些比其他更加長壽——久到成了旅遊景點，成為市民活動或儀禮的中心，或變得平凡無奇視而不見，當初的目的也不重要。除此之外，我們也不能忘記，紀念碑對不同人有著不同意義：某人的英雄是另一人的壓迫者，政治或軍事人物的雕像風險尤高。當然，對抵抗運動而言，紀念碑總是明顯的靶子，因為它的目的就是要利用社群的情緒。總是會有人想指出一個「無害的」紀念碑，就像總是有人等著證明某些博物館真的很客觀

---

* 這裡並未將宗教紀念碑納入，因為信仰儀式有不同的社會角色，而且（刻意或非刻意）破壞神聖遺址與移除世俗遺址有著截然不同的重量與意義。

——當然，你或許能想到一尊純然無邪且普受推崇的雕像。與雕像相關的爭論不只限於誰被再現，還包括誰沒被再現：2018年的《推薦她》（*Put Her Forward*）計畫，是由藝術家聯盟「非零一」（non zero one）所策劃，它們邀請各方提案，為一位在世的重要女性打造紀念碑，該聯盟發現，在英國，「山羊雕像」多於「非神話、非皇家」女性雕像。或許這些山羊雕像裡會有一座完美的紀念碑，深受所有人喜愛，可跨越政治或社會的不同陣營。但把焦點放在這隻假設的山羊上，恐怕是劃錯重點：當我說紀念碑具有排他性時，我的意思是，總是（在某個地方，由某個人）做出決定，要歌頌這個人而非另一個人。即便是最有價值最受敬重的對象，幫他打造紀念碑的目的，也是為了聲稱該社群對那位人物的所有權，確保他們在當地歷史中的地位。有人說，他們在公共紀念碑中看不到自身族群的代表，去批評這類人，完全是搞錯重點。打造這些紀念性文物是為了界定身分，傳播認同，藉此打造內群體與外群體。在歷史上，紀念碑的目的從來不是普世性的。

「羅茲必須倒」挑戰最初立像觀點

此刻，有關公共紀念碑及其意義的討論已達到高峰。每個人都有想說的意見，也越來越常看到人們指控移除雕像者是企圖抹煞歷史，或受到誤導且過於敏感。紀念碑爭議討論最廣的，約莫是「羅茲必須倒」（Rhodes Must Fall）運動，該運動於2015年在南非開普敦大學（Cape Town University）發起，並在英國牛津大學引爆相關抗議。塞西爾·羅茲（Cecil Rhodes）是南非的英國帝國主義者與殖民主義政治家，他創立一

家殖民公司（以東印度公司為模型，參見P.60），管理英國占據的「羅德西亞」（Rhodesia），也就是今日的辛巴威和尚比亞，以及該區的其他領地。2015年3月，開普敦的學生在雕像四周組織了抗議與辯論，直到一個月後雕像移除；與此同時，牛津的羅茲雕像依然矗立在奧里爾學院（Oriel College）的顯眼位置上。

批判「羅茲必須倒」運動的人，鎖定雕像這個概念窮追猛打，他們太過專注，以致沒有看出，這尊雕像之所以能屹立不搖，只是大學機制性種族主義的症狀，而非病根。移除這尊雕像有部分是象徵性的：這表示他們承認這尊雕像帶有種族主義和帝國主義的重量，也表示該機制知道這些文物不斷造成傷害。有色種族的學生尤其不該和這樣一尊雕像生活在一起，因為它是在歌頌一位白人至上主義基本教義派的信徒，學院在這種情況下竟然還繼續為羅茲的存在辯護，實在是既唐突又奇怪，因為它表明種族主義是可以接受的，只要你為擦脂抹粉的遺產付出代價。移除雕像並非終點：它是一項更大計畫的起點，要挑戰的是最初豎立雕像的那個社會與文化觀點。

肖尼巴爾的《船艦》早於「羅茲必須倒」運動，但在此刻，它依然顯得適時而重要，因為世界各地的所有城鎮都在琢磨，該如何處理那些有著骯髒過往的歷史人物雕像與紀念碑。布里斯托（Bristol）有一尊愛德華・柯爾斯頓（Edward Colston）的雕像，他是十七世紀的販奴商人，他的雕像一直是非正式介入活動的焦點，包括在上面加了一塊牌子，寫著「未經認定的遺產」，宣稱布里斯托是「大西洋奴隸貿易之都」。[2] 在這同時，官方也加了一塊牌子，想為柯爾斯頓再脈絡化（recontextualizes）

——由於他的財政貢獻，他的名字至今仍遍布全城，出現在街道、紀念碑和建築物上——但牌上的嚴厲用語引發爭議，讓案子不斷推遲。[3] 由紐約市政府委託製作的一份報告，建議將曼哈頓哥倫布圓環（Columbus Circle）上的哥倫布雕像留在原地，但增加一些說明，並在另一個場址委製另一座紀念碑，承認並紀念原住民遭受的滅絕、奴役和流離失所。[4] 同一份報告同意將馬里恩・西姆斯（J Marion Sims）的雕像移到另一個比較不公開的地點並加註說明，他是一名醫生，曾用奴隸婦女做實驗。上述選項無一完美：它們全都渴望妥協，在柯爾斯頓的案例裡，甚至害怕將那尊雕像移除或取代（那尊雕像只能回溯到1895年），但考慮到更動這些紀念性雕像的阻力有多大，就可理解他們為何想將這些微小的機會當成重大突破。[5]

紀念碑的位置扮演了它的舞台背景，功能一如藝廊空間。《裝瓶的納爾遜船艦》（Nelson's Ship in a Bottle）最初裝置在特拉法加廣場上，一個為了紀念納爾遜的公共空間，以他最著名的會戰命名，也是納爾遜紀念柱（Nelson's Column）的所在地，一根五十二公尺高的紀念柱，頂端有一尊雕像。將肖尼巴爾的《船艦》擺放在這個空間裡，讓它與比較正式、比較傳統的紀念形式緊密相連，儘管它的視覺形式出人意表。這是一個契機，《船艦》對它的背景做出回應，也提出挑戰。每次要移除某個爭議性人物時，總是會有人提議加註說明或另建一座紀念碑做為替代方案，雖然這並非肖尼巴爾《船艦》的明確意圖，但它確實這樣做了。

納爾遜紀念柱的底座四面有銅浮雕，描繪納爾遜的生涯場景。其中一面是納爾遜之死，擁擠的人群中只有一位黑人水手。這一人物代表一個

近乎隱形的群體：有色水手，在納爾遜的時代，他們是英國海軍相當重要的一部分，在特拉法加會戰也是。這些水手在那個時代並非祕密，利物浦沃克藝廊（Walker Art Gallery）有一幅描繪納爾遜之死的畫作，裡頭便有兩名黑人，海軍的醫院和機構也是最早接受有色人種可與白人同僚並肩的單位，不過他們的人生大多沒得到再現。[6]*我們在廢奴主義者的肖像中，也看過同樣的刪除過程（參見第九章），這些個人並未得到足夠的紀錄，很容易就會忽略他們的故事。在這個脈絡下，《船艦》也讓英國海軍的多樣性成為鎂光燈的焦點。它向紀念柱上那名寂寞的黑人水手說話，召喚人們注意到他的存在與歷史。它清楚示範了一件新的公共藝術能做些什麼：它能為一個並不常見也不廣為人知的故事騰出空間。

找回的時刻，織品在殖民史中的角色

肖尼巴爾的作品多方觸及了記憶與再現的問題。船帆所使用的印花布，是他作品裡的一貫特色，充當殖民主義的有形物件和熟悉的當代試金石。他在《瓜分非洲》（*Scramble for Africa*）這類作品裡，讓一群無頭、棕皮膚的假人圍坐在一張飾有非洲地圖的桌子上，指涉所謂的「瓜分」，也就是歐洲帝國強權爭相宣稱自己的勢力範圍。假人穿著十八世紀風格的服飾，但那些服飾都是用荷蘭蠟布製成，和《船艦》的船帆相同，這些

---

* 英國海軍中黑人與亞洲水手的確切數字並不清楚。根據納爾遜特拉法加艦隊上每位水手的檢閱名冊顯示，其中出生於非洲的有十七人，印度二十人，西印度群島一百二十三人，美國三百多人，水手總數超過一萬八千人。當然，出生地跟種族未必符應，也沒有這些人如何被種族化的紀錄，不過這的確暗示出英國勢力在當時的擴散情形。

殖民主義人物就這樣穿上如今會讓人聯想到泛非（pan-African）認同的美學。肖尼巴爾擺放這些身體，讓它們重演某個殖民暴力的時刻，但也暗示我們，或許這是一個找回（reclaiming）的時刻，是重新擁有這些風景與故事的時刻。

《船艦》使用的布料也點出大英帝國史的一個重要成分——驅使殖民旅行以及資助大英帝國創建的商業貿易。織品是其中的一大面向，包括在西印度群島和北美由奴隸勞工種植的棉花，讓東印度公司大發利市的南亞布匹與刺繡，以及西非的荷蘭蠟布。服裝及其起源始終是身分的意符（想想麥伊和他的塔帕服，或《東方向不列顛妮雅進貢》裡的成綑絲綢，參見P.107和67），而繪製它們的生產地圖則可清楚理解，這些看似天各一方的帝國勢力小區之間相互連結的真貌。

另一位藝術家盧班娜‧希米德（Lubaina Himid）在作品《棉花達康》（cotton.com）中，也檢視了織品在殖民史中的角色。那是一系列黑白畫作，每一小塊方形圖案看起來都像是一個視覺符碼，再現曼徹斯特紡織工人的故事，他們聚在一起，支持並聲援在美國內戰以及1860年代廢奴運動期間爭取自由的奴隸棉花種植工。一長條銅片橫放在那些畫布上方，銅片上凸印著一位種植園監工的話，但將行動者的角色顛倒，不是用他的聲音描述女性奴隸，而是從她的角度描述他如何看她。這種聲音轉換令人浮想聯翩，當他將那名婦女建構成一位幻想人物時，白種男人的權力就被去了中心，轉而提醒觀眾，我們所仰賴的文本和描述有多狹隘。希米德的做法不是添加受漠視者的聲音，而是把她的批判焦點放在移除這些聲音的過程。她讓我們看到，質疑作者的聲音、拉出線頭以及辨識歷史的可能

性，因為歷史的再現與紀錄總是不完整。紡織廠工人知道，解放受奴隸的人民比他們自己的生計更緊迫，而六十年前的英國政治家包括納爾遜在內，卻是大聲疾呼反對廢奴，因為那會危害他們的財富。[7]*希米德的作品傳達了團結的訊息，並呼籲以交叉方式理解歷史。

重構歷史敘事的困境

　　無論你是藝術家、作家或導遊，當你從事的工作與重構歷史敘事有關時，最常碰到的批評就是，你會把今日的道德判斷套在過去之上，所以你或多或少都是在騙人或不誠實。我希望至此可清楚看出，事實並非如此，總是會有人公開吐實，抗拒欺騙。這正是希米德作品如此令人回味之處：她沒有把心力集中在綿綿不絕、恐怖、滅族的奴役行為，而是關注那些了解箇中殘忍並以同理心行動之人。肖尼巴爾的焦點是那些一直存在、一直是故事的一部分、但被推到背景中的人。他讓黑人水手現身，讓非洲起源成為他的核心主題。這兩件作品都以相對溫和的手法重新調整敘事的焦距，避免將心力與注意力擺在負面批判之上，直接將努力對準那些無法在敘事中得到一席之地者。談到羅茲，我們還在戰鬥，克里奧學院拒絕移除雕像，但答應給它一個「清楚的歷史脈絡」，只是這點尚未落實。[8]這問題不是用一尊雕像取代另一尊這麼簡單：認同那些更值得尊敬的人物，為他們的故事騰出空間，可以朝更準確的歷史評估與更真誠的反思邁出一

---

* 納爾遜在1805年的一封信中寫道：「雖然我有一臂可為他們捍衛，有一舌可為自己發聲」，但他會抵制威伯福斯和其他廢奴主義者「被詛咒的該死教義」。

步。這並非「強加當代價值」；而是承認，即便在十八或十九世紀，人們
——用現代話說——也有能力將種族主義者稱為種族主義者。

第四基座這樣的藝術空間，有著不停改變的藝術品名單，這是它的
強項也是弱點。做為一個臨時性地點，裝置於該處的作品在美學上可以
比其他公共空間激進一些，但這也意味著，這些激進的作品有其上架期。
《船艦》在第四基座的上架期結束後，就安置到格林威治的國家海事博物
館後方。這個新場址從另一個角度看更加適合，因為那裡是倫敦海事的傳
統中心，但那裡的名氣遠比不上特拉法加廣場。在這個空間裡，《船艦》
展現不出相同的重量與效果：基座較矮，作品四周的空間較狹仄，像是緊
緊嵌入周遭。它的衝擊力或許也不可避免地削減了。在特拉法加廣場上，
《船艦》是該空間其他部分的一個註腳，讓銅浮雕上那位黑人水手所暗示
的敘事得到延伸。如今它依然尖銳迷人，但即時性消失了。

肖尼巴爾的《船艦》是以比較幽微的方式挑戰該空間（並未公開批
判納爾遜或他支持奴隸制度的立場），儘管如此，還是很難想像這件作品
能永久擺放在這麼顯眼的位置上。目前的城市空間對這類形式和主題還不
具包容性。不像傳統紀念碑這點，讓《船艦》的有趣度較高，但可適性低
了許多。

一座紀念碑真的可能不畏年歲永保新鮮有趣嗎？這就是時間的作
用：它消磨新雕像的興奮感，直到它成為地景的一部分。也許所有紀念碑
的壽命都該有其限度，只要存在到時間將它們變得不起眼即可。下一章將
把這點發揮到極致。

20. 糖寶貝

Sugar Baby

一隻巨大的人面獅身像蹲踞在布魯克林的工廠裡。

她是用明亮的白糖製成，與多米諾廢棄糖廠（Domino Sugar Refinery）的暗牆形成對比。她的表面晶亮、銳利，但帶著可人、熟悉的甜味。她周圍站了十三位「隨從」，拿著籃子的糖蜜男孩，籃裡裝了它們的身體碎片。作品名稱顯眼地展示在糖廠外，入口旁邊：《卡拉・沃克應創意時代的要求調製：糖雕，或神奇驚人的糖寶貝，向無償過勞的工匠們致敬，他們在多米諾糖廠拆除之際，將甜味從甘蔗田精煉到新世界各廚房》（*At the behest of Creative Time Kara E. Walker has confected: A Subtlety, or the Marvelous Sugar Baby, an Homage to the unpaid and overworked Artisans who have refined our Sweet tastes from the cane fields to the Kitchens of the New World on the Occasion of the demolition of the Domino Sugar Refining Plant*）。這個空間令人作嘔，充斥著糖廠的陳年焦糖味。「糖寶貝」是獻給那些逝去與遺忘的身體，那些被歷史除名的身體，將它們精采呈現出來，為人所見。

2014年春天，為期九週的展覽，吸引了十三萬訪客前來廢棄糖廠參觀沃克的「糖寶貝」（參見圖21）。他們排隊、拍照、舔她的身體，跟她

的隨從雕像擺拍。回應褒貶不一。大多把焦點放在「糖寶貝」的尺寸上，普遍稱讚這件作品令人生畏，傑瑞・薩爾茲（Jerry Saltz）在《禿鷹》（*Vulture*）雜誌的網站上寫道，他有個「靈視」（vision），裡頭充滿了「無邊譴責、恐嚇威脅、殘忍歡愉、莫測事物」。

沃克的早期作品主要是利用近乎真實大小的大型黑紙剪影，重建通俗的種族主義媚俗和性暴力場景，背景脈絡通常是美國內戰時期南方的種植園奴隸制度。這些巨型的剪影裝置包括南方名媛親吻被砍下的頭顱，黑人大媽追趕邦聯士兵，以及瘋砸狂扔的武器和孩童。由於這些角色只見輪廓，沃克藉由一些簡化粗略的意符，像是舞會禮服、頭巾扭結、捲髮辮、尖鼻豐唇等特色，引誘觀眾展現出他們對諷刺漫畫與刻板印象的熟悉度。她強調這些敘述依然隱隱存在，她在作品裡取回這些殘酷的諷刺漫畫，並不是為了恢復它們，而是揭露它們無所不在。她顛覆文化產製的刻板印象，這點曾招來指控，說她延續以白人為中心的敘事，迫使黑人藝術家重演壓迫，以求取贊同。＊但在我看來，雖然沃克描述的場景是歷史的，但她的主體毫無疑問是現代的，對當代的效果同樣明顯而有力。雖然她作品裡的人物有一種歡快，但對我而言，那似乎是絞架上的幽默，試圖揭開創傷，而非輕率無禮。

＊ 藝術家貝蒂・薩爾（Betye Saar）持續批評卡拉・沃克，薩爾的作品和沃克一樣取自相同的諷刺漫畫，但薩爾認為沃克的剪影是陶醉於暴力與壓迫，而非抵抗。其他抱持類似觀點的藝術家指出，沃克就算有，也鮮少投入當代社會，她比較喜歡用內戰時期南方的詞彙創作，而且不停抱怨自己被塑造成角色模型和代言人。沃克一直被迫扮演形象人物，體察這點相當重要：她在二十七歲獲得麥克阿瑟天才獎（MacArthur Genius Grant）後，因為作品直接處理美國歷史上的種族主義暴力而聲名鵲起，在白人占據壓倒性多數的藝術圈，年輕黑人女性的身分也讓她變成某種「多樣性寵兒」。

女性黑奴與糖的後殖民隱喻

　　多米諾糖廠的「糖寶貝」是沃克的一大轉變，是她的第一件雕塑作品。她的視覺參照維持一貫：糖寶貝的頭巾、寬闊五官、曲線誇大的身材，這些女性黑奴的視覺速記，在沃克的作品中一以貫之。這件作品的核心奇觀，是以裸體人面獅身的造形展示供人食用的黑人身體，加上暴露的胸部與陰戶，以及十三尊形體較小的隨從雕像。「糖寶貝」的姿勢曖昧：超級性感，暗示服從，但又模擬權力、知識與潛在暴力的古老象徵。那些隨從雕像是以沃克在網路上買來的「傻瓜」小飾品為本，用糖蜜和樹脂製成，好多尊都在裝置的過程中坍塌。[1]他們的原型是媚俗、廉價的小飾品——大量生產的滑稽諷刺人物，以低貶的形式將有色人種再現成裝飾品，賣給白人在自家展示。飾品的大小從二十五公分到接近真人尺寸，並特別強化了古怪感：小孩的五官配上超大頭顱，既尖脆又黏糊。

　　沃克以糖做為媒材，糖可解讀成她早期剪影作品所使用的黑紙的負形。剪影是身體留下的東西，身體缺席，但糖雕可讓沃克以實體方式向被歷史擦除之人「致敬」。「糖寶貝」所呈現的身體，一個黑人女性的身體，在歷史上飽受欺凌、征服與性化，她讓這具身體成為故事的焦點而非事後的反思。西敏司（Sidney Mintz）的《甜蜜與權力》（*Sweetness and Power*）深入研究了種族與糖的交織歷史（沃克引用此書，表示受到影響），該書將「具有強大象徵力的」白糖當成純粹、奢侈和完美的簡寫，是用黑色、骯髒的糖蜜提煉精製而成。精煉糖的過程熾熱、艱辛，目的是要提純糖味和變成白色；在《糖雕》中，提煉的過程可以解讀成隱喻後殖民社會裡潛藏的種族主義與膚色主義。在多米諾糖廠的黑暗空間裡，物件

純白閃亮，牆壁卻滲著暗黑黏稠的殘餘物。

　　沃克是在糖廠拆除前夕接掌多米諾空間，所以她的作品成為糖廠歷史的最後紀念：一件致力讓被奴隸人民被看見的介入性作品，只能在該場所的摧毀中進行。多米諾這塊基地日後將變成豪宅：都更公司的董事長是「創意時代」的共同主持者，沃克的作品就是由這個文化機構所委託。沃克在訪談中承認，這項計畫得以實現，完全是因為產業崩壞以及公寓建設猖狂，這使她變成「獲益者和忘恩負義者」，[2]而她身為共犯的角色在「糖寶貝」的接受上也是一大要素。舊糖廠所在的威廉斯堡區（Williamsburg）正在改變：2000到2015年間，白人居民的數量增加到四成，收入超過七萬五千美元的人數三倍有餘。這與沃克作品中的「工匠」生活相差十萬八千里。某種精煉過程再次於這裡上演，先前的工業區經過打磨拋光，吸引著以白人為主的富有買家，既無髒污也無現實的工廠美學誘惑他們。最初剝削「無償過勞工匠」並因此獲益之人，或許已經不在那個裝置空間裡，但他們魂縈不散。

藝術移動，觀眾也跟著移動

　　那麼，《糖雕》究竟是一個張開雙臂歡迎先前受到排斥的黑人觀眾的成功計畫，或其實是一件藝術洗錢（artwashing）的習作——一個藉由提供某種公共藝術而蒙混過關的仕紳化（gentrification）方案？這裝置總共吸引十三萬人參觀，沒有官方統計針對種族與性別進一步細分，但非正式的資料顯示，觀眾在年齡、種族與階級分布上，都比城市博物館來得多樣。很難猜出《糖雕》黑人參觀者的正確數字，但肯定超過6%——根據

美國博物館協會的統計，這是2008年黑人在博物館參觀者中所占的比例。[3]

　　這樣的統計數字或許意味著，將藝術帶出藝廊可讓先前在藝廊空間感覺不舒適的族群更容易接觸到展覽。藝術移動，觀眾也跟著移動。參觀者對文物所在環境的體驗，與對文物本身的體驗一樣重要。但多米諾糖廠這類非傳統的藝廊空間，也會形塑觀眾對作品的反應。在傳統博物館或藝廊這類由（白人男性編碼）特權維護的空間裡，行為受到控制且僵化。必須遵守規範。那裡有各種符碼和障礙，由警衛、規則以及讓觀眾與作品保持距離的有形界線固定住。但將沃克的作品移到傳統藝廊空間之外，許多先前必備的結構和行為也跟著離散。多米諾糖廠並不具備博物館的文化重量，因為它給人沒有結構的感覺，是一個自由空間，鼓勵參與，因而沒有隱含的行為準則。多米諾糖廠營造出全然不同的氛圍，鼓勵參觀者以不同方式和作品互動，而他們在網路上描寫這項裝置時，提到空間體驗的文字與照片，並不下於「糖寶貝」本身。

　　許多評論家目睹裝置的時間是在作品完成之前，或私下的媒體參觀場合，沒有群眾可彰顯出空間特色。因此在他們的文章中，自然不會提到任何觀眾參與感。一旦藝廊或藝術空間的大門開啟之後，和它有關的一切就改變了。身為一名觀眾，有好幾十道障礙橫亙在你與作品之間：顧展人員和講解人員、其他觀眾、動線引導設置，還有噪音：無意間聽到的對話，或一大群在空間中發出的腳步聲與喃喃低語。如今，還有比以往更多的手機和相機，在這個將眼前一切捕捉下來並分享給私人觀眾的現代世界裡，藝廊也在潮流的驅使下，策劃可參與和好拍照的展覽與裝置，其目的部分是想透過社群媒體吸引觀眾。「創意時代」在整個展覽期間大肆宣傳

「#KaraWalkerDomino」這個主題標籤，Instagram上有兩萬兩千多張照片歸在標籤之下。參觀者單是置身在這個空間裡，就改變了《糖雕》。媒體照片裡的原初狀態是黝暗空間中的白色形體，參觀者拍攝的影像剛好相反，都是雜亂與擁擠。

不同種族引發不同觀感情緒

該項裝置所引發的行為問題立即浮現，因為，套用沃克的話，「看到長達十英尺的巨大陰戶，人們做出平常會有的反應」。[4] 參觀者搞笑取樂，伸出舌頭，假裝要捏糖寶貝的乳頭，這些動作說好聽是無知，說難聽就是侵犯，是重演對女性奴隸的施暴，是繼續物化和性化有色婦女。網路上的照片顯示，（大多是白人）蹣跚學步的孩童因為觸碰那些隨從雕像而沾上糖蜜，被大笑的成人高高舉起。參觀者似乎只能看到這些人物的荒謬，而非刻意為之的反串低貶，也看不出自己正在重演那些行為。批評《糖雕》參觀者行為的眾多聲音中，最突出莫過於作家潔米拉·金（Jamilah King）和史蒂芬妮·瓦茲（Stephanye Watts）。金把焦點放在身為一名黑人女性在大多是白人觀眾圍繞下觀看這件作品的體驗：

在美國，種族與種族主義經常被視為有色人種單方面的負擔，但這種微妙的互動要求白人成為對話的一方。這也重新把奴隸當成一種奇觀，令人心生不快。幾乎每個人都伸出自己的手機，在Instagram上打上#KaraWalkerDomino，就會出現滿滿的展覽影像……就這樣，這是一個深刻互動的展覽，過去與現在的比重不相上下。[5]

　　首先，是白人（更籠統的說法是，非非裔美人）觀眾與「糖寶貝」的關聯。這些觀眾走進展場，就必須面對糖業貿易發達致富過程中，由種族、性別與產業交織而成的現實，但他們究竟要如何看待這段歷史，就得由觀眾決定。「行為不端」、侵犯了「糖寶貝」的觀眾，可說是應驗了沃克批評者的預期，把沃克和她的作品當成娛樂來源。選擇從純美學的角度面對「糖寶貝」的觀眾，對於美國人所承襲的暴力與創傷遺產，繼續保持沉默：如同金所寫的，「黑人歷史最好是用看的，而非親身去體驗」。[6]瓦茲寫著，她看到一名小孩舔了一尊隨從像，還聽到有人對著「糖寶貝」喊了一堆不堪入耳的髒話；她為祖先流下悲傷淚水，夾雜著憤怒，如此強烈的情緒反應，在藝廊裡很少看到。[7]前者是在表現健忘，非黑人參觀者看著「糖寶貝」，選擇只將她視為慾望物件，只觸及她的甜蜜表面。這種表現反過來逼迫黑人參觀者將他們的情緒展現為奇觀，藉此證明他們的體驗有其理由，並指出「糖寶貝」應該被嚴肅以對。

　　沃克的案子並非在講述普世故事，也不是要探討單一體驗，而是要逼迫每個人做出自己的選擇：哪怕不參與都是一種選擇，那些允許自己醉心於甜蜜的參觀者，正是苦澀歷史的共謀。他們重演了擦除的過程，企圖給自己找理由，拒絕去了解究竟是哪些事情促使受奴役者遭到剝削。這件作品是「互動的」，就像所有藝術一樣，因為每個觀眾都在談論它，談論它和他們自己，將他們自身的歷史與認定帶入那件作品。「糖寶貝」就像一座紀念碑——獻給被奴役的勞工，也獻給觀看它的觀眾的體驗，讓糖廠變成一個由情緒塑造的場址。「糖寶貝」打造了一個空間，裡頭可以填滿悲傷與情感，填滿某種稍縱即逝但餘韻長久的體驗。《糖雕》是一件公共

藝術品,由每位參觀者的私人遭遇所打造,因它對身分與記憶的具體化而富有紀念性。每位參觀者進入「糖寶貝」的空間後,會根據自身的心境體驗該件作品:要嘛把它當成情感宣洩的對象,要嘛把它當成可以擺拍的另一個藝術品。看過《糖雕》的每個人,看到的都是不同面向,並根據他們所知所曉以及能夠連結的層面而碰撞到故事的不同部分:和所有紀念碑一樣,它是引起分裂的,在這個案例裡,它將觀眾區分成會因它悲傷的和不能或不會悲傷的。這些不同的敘事和參與同時並存,且無可避免。沃克的作品既微妙又具有紀念性:細微到無法固定,巨大到無法局限。

美國為何至今不存在任何奴隸史紀念物?

美國沒有任何國家級紀念碑是獻給奴隸制度的受害者與倖存者。1920年代,一個歷史悠久的白人至上主義團體「邦聯之女聯合會」(United Daughters of the Confederacy,美國境內大多數邦聯士兵的紀念碑都由這個團體負責)提議建造一座紀念碑,「紀念南方忠誠的奴隸保姆」,這是他們對於內戰之前蓄奴的南方種族主義鄉愁的一部分。紀念碑的提案得到國會批准,計畫蓋在華盛頓特區的國家廣場附近,但因面對眾怒終究擱置。這樣的想法在今日簡直不可思議,在當時也廣受抨擊,但美國不存在任何和奴隸史相關的具體紀念物,人們遲遲不願面對這個故事,這點確實值得深思。[8*]

重要的是,在「糖寶貝」的構想中,它並非一座長期矗立的紀念碑。和肖尼巴爾的《船艦》(參見第十九章)不同,後者移到別處即可,沃克打從一開始就決定讓「糖寶貝」毀掉。正因如此,它的存在與消失就

255

成了一項挑戰,它請求目擊者決定,那些缺席工匠是否該以這種方式被看見。它訴諸於它留下的空白,詢問誰可填滿。這段歷史只能以碎形、只能以臨時介入的方式處理應對嗎?或說,有可能與這些歷史建立永久的聯繫嗎?

2019年初,南方貧困法律中心(Southern Poverty Law Center)發布一份報告,紀錄全美各地的邦聯紀念碑。[9]這項研究起因於白人至上主義者的一次恐怖行動,一名白人在南卡羅萊納州查爾斯頓(Charleston)一座歷史悠久的非裔美人教堂殺死九名黑人。報告發布時,全美共有七百八十座南方邦聯的公共紀念碑,一千多件標記或題詞——許多是在二十世紀白人抗拒民權運動的脈絡下興建。沃克的人面獅身像早於查爾斯頓的槍擊案,持續飆升的白人至上主義暴力行為和公開赤裸的種族主義緊接其後,[10]但說的是同一則歷史。「糖寶貝」無意取代邦聯紀念碑,但一如沃克在她的剪影作品中所使用的諷刺漫畫,她的圖像把那些紀念碑用刻板印象和挑選過的歷史所呈現的敘事做了更詳細的說明。沃克挑逗參觀者表現出他們的悲傷,或做出不敬的行為,藉此將這些象徵物的分裂力量呈現出來。邦聯紀念碑企圖提出一種經過高度改編且浪漫化的「敗局命定論」(Lost Causes)和「州權論」(States Rights)的敘事,不願承認內戰目的是為

---

* 遺產博物館(The Legacy Museum)涵蓋了「從奴隸到大規模監禁」的美國種族史,而國立非裔美國人歷史與文化博物館也以不可思議的尖銳方式陳述了這段歷史(參見第十六章),但沒有任何紀念碑館是專門獻給被奴隸的倖存者。除了華盛頓特區的解放紀念碑(Emancipation Memorial),該碑再現林肯總統解放一名被奴隸的男子,該男子是根據前奴隸阿徹・亞歷山大(Archer Alexander)為本,但這座紀念碑並未真正再現這段歷史,而且解放紀念碑本身就有爭議——明明資金主要來自前奴隸,但亞歷山大還是被塑造成低下懇求者。

了延續蓄奴制度，沃克則是將這種醜陋搬上檯面。在查爾斯頓槍擊案以及白人至上主義暴力事件層出不窮的這個時代，種族主義和反黑人的圖像與雕像，是偽裝成積極正面的「遺產」符號。心態相同，但更為極端。

藉由對話和分享團體珍視有色人民

2014年6月22日，一場名為《我們在此》（*We Are Here*）的活動，在多米諾糖廠的「糖寶貝」周圍展開。這不是「創意時代」或沃克策劃的，而是由藝術家薩洛梅・阿薩加（Salome Asega）、莎柏・艾莉絲・史密斯（Sable Elyse Smith）、塔嘉・奇克（Taja Cheek）、娜笛雅・威廉斯（Nadia Williams）和雅莉安娜・艾倫斯沃斯（Ariana Allensworth）主辦，全都是在紐約工作的黑人女性。這些籌劃者呼籲「積極努力」納入黑人參觀者，並提及他們看到白人觀眾跟「糖寶貝」的互動時，與金和瓦茲的感受心有戚戚焉。[11]《我們在此》顯然無意攻擊沃克，而是想利用這個機會，在這個空間內部打造一個社群，鼓勵非裔美人觀眾觀賞這項裝置並分享他們的回應。[12]史密斯在她的網站上公布一篇「意向聲明」：

我們知道，有色人民的身體在公共空間裡不總是可見或受到珍視，我們的目標是要打造一個空間，藉由對話和分享團體珍視有色人民。同樣地，我們知悉，有色人民長久以來都被藝術機關排除在展覽者與觀看者之外⋯⋯我們打算以沃克的《糖雕》以及它的獨特展場──多米諾糖廠以及該件作品與空間的架構──為核心，鼓勵與促成民眾針對歷史與當代的相關議題展開對話⋯⋯我們拒絕社群媒體上那些無知蒙昧、麻木不仁的視覺

再現，我們的目標是用以尊重體貼為基礎的影像和資訊淹沒上述意象。[13]

　　一位參與者如此總結了這次集會：「如果參觀者可以自由表達他們對我們歷史的蔑視，我們也能自由抗議他們。」[14]公共藝術必然會引發抗議，無論批評的焦點是形式或內容。這類討論可以產生極大成效，讓人注意到誰可在特定環境裡被看和如何被看等問題。《糖雕》的簡潔有力，以及它所引發的爭議——甚至比較可憎的面向，例如sugarselfie.us，沒看過該作品的人也能在這個網站裡利用合成技術弄出自己置身在該空間的自拍照——都有助於挑戰自滿，但結果好壞參半。沃克似乎玩著兩面手法，營造出一個既鼓勵憂傷哀悼又鼓勵行為不端的空間。接著就是我們得去衡量，打造一個批判平台是否真的值得，而將黑人身體進一步去人性化和奇觀化，以此交換「討論」，這代價能否接受。

　　2014年11月，沃克回到藝廊舉辦了個人展。《後話》（*Afterword*）展包括《糖雕》的前置草圖，以及糖寶貝的左拳。最後一個展間是一部新的錄像作品：《觀眾》（*An Audience*），那是沃克在裝置閉展前最後一小時所拍攝的參觀者。他們看著彼此，擺拍，嬉戲。當他們談論沉默的「糖寶貝」時，也談論自己，把她當成避雷針，探索美國更廣泛的種族經驗，以及這個國家的歷史和遺產，而「糖寶貝」也透過他們說話，將過往帶到現在。作品記錄了他們的反應之後，拉回到藝廊空間，沃克重新挪用了參觀者的反應，最終站出來成為他們情緒的作者。「糖寶貝」唯一殘存的左拳，蜷成「無花果」（mano en fico）的姿勢，拇指從食指與中指之間伸出。這個姿勢同樣會聯想到幸運、避邪以及叫別人操他們自己。這就是沃

克留給我們的：一個矛盾的碎片，同時提供祝福與威脅。不確定性流連不去：一件既侵略又療癒、既去人性又動人的作品。「糖寶貝」消失了，但她依然縈繞在我們心頭；不再是一座擁有實體的紀念碑，但在記憶中保有一席之地。

這部影片讓沃克小心翼翼的幕後操控顯露出來，我們終於能確認，《糖雕》這件作品不只是「糖寶貝」那個人物。這件作品也存在淚水、照片與不當行為裡，她走出藝廊空間，讓參觀者盡情釋放自身感受。完整的情緒風景充滿了多米諾糖廠，與「糖寶貝」的每一次親密與公開相遇，每一個反應，都在沃克的引導與雕塑之下。對「糖寶貝」的反應無所謂對錯，也不存在中立，但正是這種情緒光譜造就了這件作品。

21. 更改國慶日

Change the Date

一名男子坐在雕刻師的工作桌上，低頭沉思。

他比真人尺寸大多了，以閃亮的鋼鐵製成。身穿十八世紀的海軍制服，頭戴假髮，但沒有帽子，正在休息。整個人像經過高度打磨，明亮如鏡，映出展廳與觀眾的扭曲反射，宛如哈哈鏡。這是詹姆斯・庫克船長的肖像，但在這裡，他並非我們常見的海軍權貴。反之，他看起來失落，甚至沮喪。

這尊雕像名為《英倫海峽》（*The English Channel*，參見圖22）。2015年由麥克・帕雷考海（Michael Parekowhai）製作，這位藝術家是毛利人和外邦人（白種人）的後裔，*雕像主要根據拿撒尼爾・丹斯（Nathaniel Dance）1776年繪製的庫克畫像（所有人是約瑟夫・班克斯，該件畫作與史塔布斯的袋鼠和丁格犬一起陳列在他的私人博物館裡；參見P.97）。和環太平洋地區其他幾十件比較歌功頌德的庫克紀念碑比起來，帕雷考海的視見顯得奇怪。從他服從認命的肢體語言和垂頭喪氣的表情看來，這雕像莫名很人性，儘管帕雷考海把他打磨得閃亮異常。除了反射造成的視覺雙關之外，如鏡的表面也讓人很難看清他。他閃閃發亮，很難定

---

* pākeh就是歐裔紐西蘭人的意思，或比較廣義的非毛利人的後裔，te reo Māori。

格。這尊雕像呈現出周遭環境：就它目前放置的位置，帕雷考海的庫克反映了雪梨新南威爾斯藝廊（Art Gallery of NSW）「早期澳洲藝術」展廳裡的扭曲影像。這些畫作繼而反映出第一批抵達該地的英國藝術家眼中的理想化新大地——完美的田園風光和略具雛形的殖民聚落圖像，且沒有原住民的存在。這尊閃亮的庫克雕像擷取了桉樹、政府建築、拓荒者和罪犯的細部碎形。對這尊雕像而言，這是相當完美的背景，因為庫克的神話，這位偉大的英雄與奠基者，以某種意識形態指導存在於所有畫作之中。

肖尼巴爾的《船艦》（參見第十九章）和沃克的《糖雕》（參見第二十章）是獻給未獲再現者的紀念碑，並帶出一些未被緬懷的故事，帕雷考海的作品則是處理一位備受記憶者的歷史。《英倫海峽》提供一個起點，檢視對庫克的各種紀念，以及他的形象近年來如何被呈現與質疑。為了瞭解帕雷考海作品所面臨的困境，我們必須回頭看看更為傳統的描繪。

回顧傳統的庫克紀念雕像

雪梨海德公園（Hyde Park）的庫克紀念雕像矗立於1879年。[1]出自英國拉斐爾前派（Pre-Raphaelite）雕刻家湯瑪斯・伍納（Thomas Woolner）之手，他去澳洲是為了淘金。描繪庫克時，他參考的圖像與帕雷考海並無二致，結果卻大相逕庭：伍納的船長昂首挺立，一隻手臂舉起，擺出自豪統治之姿。雕像基座上的碑文寫著：

發現這塊領地

1770

2017年8月，一段新的噴漆文字蓋住上述碑文，以及噴漆在附近的拉克倫·麥格理總督（Governor Lachlan Macquarie）的雕像底座：

更改國慶日

種族滅絕不值得驕傲[2]*

噴漆並未維持多久，但它提了主張。「更改國慶日」經常被當成一項呼籲，主張將澳洲國慶日（Australia Day）改成1月26號以外的日子（據信那是載著罪犯與殖民者的第一艦隊在1788年抵達雪梨的日子），並將那天當成哀悼與紀念澳洲原住民歷史的日子。*澳洲國慶日、澳洲國旗（左上角依然可看到英國國旗）和庫克的形象，全都變成澳洲歷史與澳洲認同相關辯論的避雷針——一種奠基在種族滅絕行動上的國家驕傲。海德公園的庫克肖像並非這類問題的唯一焦點，澳洲與紐西蘭各地的雕像都曾被標上類似的聲明：圖蘭加努伊奇瓦（Turanganui-a-Kiwa）的一尊雕像上寫了「竊賊白種人」，紐西蘭吉斯伯恩（Gisbourne）的一尊雕像一再遭到毀壞，澳洲墨爾本的庫克、探險家柏克（Burke）和威爾斯（Wills）等人的雕像，也經常被標上「不值得驕傲」和「偷竊」等字樣。[3]

---

* 麥格理擔任州長期間最令人難忘的，是透過建築計畫和財政發展將雪梨改造成一座真正的城市，而身為總督，他的監管範圍包括雪梨戰爭（Sydney Wars）最慘暴的時期之一，雪梨戰爭指的是罪犯和殖民者與雪梨地區原住民族的衝突。關於麥格理，詳見Stephen Gapps, The Sydney Wars: Conflict in the Early Colony, 1788–1817, NewSouth Pishing, 2018。

* 值得注意的是，「澳洲國慶日」一直到1930年代才固定下來，直到1944年才成為各州與領地的國定假日，所以，當我們談論「更改國慶日」時，這個日期被固定標示的時間其實並未很久。

　　將帕雷考海的雕像放進這個脈絡。《英倫海峽》在風格上顯然是參照現存那些比較傳統的紀念碑，但利用形式與意義創造出一種新敘事。剝除掉庫克慣常的權力地位之後，我們看到他比較人性的時刻，瞥見一位模特兒在為雕刻家擺姿勢時抓到時間休息的尷尬模樣。在這個案例裡，將紀念碑移到博物館也是轉換的一部分：帕雷考海把庫克帶到比較受控的環境，從公共景觀的海德公園移到較封閉、私密的新南威爾斯藝廊。在本書前兩章，我們看到兩位藝術家走出藝廊空間的案例：兩位都必須離開藝廊，才能替那些始終不被聞問的故事打造紀念碑。將帕雷考海的作品放置在藝廊內有其效用，因為它將庫克請下台座，讓他更貼近觀眾的視線。這裡頭還有一種不同的期待：參觀者首先會把它解讀成一件藝術品，專注於它的視覺形式而非主角，語意模糊的名稱也有推波助瀾之效。帕雷考海再現的庫克，符合他在其他肖像中的模樣，但乍看之下似乎與十八世紀的其他海軍軍官無甚差別，要等參觀者讀了說明牌，他的身分才逐漸顯露。自藝廊2016年取得《英倫海峽》之後，它的陳列位置共有兩處：一開始，它陳列在一扇可眺望港口的窗戶旁邊，鏡面將庫克轉化成一片扭曲的地景。無論雕像放置何處，庫克都會根據位置做出調整。他變動不居，任光線模糊──而參觀者在他身上瞥見自己。

喚醒澳洲殖民初期的暴力記憶

　　庫克本人並不存在於他的所有再現中；他是個象徵符號。他的形象不停重構，反映並呼應每個時代的理想型；伍納的庫克反映伍納的時代，

一如帕雷考海的庫克反映帕雷考海的時代。伍納的庫克自信果斷、勇往直前，是澳洲正在適應它的意識形態環境並朝聯邦邁進的時代。這也是目睹原住民遭到最大規模屠殺，目睹「抓黑鳥」（blackbirding，脅迫或綁架太平洋原住島民，逼迫他們在澳洲種植園擔任契約勞工或奴隸勞工）興起，目睹對移民施加種種限制預示日後白澳政策的那個十年的形象。[4]這是伍納那尊雕像背後的心態，那種自信的態度和無可動搖的種族主義，支撐了澳洲的基礎。

在今日澳洲，庫克的傳統再現隨處可見，帕雷考海並非唯一以此為素材的當代藝術家。澳洲藝術家丹尼爾・博伊德（Daniel Boyd，來自庫吉拉〔Kudjila〕與剛加魯〔Gangalu〕族）在他的《沒鬍子》（No Beard）系列裡，為塑造與創建澳洲第一個白人殖民地的英國人繪製了肖像：約翰・班克斯爵士、庫克船長、亞瑟・菲利浦總督（Governor Arthur Phillip）和英王喬治三世。他的每一幅肖像都是以某件十八世紀的作品為本，畫家分別是班傑明・韋斯特（Benjamin West）、拿撒尼爾・丹斯、法蘭西斯・惠特利（Francis Wheatley）以及艾倫・拉姆賽（Allan Ramsay）。和原作一樣，博伊德的肖像也是畫布油彩，但經過簡化和卡通化，而且每個人都有一項海盜的標誌──眼罩或鸚鵡。每件作品名稱都寫在畫布上，博伊德還開了一個玩笑，犧牲他那些死了很久的受畫者，將他們的名字都改成「沒鬍子」。他們的真實姓名在今日依然深具影響力，在他們被迫進入的澳洲土地上揮之不去，凌駕在既有的原住名稱之上。維多利亞的菲利浦島，西澳的喬治國王灣（King George Sound），南澳的約瑟夫・班克斯爵士島，昆士蘭的庫克鎮（Cooktown），以及荒謬的

一七七〇鎮（Seventeen Seventy，根據庫克登陸的年代命名）……他們無所不在。博伊德把他們都變成「沒鬍子」，帶有不成熟、沒男子氣概、荒謬的含義，影射原住民對歐洲人刮鬍修面的反應，1788年，第一艦隊的一位日記作者寫道：

> 他們想知道我們的性別，他們指著男女有別的地方向我們解釋，他們把我們當成女人，因為我們沒讓鬍子留長，我命令其中一人讓他們驗明正身，他們發出讚嘆之聲。[5]

《沒鬍子爵士》（*Sir No Beard*）是以韋斯特的班克斯肖像為本，在這件作品裡，博伊德本人扭曲的頭顱出現在一只桶罐上，與其他藏品一起擱在他腳邊（參見圖23）。我們已經看過班克斯在他逗留太平洋期間收集人體遺骸的證據，以及供展示與解剖用的人體交易如何延續到十九世紀（參見第十三章）。在這個案例裡，那顆頭具體指涉普穆威（Pemulwuy），一位來自雪梨地區的畢迪加爾（Bidjigal）男子，他從1790年左右開始領導族人抵抗英國殖民統治者，直到1802年過世為止。普穆威是一名「智者」（carradhy），在自身社群是個強有力的人物[6]*，1797年英國士兵對他開槍之後，他在殖民者眼中幾乎成了神一般的存在：槍傷嚴重，戴著鐵鐐的他，竟然逃脫了。[7]他最後死在一位不知名的英國

---

* 通常翻成「智者」（cleverma），這個頭銜指的是擁有精神權力和地位之人；在普穆威的案例中，他眼中的記號顯示了這點。

士兵手上，頭被砍下，保存在烈酒桶中，送給了班克斯，後來他又轉送給倫敦的亨特博物館（Hunterian Museum）。*普穆威頭顱的後續情形並無紀錄，至今下落不明。隱藏在班克斯再現裡的博伊德自畫像，就是指涉這故事；藉由召喚普穆威，他將自己塑造成對抗殖民暴力的角色，也讓普穆威的記憶復活。他的紀念碑在哪裡？對他的緬懷又在哪裡？*

十八世紀的英雄事蹟銘刻著今日的嫌惡

韋斯特的肖像原作把班克斯塑造成有名望的科學人，四周圍繞著航行過程中收藏的財富；博伊德的介入讓普穆威這類人物失去的身體與聲音重見天日，讓班克斯（和其他人）典藏文物的血腥現實真相大白。他的手法是形成某種拼貼：是多重世界與時代之間的碰撞，在十八世紀的英雄事蹟裡銘刻著二十一世紀的嫌惡。他利用這種殘暴的遺痕及怪異迷人的超現實幽默，削弱了班克斯在澳洲歷史的地位。他運用海盜的意象讓這些人物顯得荒謬，將澳洲殖民創建者的形象與最陳腔濫調的盜賊再現重合疊加。

在另一幅畫作：《我們這裡稱他們為海盜》（*We Call Them Pirates Out Here*），博伊德改編了伊曼紐・菲利浦斯・法克斯（Emanuel Phillips

---

* 班克斯曾請求總督菲利浦・吉德利・金（Philip Gidley King）送他「一顆新荷蘭人的頭顱」。金欣然同意並很驕能能將如此重要的頭顱提供給班克斯，他説普穆威「雖然對殖民地而言是可怕的害蟲，但確實是個勇敢獨立的人物」（Gapps, p. 154）。班克斯回信給金，談到海關官員發現桶裡有一顆人頭時有多震驚，並提及普穆威的遺骸如今「在已故的亨特先生的博物館裡備受矚目」——這想必指的是皇家外科學院（Royal College of Surgeons）的亨特博物館（The Sir Joseph Banks Electronic Archive, 39.076, Mitchell Library NSW）。

* 今日，雪梨外西區確實有個郊區以普穆威命名，沒別的了。而以班克斯命名的則有四個郊區（一個在坎培拉，三個在雪梨），一個位於新南威爾斯中部的選舉人區，塔斯馬尼亞的一道海峽，以及南澳的一處群島。

Fox）的《庫克船長登陸植物學灣》（*The Landing of Captain Cook at Botany Bay*）。＊他以直白手法畫出如同海盜般的庫克，鸚鵡眼罩一應俱全，海盜骷髏圖疊在英國國旗之上。法克斯的畫作完成於1902年，是澳洲創建神話學的一部分，雖然創作時間較為晚近，但依然是1770年庫克登陸的最經典圖像之一。這幅畫所要呈現的事件，就發生在英國人奪取格威蓋爾盾牌（參見第十一章）前夕。法克斯甚至在畫面最後方放入兩位原住民，拿著矛和盾。庫克與班克斯站在畫面正中央，班克斯正試圖把庫克的注意力引到原住民身上；一名英國海軍單膝下跪用槍瞄準那兩名男子；兩名水手站在他身後，隨時準備衝鋒攻擊。不過，在法克斯的圖像裡，庫克伸手想阻止他們。正是這個指揮的動作，將庫克塑造成毫無疑問的開國元勳。但事實並非如此，這甚至不符合庫克或班克斯本人對當天的描述，但它卻成了歷久不衰的圖像。

　　在博伊德的版本裡，兩位原住民被俗稱「黑小子」（blackboy）的樹木取代。博伊德藉此暗指1960年代之前被排除在人口普查與公民權外的澳洲原住民，他們一直跟動植物而非白澳歸在同一類，博伊德也藉此對虛構的「無主之地」（terra nullius）做出點評，無主之地的說法是澳洲殖民史以及原住民在白澳歷史上長久隱形的基礎所在。如今，舉起手臂的班克斯是想把庫克的注意力吸引到那些樹木而非人民身上；他的熱情傾注在風景之上（很符合他的人設，寧願用「植物」而非當地居民為地方命名）。法

＊ 博伊德畫作的名稱引自魏斯・安德森（Wes Anderson）的電影《海海人生》（*The Life Aquatic with Steve Zissou*, 2004）。它侵蝕了法克斯畫作裡的敘事門面和它所宣稱的歷史準確性，並提醒觀眾真相就在旁觀者眼中。

克斯畫裡的那兩名男子也可被當成樹木——如果真是樹木，班克斯和庫克的態度或許會更為尊敬。

在博伊德所呈現的圖像中，有個機會存在。他的作品犀利，切中殖民主義的暴力本質，但它的整體框架是幽默的。他對庫克的看法依然是個殘忍之人，但他提出這種嘲弄的抵抗，一種反咬的方式。參照陳腔濫調的海盜形象乍看很搞笑，但當人們想到庫克與他的殖民後裔所犯下的無情竊盜與謀殺時，就會覺得這類比相當合理。博伊德在畫中放入他的自畫像，一方面回顧了普穆威的故事，同時也為原住民再現的敘事騰出空間，將它放回它所屬的故事。他採用這個痛苦至極的圖像——一個被當成戰利品保存下來的人頭——並讓該圖像成為澳洲殖民初期暴力圖像的核心。帕雷考海呈現的庫克，陷入沉思，似乎正在面對自身行為的後果，博伊德沒採用相同路徑，而是把焦點放在這些人對原住民所採取的傲慢態度，表現出他們醉心暴力的模樣。

該如何紀念庫克登陸澳洲兩百五十周年？

跟著這些藝術家，我們又回到博物館空間。當我們談論再脈絡化或更換紀念碑時，這是最常見的建議：將它們帶進博物館，利用藝廊重構它們的歷史。我希望在這本書裡，我已經證明，在許多情況下，藝廊本身還沒加上紀念碑這筆時，就已經有夠多問題需要處理了。但這些主題的確需要連動解決。我仍然認為，除了徹底將雕像移除，否則以另一件作品延伸它的敘事往往是最有效的。碰到緬懷與紀念化的問題時，博物館必須成為解決方案的一環，因為它們就是問題的一部分。海德公園與新南威爾斯

藝廊的氛圍天差地遠，而這正是可資利用的元素。庫克的所有雕像彼此訴說，構成更廣泛的對話，影響我們對這些人物的看法。如果博物館能執行框架這些人物的基本功，那麼無須典藏它們，就能影響人們對這些紀念碑的理解。當博物館給帕雷考海和博伊德這類藝術家一個平台，上述情況就有可能實現，但還可以更進一步，以學習空間的身分承擔更大責任——真正嚴謹、深入、富有教育性的工作，新的詮釋文本或語音導覽或真人導覽，可廣泛取得的意向聲明，全面處理所謂國族英雄的影響，展示國族認同有多脆弱、多流動、多常沉浸在暴力之中。英雄、沉思者、海盜，這些形象沒有一個是庫克的完整再現，但都反映出他故事裡的某些元素。它們當中沒有哪一個比其他更準確或更具代表性，因為不可能創造出一個能訴說故事全貌的形象。總是會遺漏什麼，而為紀念碑的骨架添上血肉，為不完足的雕像賦予細節，正是緬懷與詮釋必須做的，也是博物館在此過程中可以發揮的角色。

在我看來，雪梨市議會似乎不太可能同意移除伍納的庫克雕像，尤其它旁邊的麥格理雕像是2013年剛樹立的。不過，倒是有重構的空間。基座上的銘文可以換掉，或用一層新的詮釋予以更新——比方拆解當初將庫克提升到這般地位的意識形態。在慶祝庫克登陸澳洲兩百五十週年的此刻，我們有很大的機會。對一個至今仍在慢慢消化隨殖民主義而來的種族大屠殺的國家而言，該如何標記殖民主義先鋒隊的到來才適切呢？2018年4月，當時的財政大臣和日後的首相史考特‧莫里森（Scott Morrison），宣布將斥資三百萬澳幣於2020年在庫內爾－植物學灣）（Kurnell-Botany Bay）舉辦一場別開生面且顯具包容性的活動，紀念庫克抵達澳洲，2019

年1月還追加了六百七十萬澳幣，仿製了一艘庫克船艦繞行澳洲一圈——
這是庫克未曾做到的壯舉。[8]*可以合理假設，由政府主辦的紀念活動大多
傾向保守，但對於最倒退的做法將會是很大的阻力。[9]*

　　我知道我也是這問題的一部分，但我認為，2020年紀念庫克到來的
最佳方式，就是不要談論他。拆除他的雕像或將雕像重獻給其他人，用它
們來紀念那些抵抗他的到來以及由他所掀起的殖民浪潮的原住民。減少對
此人的關注，他在澳洲的時間極其短暫，對他闖入的歷史與文化更是一無
所知，應該利用這個機會來強調原住民社群的耐受力。利用帕雷考海帶來
的沉思，仔細思考這些人和這些行動留下的遺緒。保持博伊德圖像的幽默
和剖切，尋找那些未被緬懷的圖像。想像一下，如果2020年是個歸還之年
（Year of Restitution）：博物館將祖先的遺骸歸還給它們所屬的社群，將
偷走的文物歸還給創作它們的民族；議會與政府承認原住民的土地權，讓
各地恢復原住民的地名；或許還可制定條約，承認未割讓的原住民主權。
這才是紀念庫克抵達澳洲兩百五十週年唯一適切的方式。

---

* 繞行澳洲一圈的最早紀錄是在1801到1803年間由英國探險家馬修・福林德斯（Matthew
　Flinders）和邦加里（Bungaree）創下，後者是庫嶺蓋民族（Kuringgai nation）的原住民。

* 1988年，四萬多人展開遊行，反對第一艦隊抵達雪梨兩百週年慶祝活動，並宣稱該年為「哀悼
　年」（Year of Mourning）。

22. 回歸

Return

一名男子等待椰棗送來。

　　這些水果，連同紐約布魯克林區的一家臨時商店，構成《回歸》（Return，參見圖24）這件藝術品的部分內容。伊拉克裔美籍藝術家麥可・拉柯維茨（Michael Rakowitz）在2006年10月1日到12月10日之間經營這家商店，取名為「達維森氏商號」（Davisons & Co），紀念由他祖父經營的進口生意，他祖父是一位難民，1940年代與家人逃到美國。1990年8月，聯合國因為伊拉克入侵科威特宣布實施貿易制裁，這批椰棗是自那之後，第一批在美國販售且明白標註來自伊拉克的產品。*長達好幾個月的旅程，基本上重演了難民離開伊拉克的路線，因為第一批企圖運送的兩百箱椰棗，在巴格達與約旦邊境來來回回好幾個星期。當最後終於抵達大馬士革時，它不被放行，因為椰棗受損嚴重，不可能通過美國海關。最後，運量大減，只有十箱以空運投遞，12月4日運抵商店。

　　這故事的重點並非椰棗，而是椰棗對拉柯維茨和他的顧客與合作廠商意味著什麼，以及合作廠商將椰棗送抵達維森氏商號的歷程。這故事

＊　伊拉克製的產品持續在美國販售，但會包裝成來自黎巴嫩、敘利亞或沙烏地阿拉伯，以規避制裁。

的每個階段，從種植、運輸、販售、食用，都具有某種儀式意義，成為包括拉柯維茨家人在內的伊拉克難民之旅的替代品，並為那些無法返鄉之人提供失去的故鄉滋味。《回歸》與塔妮雅・布魯格拉的作品（參見第十八章）一樣，同屬於關係型、社會型的藝術體驗，但情感比重大不相同。拉柯維茨的作品是以參與者的經歷以及吃下椰棗之後所留下的記憶與關係製作而成。這並非拉柯維茨可以編排的內容，最後的作品也轉瞬即逝：計畫結束後沒留下任何實體事物（除了網路上的商店日誌），但這故事的每個階段都留下記憶，並溫柔改變了見證者的人生。

最後這章的主題是《回歸》和它的象徵意義，以及拉柯維茨探討食物與記憶關係的其他作品。在我們目前看過的藝術作品裡，沒有一件是探討流離失所與尋求庇護後的餘響。雖然拉柯維茨的手法與那些重新詮釋不平等歷史的作品類似，但把焦點集中在更晚近的經驗，讓我們看到一種特別具有建設性的意圖。作品完成之後，那些因這項計畫相互結識之人，可以將彼此的關係延續下去，進一步探討從伊拉克進口貨物的可能性。《回歸》的目的，是要滋養出一個比作品更長壽的社群。

刻板印象和恐懼壓制伊拉克豐富歷史文化

拉柯維茨選擇進口椰棗是著眼於它們在伊拉克的文化與歷史意義。椰棗是伊拉克的重要產物，甚至有「家有棗椰不會挨餓」的諺語。椰棗曾經是伊拉克的主要出口品，僅次於石油，但2003年該國棗椰的數量只有1970年代的十分之一。[1]直到今日，要將產品從伊拉克運到美國依舊難如登天，而《回歸》的靈感有部分就是來自於他得知某罐標籤上寫著黎巴嫩

272

製的椰棗糖漿其實是伊拉克製，只是為了避開貿易制裁而經由敘利亞和
黎巴嫩運往美國。[2]《回歸》展演期間，達維森氏商號販售的產品裡，就
有一罐伊拉克巴斯拉（Basra）產的椰棗糖漿，但標籤上卻寫著「荷蘭產
品」——「胡說八道，荷蘭根本沒有棗椰林」——是經由加拿大進口，儘
管貿易制裁在2003年美國入侵之後正式解除，但這個怪異複雜的系統依然
存在。[3]其他產品包括從伊拉克剪枝在加州插條繁殖的椰棗，用偽裝成沙
烏地的伊拉克椰棗製成的棗泥餅，依照時間順序沿著牆面一字排開的伊拉
克棗椰生產史，以及拉柯維茨祖父一生中使用過的各種伊拉克國旗，藉此
展示椰棗進口的複雜性以及伊拉克在過去一個世紀裡的激烈變化。

　　當第二批總數十盒的椰棗終於運到美國時，被一名心有疑慮的海關
官員擋下，既然上頭標示著「伊拉克產品」，那肯定是非法進口。拉柯維
茨寫到這段軼事時，如此描述椰棗：「一種引人質疑的果實。一項在文化
上似乎不可能的產品。一趟會使其行經路線遭到非議的貨運。」[4]從一個
在西方人民想像中主要出現在戰爭脈絡裡的國家進口這種食物，變成一種
創作方式，用來質疑刻板印象和恐懼如何漸漸壓倒了伊拉克豐富的歷史。
話雖如此，椰棗並非這件藝術品的重點。作品目的是藉由這些果實訴說它
們的艱難旅程。作品進行期間，達維森氏商號也充當代收點，免費讓民眾
寄送包裹給伊拉克的親友。這家商號變成一個可進行情感對話的社群焦點
空間。

探索流離創傷的情感避風港

　　在許多方面，《回歸》都是布魯格拉作品所滋長的對抗經驗的反

例。他處理的經驗也是由創傷塑造並深受影響，但這件作品並非使參與者重受創傷，而是變成探索創傷故事的一種方式。這裡有一個社群——拉柯維茨在他的商號日誌中清楚說明了這點，當他與參觀者談及信仰、食物和個人的遷移故事時，這家臨時商店的空間就開始充當情感避風港。2006年11月5日商店開張那天，適逢海珊被判處死刑：在參觀者討論該起事件、分享和聆聽伊拉克記憶的小互動中，拉柯維茨營造出一種療癒氛圍。

　　值得拿它對照泰國藝術家里克力・提拉瓦尼亞（Rirkrit Tiravanija）的作品，後者是社會型藝術最常被引用的人物之一。提拉瓦尼亞的作品經常迴避批判或自省，創造全然積極的體驗。他的作品經常與分享食物有關，藝術家準備的食物，以及社區或居家空間的娛樂。英國藝評家克萊兒・畢曉普（Claire Bishop）論及提拉瓦尼亞的作品時，引用了一篇評論，藝廊空間在文中變成「拓展人脈」（networking）的場所，培養出一個內團體，讓該空間充滿「深夜酒吧的氛圍」。[5]它變成一個「微托邦」（microtopia）—— 一個迷人溫暖的社交空間，這是當然，但裡頭只有窄窄一圈自我篩選過的觀眾，大體屬於在藝術圈裡熟悉自在的文化群體。拉柯維茨的觀眾顯然也是自我篩選過的：在商店日誌中留下互動紀錄的，大多是和伊拉克或該區有連結之人，或分享了類似的遷徙流離之人，其他則是在得知這是一項藝術計畫之後慕名前來的。日誌中也有一些負面的碰撞——有參觀者抱怨椰棗的價格；拉柯維茨把11月20日的一位參觀者形容成「自商店10月開幕以來碰到的第一個混蛋……自滿、無知、粗魯、刻薄」。但這類參觀者少到驚人，在《回歸》中占居主導地位的空間故事，是介於布魯格拉的騎警對抗與提拉瓦尼亞的健康和諧之間。拉柯維茨的作

為更加深刻，還有一種目的感存在於他與生產和運送椰棗的農夫的關係裡，因為他們能收到款項還能在作品中扮演如此突出的角色。這種脈絡感創造出巨大差異。拉柯維茨為他們的故事提供平台，並在某種程度上為了「商店日誌」而詮釋他們，但整體而言，他支持將那家商店當成一個場所，可讓人們前來建立他們自己的關係，選擇分享或聆聽經驗，建構出可能比故事本身更長壽的連結。這關係是由對抗主義塑造而成，但它也是在黑暗中尋找光亮的關係。

用椰棗親近一個飽受誹謗的文化

　　《回歸》是由「創意時代」所贊助——卡拉・沃克的《糖雕》（參見第二十章）也是由同一組織在背後支持，所以，關於作品與主辦單位所在社區之間的關係，也必須牢記在心。沃克在多米諾糖廠展出的「糖寶貝」，是威廉斯堡藝術洗錢以及新住宅開發案的一部分。在這同時，一小時步行路程之外的大西洋大道（Atlantic Avenue）五二九號，位於波恩蘭姆小丘（Boerum Hill），這塊地區曾被暱稱為「小黎巴嫩」，但在2006年拉柯維茨經營該店時仕紳化。在這兩個案例裡，藝術裝置都是這個過程的一環，在經歷社經轉型的區域裡占用空置的地產。拉柯維茨的作品比較長壽，部分來自於他和薩哈迪美食（Sahadi Fine Foods）的關係，薩哈迪美食是該區一家備受喜愛的中東雜貨店，協助推動合法進口椰棗，並與伊拉克的種植者保持良好關係。《回歸》的觀眾群比較小，而拉柯維茲希望在場並與觀眾互動這點，也帶來不同的結果，整體而言，這個計畫為其觀眾帶來一種近乎療癒的感受。伊拉克裔的參觀者嚐到故鄉滋味，去過伊拉克

的訪客得到回憶，而那些毫無連結之人則是透過椰棗的牽線親近了一個飽受誹謗的文化。

椰棗的包裝就是個很棒的範例。拉柯維茨讓椰棗種植者自由設計椰棗的盒子，因為這是十幾年來第一批貼有「伊拉克產品」標籤的美國進口品。他們決定貼上一張棗椰圖以及伊斯塔門（Ishtar Gate）和巴比倫獅子的照片。盒子上的伊斯塔門其實是規模小了許多的重建版，原始的城門在1900年代於巴比倫挖掘出土，如今陳列在柏林的佩加蒙博物館（Pergamonmuseum）；重建的城門是巴比倫遺址重建計畫的一部分，1985年由海珊下令動工。獅子的照片加註了「真品」字樣：它依然聳立在伊拉克的出土地附近，今日的希拉（Hilla）城。[6]這個包裝盒的設計，對於故鄉、歷史和原真性的意義有一種真誠且富有感情的洞察。「真品」的召告，對巴比倫的指涉，都是在訴說一則自豪堅毅的故事，渴望連結到比伊拉克近代史更深層的國族認同。包裝盒的風格會令人聯想到俗氣的明信片，一種「希望你在這裡！」的美學，由於這些產品是被當成代表送往美國，衝擊尤其強烈。雖然是個微小動作，但請種植者設計自己的包裝盒時，拉柯維茨是在培養一種同理空間，在那裡可以看到一群人以他們希望的方式被觀看，而非透過戰爭報導的濾鏡。

在「商店日誌」中一以貫之的，是對「thikra」的指涉，意思是「記憶、鄉愁、家鄉味」，更字面的說法是「對摯愛家園塵土的記憶」。[7]這就是椰棗可提供的，將記憶的滋味帶給遠離家園、無法回歸之人，這也是那些盒子想以視覺方式再現的東西。我們想從中得到慰藉的滋味與食物，是造就我們是誰的一大基底；伴隨我們長大的口味，跟其他更具體的文物

一樣，塑造了我們的文化認同。當我們重新嚐到這些滋味，特別是當這類滋味不再可得時，總會激起深刻的情感。不過這裡的利害得失可是比普魯斯特時刻（Proustian moment）大多了。

不只失去家鄉味，更有缺席的文化遺產

拉柯維茨利用食物創造社群關係的做法，在他的其他作品中甚至更加明顯。《敵人廚房》（*Enemy Kitchen*）一開始是烹飪班，教紐約的小學生烹煮伊拉克食物，後來變成一輛餐車，兩名工作人員分別是以難民身分來到美國的伊拉克主廚，以及曾在伊拉克打仗的美國陸軍退伍老兵。拉柯維茨還出版了一本食譜，名為《家有棗椰不會挨餓》（*A House with a Date Palm Will Never Starve*），書中的每一道菜都使用了椰棗糖漿。這些計畫中的不變常數，就是將分享食物當成一種政治行為——不是做為私人藝廊裡的封閉團體的一部分，而是在藝廊之外更公開的空間裡，盡其可能做到包容與溫暖。一個自1990年代起就被當成美國敵人，受到嚴重刻板化與扭曲的文化和社群，藉由這種方式讓它的人性得到理解與承認。拉柯維茨透過這些人性化的溫柔目光，為某些更真誠的東西騰出空間，如果人們樂意接受。

《看不見的敵人不應存在》（*The Invisible Enemy Should Not Exist*）可說是拉柯維茨最著名作品，他將2003年入侵巴格達後伊拉克國家博物館（National Museum of Iraq）遭到偷竊、摧毀或失蹤的古物和文物重新製作出來。他利用博物館的紀錄、照片和國際刑警組織的數據，為一萬五千件失蹤文物當中的一部分，製作了實物大小的模型。[8]*重製品是用包裝

紙、罐頭、盒子之類的食物包材和報紙製作，會令人聯想到那些文物，但並非維妙維肖。它們的美感屬於深情又細緻的手工藝，而非博物館級的摹製品，這正是它們的魅力之一。它們的目的並非做為替身，而是做為「鬼魂或幽靈」，讓人想起原作的缺席。[9]這件作品再次與食物有關，拉柯維茨利用這些短命的碎片引伸出這些重製文物的脆弱性，承受不了時間與政治的流變。展出時，模型旁邊放了描述原作的說明牌，還有一些引文，內容來自策展人、展覽專刊和美國陸軍軍官講述國家博物館及其遭劫的故事。這些模型縈繞人心，以一種因為幼稚而更顯動人的方式再現了毀壞程度。這項計畫溫柔至極，利用回憶和「thikra」的親密感來呼應遭到破壞的文化遺產。失去之物無法替代，我們能做的，就是為它們持守空間。

從失落之處生出新物

這就是我選擇以拉柯維茲收尾的原因。他的作品存在於一個充滿情感的空間，一個由衝突與破壞塑造的世界。在《看不見的敵人不應存在》裡，他從失落之處生出新物——並非抹除或取代原作，也未將缺席的重量減到最低，而是從廢墟中打造出可做為遺囑之物。它是某種覆寫（palimpsest），創造新的但不隱去先前存在之物，是對殘骸的尊重。這是充滿希望但非天真無知，它提供一種方式讓我們感受悲傷，從中成長。在《回歸》與《看不見的敵人不應存在》裡，拉柯維茨真心誠意提供新的

＊ 莫有八千件已經歸還伊拉克國家博物館，而且很可能會有更多文物從私人典藏中浮出檯面。波灣與伊拉克戰爭期間就跟所有的衝突時代一樣，有大量藝術文物從博物館和考古遺址遭到洗劫，賣往海外。

社群關係，一步步朝著社群的永續邁進，但未宣稱要用他預製的解決方案
來解決所有人的問題。他是一位體認到自身局限的催化者。他的作品之所
以如此有效，是因為發自真誠並帶有一絲嬉戲；他有一種輕盈的觸動，能
讓作品的情感重量更加深沉，他溫柔地雕刻氣氛，並不魯莽搶快，為觀眾
的反應代言。讚美拉柯維茨，並不表示其他藝術家必須複製他的模式，而
是這些作品所提供的意圖與精神，有值得學習之處。它們願意與黑暗的主
題搏鬥，但以溫柔的步伐趨近，願意為道德或政治訊息留出喘息的空間，
但保證會讓訊息清晰呈現。它們願意為觀眾的聲音與體驗留出空間，不強
迫他們表演。這是我一直在尋找的樂觀調子，但並非以活潑積極的形式出
現。反之，它是一種移動的能力，帶著謹慎與溫柔，邁向深植在記憶裡的
一個處所，並企圖在裡頭創出新物。我們迎向改變，但靠的並非遮掩已經
造成的傷害，而是護理傷口，接受傷疤。

Conclusion

結論

　　國際博物館協會（International Council of Museums, ICOM）是一個全球性的非政府組織，就博物館的角色與倫理為聯合國教科文組織和聯合國提供諮詢，2019年，協會企圖重寫博物館的定義。現有的定義已經存在五十年，將博物館描述為：

　　非營利的永久性機構，為社會及其發展服務，向公眾開放，負責取得、保存、研究、傳達和展示有形及無形的人類與環境遺產，以促進教育、學習與娛樂等目的。[1]

　　他們擬定的修正案，建議將博物館的定義改成：

　　一個讓過去與未來進行批判性對話的空間，具有民主性、包容性和多音性（polyphonic）。博物館面對並處理現今的衝突與挑戰，為社會信託保管文物與標本，為未來世代保存多元記憶，並確保人人對遺產享有同等權利和同等近用。

　　博物館不為營利。它們具有可參與性和高透明度，與各類社群積極合作，並為各類社群進行典藏、保存、研究、詮釋與展示的工作，增進人們對世界的了解，冀望對人類尊嚴、社會正義、全球平等及地球福祉做出貢獻。[2]

　　這改變極富戲劇性——保留了相同的定義本質，但使用更具感召性

的語言。它更同理，認知到博物館的情感力，以及做為社群場所的潛能。最後，這個新提議因為太受爭議而延遲表決，有人覺得太政治，也有人覺得太模糊。國際博物館協會的爭辯並未在一個非常小眾的圈子之外造成什麼衝擊，甚至連新聞都沒報出，但如此這般的理論議題竟然能在當代博物館界掀起波瀾，可見這個圈子有多焦躁。

協會提出的新定義很烏托邦，並不實際。它再現了博物館的理想形態，而非它們的現況。它所引發的強烈反對，讓我們看到博物館界的認同危機。有一些博物館樂見它們的機構成為社會變遷與行動主義的場址，另一些博物館則滿足於繼續扮演文化轉變的紀錄保存者，兩者間的分歧日益加深。

前仆後繼的抗議與變革

促使博物館更積極而非更被動的舉措，已經建立了一段時間。2014年，維多利亞暨亞伯特博物館開創一個「快速回應」（rapid response）策展方案，致力典藏一些被認為即時相關的文物；到目前為止，典藏的內容包括一支3D列印手槍，來自某個祖先網（ancestry website）的基因檢測套件，以及電子菸。[3] 史密森學會美國國家歷史博物館（National Museum of American History）和紐約市博物館（Museum of the City of New York）等機構，已經開始呼籲民眾將抗議後的標語牌保留下來，捐贈給它們。[4] 也有私下進行的部分，例如將恐怖攻擊和大規模槍戰現場留下的致意悼詞建檔典藏，包括2017年5月發生在英國的曼徹斯特體育場爆炸案。[5]

近十年來，博物館本身也比以前更常成為抗議的焦點，反對的矛頭

尤其指向博物館的贊助者。行動主義者特別關注那些接受石油公司和武器製造商贊助的機構，後者利用與藝廊的關係來洗白他們的公共形象。[6]自2016年起，行動團體「此地去殖民」會在每年的原住民日（又稱哥倫布日）接管紐約的美國自然史博物館，方便主權原住民族的成員占領博物館，並對館內再現的原住民族歷史進行導覽。2019年的惠特尼雙年展贏得「催淚瓦斯雙年展」（Tear Gas Biennial）的曜稱，這和華倫・坎德斯有關，他是武器製造公司沙法利蘭（Safariland）的總裁，也是惠特尼董事會的成員之一；藝術家撤回雙年展的作品以示抗議，直到坎德斯於2019年7月辭去董事會的職務。[7]「P.A.I.N」團體是在2017年由藝術家南・戈丁創立，攻擊薩克勒家族（普渡製造〔Purdue Pharma〕的所有人，該公司製造並販賣疼始康定〔OxyContin〕，一種會讓人成癮的鴉片，參見P.234）以及他們對藝術機構的捐款。2019年7月，埃及小說家阿達夫・蘇維夫（Ahdaf Soueif）辭去大英博物館董事一職，並發表公開聲明，抨擊博物館在歸還文物方面的个作為，以及該館持續與贊助商英國石油公司和「那些在我們眼前破壞世界之人」合作（當時，這篇聲明有如轉捩點，工作人員聲援蘇維夫，而且有那麼一刻，它似乎就要成為這波辭職潮裡第一塊倒下的骨牌，但事情再次平息下來，浪潮未起）。

不過，壓力有效，藝術機構似乎終於學到教訓。這些進展都很緩慢，但每一次的辭職或劃清界線都讓藝廊的資助來源更符合道德要求，每一次的行動都讓輿論更加反對有問題的公司企業。不過，並非每次行動都保證有效，而其效果往往要到機制內部出現更普遍的文化變遷與個人改變才會顯現。

博物館並不中立

我在這些組織中沒有任何官方角色，也未涉入深層的內部運作，但我可以告訴你們，大多數的個人員工都會受到機構規劃、風格指引、官方管控與立場的束縛，這些束縛來自於理事會或董事會，但經常會被員工內化到無法或不願質疑的程度。話雖如此，背後往往還有更大的力量從未曝光，而做為個人，確實很難採取可能危及自身飯碗的立場，特別是在這樣一個岌岌可危的行業。不過，這太常成為不作為或推卸責任的藉口。*在我的經驗中，這意味著，如果要讓藏品與社會相關，鼓勵參觀者以批判態度思考展出的作品，那麼首當其衝的，會是學習與公眾服務部門，因為日復一日在展廳中與民眾交談的就是他們——他們的工作就是轉譯，不僅轉譯文物，還要轉譯策展敘事。而且，有時，來自館外帶著可能沒得到授權的導覽團體的人，也會做相同的事。

博物館並不中立（Museums are not neutral）。[8]*與博物館相關之事沒有一樣是自然而然，但它們是理解人類社會的實驗室。在博物館牆內發生的一切，都反映了外在世界，雖然我們的行為和觀看方式會受到機構建築和意識形態的哄誘，但基本上還是我們帶進去的。

國際博物館協會提出的新定義充滿希望。這是一份意向聲明，而非博物館必須遵循的正式指導方針，為博物館可以再現的內容提供一次契

---

* 我也遇過許多博物館工作者認為唯一的出路就是單一敘事，「客觀」展示。他們的確是一群發聲小眾（vocal minority），而且「#不全是策展人」（#NotAllCurators），但這種取向至今依然令人沮喪地普遍——無論是出於選擇或習慣使然。

* 2017年，拉坦雅·奧瞿（La Tanya S Autry）和麥克·穆拉夫斯基（Mike Murawski）開始在推特上用這個詞彙當主題標籤，並將它印成T恤，做為挑戰這種被動性的運動的一部分，他們二人惠我良多。

機。從這個角度看,那股強烈的反對力量看起來很保守:為何博物館不想「對人類尊嚴、社會正義、全球平等及地球福祉做出貢獻」?這種不情願的聲音通常來自博物館館長與資深館員,而這也顯示出,不願改變的底下有一種更深層的偏執。他們害怕,如果採取進步、包容的明確立場,會使博物館疏離它的核心觀眾。

保有既有觀眾,拒絕改變

　　這種論點我聽過不知多少次,通常來自策展人[9]和資深館員:博物館的訪客不想看奴隸制度、暴力和帝國的歷史,如果我們把焦點擺在這裡,會流失客群。如果我們採取明確立場,歡迎並歌頌酷兒認同,或各式各樣的性別表現,會引發太大爭議。無論機構大小,這種態度到處可見:國家級典藏的藉口是,它們必須歡迎來自全球的觀眾,以此為重點,小型博物館則是暗示,它們的觀眾比較喜歡溫馴、保守的做法。並非所有博物館都這般媚俗,但說到底,人家的意思都一樣——我們寧可保住既有的觀眾,拒絕譴責他們的種族主義,默默接受他們的所有偏執,也不願推動他們改變,或去發掘新觀眾。保持被動是一種選擇,它是共謀的標誌,是一種默許,認為現狀很好,而且有足夠多的資深館員樂於保持現狀。

　　2018年5月,我去劍橋的考古學與人類學博物館（Museum of Archaeology and Anthropology, MAA）參觀《拿取》（*take-hold*）展。[10]*

---

* 　《拿取》這項計畫是由藝術家聯盟「非零一」和藝術家希拉・格拉尼（Sheila Ghelani）創作,由劍橋考古學與人類學博物館委製。

我拿到一副耳機，一條毯子將我裹住，一支載有語音導覽的手機引導我在展間走動。那體驗宛如夢境，三個聲音在我耳邊低語，最後引導我上樓，來到一只手鐲前方，手鐲擺在開放式台座上，語音導覽告訴我，如果願意，我可以自由拿取、戴上、帶走——自那只手鐲擺在那裡將近六個月的時間裡，它總共被拿走並替換了兩次。在語音導覽即將開始之前，那些聲音要我以正常聲量複述他們的這句話：「我是訪客，我有權力，但我不是來這裡製造麻煩的。」

展覽結束後，有件事情困擾我許久。明明是很簡單的一句話，卻有莫名的重量。訪客當然有權力；他們當然有能力跟博物館對話。沒有他們，博物館就無法存在。凡是為了博物館應被尊奉為專業來源且保持「中立」而焦慮的機構，都是企圖分散訪客的權力，因為博物館想要緊抓住自己的威望。接著是第二句，承諾不製造麻煩。這裡的「麻煩」是由誰定義？我是不是不小心就發了誓，不疑有他地接受考古學與人類學博物館擁有藏品的所有權？*一方面擁有權力，一方面又乖乖聽話且舉止得體，這種二元性正是身為博物館訪客的核心所在。這裡的「麻煩」未必是砸了展櫃或從牆上拿走東西；對某些人而言，鼓勵人們思考代表性和能動性，或要求人們花點時間想想他們所在之地與這些歷史的關係，就是一種「麻煩」。再說一次，博物館並沒責任得去解決世上的所有問題，但有些時候，它們似乎連試都不想試。很多時候，害怕「麻煩」就是害怕改變。

---

* 我希望不是。考古學與人類學博物館典藏了庫克船長和班克斯取得的格威蓋爾魚叉，與格威蓋爾盾牌同一時間（參見第十一章）。格威蓋爾人也要求歸還那些魚叉。

去殖民是歷程而非終點

近來，有人指出，國族主義的興起以及對往日「輝煌歲月」的鄉愁，都得歸咎於歷史學家的失敗。不知何故，我們竟然自滿到讓法西斯主義回魂，而學院的大聲疾呼也不足以讓我們牢記。這說法有些誇大，但並非無稽之談。比方，大英博物館一位策展人表示，對他們的展間說明牌而言，亞洲名字有時太「令人困惑」；[11] 財政部慶祝英國公民終於在2015年以他們所繳的稅付清廢奴導致的負債；[12] 泰德英國館在它們的說明牌上寫著：「在印度殖民地，『正常的』道德規範並不適用」；[13] 不斷蔓延的錯誤訊息帶著隱藏的種族主義滲透到這些機構裡——或許該說，只是逐漸浮上檯面。博物館是記憶（remembering）之所，也是記錯（misremembering）之所。它們永遠無法再現完整的真相，但它們的委婉說詞與輕描淡寫倒是對歷史的選擇性遺忘和當代的侵犯行為發揮了積極作用。

這些空間永遠無法擺脫暴力：暴力是它們的基底，是它們典藏的源頭。我們全都生活在它的餘緒之下，而這種創傷與權力的傳承不會消失。基本上，博物館無法去殖民，除非打掉重練。[14] 此外，去殖民是歷程而非終點，而且必須由被征服的社群成員負責領導；它無法由上而下硬加在博物館的領導團隊上，因為領導本身就是機制結構的一環。我認為，去殖民必須源自外部，但要搭配來自機構內部的合作與開放。第一階段如下：博物館要放開自己，放棄一些控制，並開放敘事。一開始可以先承認這幾個世紀以哪些不誠實的手段取得典藏，接受它們有必要參與反殖民的工作，

然後經歷面對、挑戰與認可的過程。不當明目張膽的種族主義者，這樣並不足夠：你必須切切實實當個反種族主義者。

我們用故事定義自身，並為我們的努力播下未來如何被記憶的種子。我經常想起娥蘇拉・勒瑰恩（Ursula K Le Guin）的一段引文，內容是關於書寫一個虛構世界與講述歷史故事之間的相似之處：

過往的事件終究只存在於記憶中，記憶是一種想像。事件此刻為真，一旦它成為當時，它接下來的真實便完全操之在我們，取決於我們的精力與誠實。[15]

緬懷是一種政治行動，它也是過程而非目的。我們必須不斷重思、不斷重構我們記憶何人以及如何記憶。有時這意味著搬移紀念碑，或摧毀它們，或取代它們。它意味著，承認我們學習到的觀看方式是文化的產物，學會質疑哪些是根深柢固，哪些是出自本能。它意味著，從自覺開始：你有什麼負擔或特權，你繼承了什麼？

總是會有抵抗與堅韌之聲；總是會有藝術家和個人努力讓那些故事可見可聞。如果那些故事今日尚未出現，請向機構詢問原因。問你自己，它們可能在哪裡，找到它們，分享它們。當你要求一個更全面、更深入的歷史時，你並不是在刁難。你是訪客，你有權力，你可以製造麻煩，只要你願意。

註釋

導言 | Introduction

1. Linda Nochlin, 'Why Have There Been No Great Women Artists?', ARTnews, January 1971, pp. 22–39, 67–71.

Part I 宮殿型 | The Palace

Introduction
1. 「宮殿型」博物館的概念借自'From the Princely Gallery to the Art Museum', chapter 2 in Carol Duncan, Civilizing Rituals, Routledge, 1995, pp. 21–47。
2. Ibid., p. 22.

第1章 陶瓶與姿態 | Vases & Attitudes
1. Nancy H Ramage, 'Sir William Hamilton as Collector, Exporter, and Dealer: The Acquisition and Dispersal of His Collections', American Journal of Archaeology 94:3 (1990), p. 474.
2. 關於種族主義化、美學以及希臘羅馬雕刻之間的關係，可進一步參考Margaret Talbot, 'The Myth of Whiteness in Classical Sculpture', TheNew Yorker, 22 October 2018，網址：www.newyorker.com/magazine/2018/10/29/the-myth-of-whiteness-in-classical-sculpture [last accessed 25.01.20]。
3. Ian Jenkins and Kim Sloan, *Vases & Volcanoes: Sir William Hamilton and His Collection*, British Museum Press, 1996, p. 46
4. Ramage, pp. 471–2.
5. 與此主題相關的更多討論，參見L Burn, 'Sir William Hamilton and the Greekness of Greek Vases', *Journal of the History of Collections* 9:2 (1997), pp. 241–52，這篇文章探討了希臘出土品相對於伊特拉斯坎出土品的意義。
6. Ramage, p. 473.
7. Letter 282 from The collection of autograph letters and historical documents formed by Alfred Morrison : (Second series, 1882-1893) Volume I-III, A-D : the Hamilton & Nelson

papers. Cited in Ramage, p. 478.
8. 卡羅・加斯東（Carlo Gastone）1789年對愛瑪的描述，引自Claire Hornsby, The Impact of Italy: *The Grand Tour and Beyond, The British School at Rome*, 2008, p. 127。
9. Johann Wolfgang von Goethe, Italian Journey, trans. WH Auden and Elizabeth Mayer, entry for 16 March 1787, Penguin, 1970, pp. 207–9; Horace Walpole, letter to Mary Berry, 11 September 1791, *Horace Walpole's Correspondence*, Yale, 1944, vol. XI, pp. 348–51.
10. 關於這個主題的更多介紹，參見Alicia Craig Faxon, 'Preserving the Classical Past: Sir William and Lady Emma Hamilton', Visual Resources 20:4 (2004), pp. 259–73。

第2章 石棺 | The Sarcophagus
1. See 'Sarcophagus of Pharaoh Seti (or Sety) I, resting on four fluted stone columns': http://collections.soane.org/ object-m470 [last accessed 15.01.20].
2. Deborah Manley and Peta Rée, Henry Salt: Artist, *Traveller, Diplomat, Egyptologist*, Libri, 2001, p. 63.
3. Maya Jasanoff, *Edge of Empire: Conquest and Collecting in the East, 1750–1850,* Harper Perennial, 2006, p. 260.
4. Ibid., p. 261.
5. Donald M Reid, *Whose Pharaohs?: Archeology, Museums, and Egyptian National Identity from Napoleon to World War I*, ACLS History E-Book Project, 2003, p. 31; see also Christina Riggs, 'Ancient Egypt in the Museum: Concepts and Constructions', in Alan B. Lloyd (ed.), *A Companion to Ancient Egypt*, Wiley, 2010, pp. 1134–7.
6. John Britton, *The Union of Architecture, Sculpture, and Painting: Exemplified by a Series of Illustrations, with Descriptive Accounts of the House and Galleries of John Soane ...*, Longman, 1827, p. 50.
7. John Elsner, 'A Collector's Model of Desire: The

House and Museum of Sir John Soane', in John Elsner and Roger Cardinal (eds), *The Cultures of Collecting*, Reaktion Books, 1997, pp. 157–8.

第3章 皮特的鑽石 | Pitt's Diamond

1. Romita Ray, 'All That Glitters: Diamonds and Constructions of Nabobery in British Portraits (1600– 1800)', in Julia Skelley (ed.), *The Uses of Excess in Visual and Material Culture*, 1700–2010, Ashgate, 2014, p. 25.

2. 這段東印度公司簡史主要引自Shashi Tharoor's Inglorious Empire: What the British Did to India, C Hurst & Co., 2017。

3. Cornelius Neale Dalton, *The Life of Thomas Pitt*, Cambridge University Press, 1915, p. 243.

4. Ibid., p. 277.

5. Ray, p. 25.

第4章 供奉 | An Offering

1. 關於不列顛妮雅的更多故事，參見 Marina Warner, *Monuments and Maidens: The Allegory of the Female Form*, Vintage, 1996, pp. 45–9。

2. See, for example, Sylvie Chokron and Maria De Agostini, 'Reading Habits Influence Aesthetic Preference', *Cognitive Brain Research* 10:1–2 (September 2000), pp. 45–9

3. 關於帝國性政治的詳細分析，參見Durba Ghosh, *Sex and the Family in Colonial India: The Making of Empire*, Cambridge University Press, 2006, and Anne McClintock, Imperial Leather: Race, Gender and Sexuality in the Colonial Contest, Routledge, 1997。

4. Beth Fowkes Tobin, *Picturing Imperial Power: Colonial Subjects in EighteenthCentury British Painting*, Duke University Press, 1999, p. 119. 這種對於白種、女性、英國純粹性的執著，在維多利亞時代達到顛峰（參見第十章）。

5. 1976年印度事務處圖書館取得羅瑪的速寫，關於該件速寫的描述可見Mildred Archer in *The India Office Collection of Paintings and Sculpture: India Office Library and Records*, British Library, 1986, p. 74，不過今日無法借閱。

6. 關於這個主題詳見Tobin, chapter 1, 'Bringing the Empire Home: The Black Servant in Domestic Portraiture', pp. 27–55。

7. 關於該次饑荒的衝擊評估，詳見John R McLane, Land and Local Kingship in Eighteenth-Century Bengal, Cambridge University Press, 1993, pp. 194–207。

8. Bruce Lenman and Philip Lawson, 'Robert Clive, the "Black Jagir", and British Politics', *The Historical Journal* 26:4 (1983), p. 826.

9. Ibid., p. 812.

10. Richard H Davis, Lives of Indian Images, Princeton University Press, 1999, p. 168.

第5章 偽造的聖物 | Forged Relics

1. Wolfram Koeppe et al., *Decorative Arts in the Robert Lehman Collection at the Metropolitan Museum of Art*, New York, 2012, p. 99.

2. Dalya Alberge, 'Leonardo da Vinci Expert Declines to Back Salvator Mundi as His Painting', *The Guardian*, 2 June 2019, available at www. theguardian.com/artanddesign/2019/jun/02/leonardo-da-vinci-expertcarmen-bambach-says-she-wont-backsalvator-mundi-as-his-painting [last accessed 15.01.20]; http://artwatch. org.uk/the-leonardo-salvator-mundipart-i-not-pear-shaped-dead-in-thewater/ [last accessed 15.01.20].

3. 'The Art Museum as Ritual', chapter 1 in Duncan, pp. 7–20.

4. See Crispin Paine, *Religious Objects in Museums: Private Lives and Public Duties*, Bloomsbury Academic, 2013, p. 24.

5. Pippa Shirley and Dora Thornton (eds), *A Rothschild Renaissance: A New Look at the Waddesdon Bequest in the British Museum*, British Museum Press, 2015, p. 43.

6. Ibid., p. 34.

Part II 教室型 | The Classroom

Introduction

1. http://www.nationalarchives. gov.uk/currency-converter）。

2. *First Report of the Department of Practical Art* (London: Her Majesty's Stationery Office,

1853).

3. Giles Waterfield, *The People's Galleries Art Museums and Exhibitions in Britain,* 1800–1914, Yale University Press, 2015, p. 133.

4. Ibid., p. 136.

5. https://punch.photoshelter.com/ image/ I0000PBoyZi5RX54 [last accessed 15.01.20].

6. https://siarchives.si.edu/history/ general-history [last accessed 15.01.20].

7. www.vam.ac.uk/articles/building-themuseum [last accessed 15.01.20].

第6章 袋鼠與丁格犬 | The Kangaroo & the Dingo

1. Cook's journal entry for 24 March 1770, http:// nla.gov.au/nla.cs-ssjrnl-cook-17700624 [last accessed 15.01.20]; Parkinson's journal entry for 4 July 1770, http://nla.gov.au/nla. cs-ss-jrnl-parkinson-188 [last accessed 15.01.20].

2. 有關鴨嘴獸的描述來自1799年的大衛・柯林斯（David Collins）和約翰・杭特（John Hunter），不過柯林斯的日記要到1802才出版。George Shaw, *The Naturalist's Miscellany, or Coloured Figures of Natural Objects Drawn and Described Immediately from Nature, 1799,* vol. 10, pp. 228–32; Des Cowley and Brian Hubber, 'Distinct Creation: Early European Images of Australian Animals', *The La Trobe Journal* 66 (Spring 2000), p. 19.

3. John Hawkesworth, *An Account of the Voyages undertaken ... for making discoveries in the Southern Hemisphere and performed by Commodore Byrone John Byron, Captain Wallis, Captain Carteret and Captain Cook (from 1702 to 1771) drawn up from the Journals ...,* 3 vols, Admiralty, 1773, vol. III, book ii, opposite p. 561.

4. John Gascoigne, *Science in the Service of Empire: Joseph Banks, the British State and the Uses of Science in the Age of Revolution,* Cambridge University Press, 2010, p. 38.

5. Maria Nugent, *Captain Cook Was Here,* Cambridge University Press, 2009, p. 31.

6. Arts Council England 'Expert adviser's statement': www.artscouncil.org. uk/sites/default/files/download-file/ ea_statement_

stubbs.pdf [last accessed 15.01.20].

7. Royal Museums Greenwich: https:// travellerstails.co.uk/work/ [last accessed 15.01.20].

8. www.sl.nsw.gov.au/stories/bowmanflag [last accessed 15.01.20]; www. nma.gov.au/explore/ features/ aboriginal_breastplates/emu_and_ kangaroo_designs [last accessed 15.01.20].

9. www.smh.com.au/entertainment/ art-and-design/british-campaignends-national-gallery-of-australiasbid-to-buy-historic-animal-art20131106-2x1t9.html) [last accessed 15.01.20].

第7章 麥伊 | Mai

1. 班克斯的「奮進號」日記，1769年7月12日，參見https://en.wikisource.org/wiki/The_ Endeavour_Journal_of_Sir_Joseph_ Banks [last accessed 15.01.20]。

2. Jocelyn Hackforth-Jones, 'Mai/ Omai in London and the South Pacific: Performativity, Cultural Entanglement, and Indigenous Appropriation', *Material Identities,* January 2007, p. 17

3. Ibid., p. 26.

4. Salmond, pp. 311, 212.

5. Caroline Turner, 'Images of Mai', in Michelle Hetherington and Iain McCalman (eds), *Cook and Omai: The Cult of the South Seas,* exh. cat. Canberra, 2001, p. 26.

6. 參見Fanny Burney對麥伊大禮服的描述，引自Hackforth-Jones, p. 18。

7. 關於將麥伊的衣著解讀成大溪地服飾，參見Turner。

8. Turner, p. 27.

9. Ibid., p. 24.

10.關於這齣啞劇的更多資料，參見Christa Knellwolf, 'Comedy in the OMAI Pantomime', in Hetherington and McCalman (eds), Cook & Omai: The Cult of the South Seas, exh. cat. Canberra, 2001, pp. 17–22；關於歐麥伊的性政治以及他與倫敦的關係，參見Laura J Rosenthal, Infamous Commerce: Prostitution in Eighteenth Century British Literature and Culture, repr. edn, Cornell University Press, 2015, chapter 7 'Risky Business in the South

Seas and Back' (pp. 179–98)。

11. See www.theartnewspaper.com/ news/british-government-gives-11thhour-permission-for-omai-to-leave-uk [last accessed 15.01.20].

12. Mary Louise Pratt, Imperial Eyes: Travel Writing and Transculturation. Routledge, Taylor & Francis Group, 2017, p. 8.

13. 關於這個主題，參見James Clifford, 'Museums as Contact Zones', in Routes: Travel and Translation in the Late Twentieth Century, Harvard University Press, 1997, pp. 188–219。

第8章 邁索爾的老虎 │ The Tiger of Mysore

1. 更多相關主題請參見 Kate Brittlebank, 'Sakti and Barakat: The Power of Tipu's Tiger: An Examination of the Tiger Emblem of Tipu Sultan of Mysore', Modern Asian Studies 29:2 (May 1995), pp. 257–69.

2. 其中有幾件收藏在博物館的典藏中。See, for example, https://collection.nam.ac.uk/detail.php?acc=1961-11-32-1 [last accessed 15.01.20].

3. https://thediplomat.com/2015/11/ setting-the-record-straight-on-tipusultans-legacy-in-india/; www. hindustantimes.com/india-news/ tipu-sultan-died-historic-deathfighting-british-president-kovind/ story-eMM1Udq76E9b0D0rBwrylO. html [last accessed 15.01.20].

4. Richard H Davis, Lives of Indian Images, Princeton University Press, 1999, p. 153.

5. Sir Henry Yule的Hobson-Jobson: A Glossary of Colloquial Anglo-Indian Words and Phrases (new edn, ed. William Crooke, J. Murray, 1903)是一本半字典和半回憶錄，記錄了英國殖民地印度的辭源學、翻譯與軼事：關於「洗劫」，參見https://dsalsrv04.uchicago.edu/cgi-bin/app/hobsonjobson_query.py?qs=LOOT&searchhws=yes [last accessed 15.01.20].

6. See www.indiatoday.in/world/story/uk-family-finds-indian-treasure-worthmillions-looted-under-british-rulelying-in-attic-1473309-2019-03-08 [last accessed 15.01.20]; auction update www.thehindu.com/news/ international/tipu-sultans-gunfetches-60000-at-uk-auction/ article26656379.ece [last

accessed 15.01.20]. 2015年，三十件來自斯里蘭加帕特納的文物在邦瀚斯（Bonhams）拍賣行以六百萬英鎊價格賣出：www.bonhams. com/ press_release/19055/ [last accessed 15.01.20]。

7. See Sarah Longair and Cam Sharp Jones, 'Prize Possession: The "Silver Coffer" of Tipu Sultan and the Fraser Family', in Margot Finn and Kate Smith (eds), The East India Company at Home, 1957–1857, ULC Press, 2018, pp. 25–38.

8. Sadiah Qureshi, 'Tipu's Tiger and Images of India, 1799–2010', in Sarah Longair and John McAleer (eds), Curating Empire: Museums and the British Imperial Experience, Manchester University Press, 2012, p. 213.

9. Davis, p. 171.

10. Qureshi, 'Tipu's Tiger and Images of India, 1799–2010', p. 210.

11. St James's Chronicle, quoted in Susan Stronge, Tipu's Tigers, V&A Publishing, 2009, p. 62.

12. Walter Benjamin, 'The Work of Art in the Age of Mechanical Reproduction', in Illuminations, ed. Hannah Arendt, Fontana, 1968, pp. 214–18.

13. Abby Phillip, 'Families infuriated by "crass commercialism" of 9/11 Museum gift shop', Washington Post, 19 May 2014, available at https:// www.washingtonpost.com/news/ post-nation/wp/2014/05/19/familiesinfuriated-by-crass-commercialismof-911-museum-gift-shop/ [last accessed 15.01.20]; www. nytimes. com/2018/08/03/arts/fake-newsshirt-newseum.html [last accessed 15.01.20].

第9章 廢奴主義者 │ Abolitionists

1. www.npg.org.uk/collections/ search/ portraitExtended/mw06772/ WilliamWilberforce? [last accessed 15.01.20].

2. Rebecca Bush and K. Tawny Paul, Art and Public History: Approaches, Opportunities, and Challenges, Rowman & Littlefield, 2017, p. 119.

3. 哈佛大學「歷史與非洲人和非裔美人研究」教授文森・布朗（Vincent Brown）為這些事件製作地圖，證明它們的重要性：http:// revolt.axismaps.com/ [last accessed 15.01.20]。

4. 這張版畫有一個副本收藏在國家肖像藝廊的參考館藏中，可申請觀看；另有幾處圖書館和檔案室藏有其他副本。

5. John Madin, "O Saviour, save me, your servant", Apollo Magazine, 3 August 2006. also available at www.thefreelibrary. com/ The+lost+African+slaver y+and+portraiture+ in+the+age+of+enlightenm ent%3A...-a0149840786 [last accessed 15.01.20].

6. 這幅畫典藏在加拿大國家藝廊：www.gallery. ca/collection/ artwork/ignatius-sancho [last accessed 15.01.20]。

7. 這幅肖像有兩個版本：其一位於倫敦泰德藝廊英國館，其二屬於德州休士頓的曼尼爾典藏館（Menil Collection）；兩版目前都沒展出。

8. 阿德里奇的多幅肖像目前在國家肖像藝廊、泰德藝廊英國館、曼徹斯特美術館（Manchester Art Gallery）、維多利亞暨亞伯特博物館，以及華盛頓特區的史密森學會國家肖像藝廊展出。

9. 關於英國黑人歷史更豐富深度的檢視，我推薦參考 David Olusoga, Black and British: A Forgotten History, Palgrave Macmillan, 2017。

10. See https://hyperallergic.com/439716/ can-art-museums-help-illuminateearly-american-connections-toslavery/ [last accessed 15.01.20].

11. See https://historicengland.org. uk/research/ inclusive-heritage/ the-slave-trade-and-abolition/sites-ofmemory/ending-slavery/ slave-trademorials/ [last accessed 15.01.20].

12. 「The Legacies of British Slaveownership」資料庫是研究奴隸主賠償金的極佳來源： www.ucl. ac.uk/lbs/ [last accessed 15.01.20]。

第10章 英國的偉大 | England's Greatness

1. 'Queen Victoria and the Bible', British Workman, no. 60, 1 December 1859, p. 237.

2. Jan Marsh, Black Victorians: Black People in British Art, 1800–1900, Ashgate, 2005, p. 59.

3. British Workman, quoted in Marsh, p. 58.

4. 關於伊莉莎白女王圖像學更詳細的剖析，參見 Roy Strong, Gloriana: The Portraits of Queen Elizabeth I, Thames & Hudson, 1987。

5. Susan Kingsley Kent, Queen Victoria: Gender and Empire, Oxford University Press, 2016, p. 105.

6. 關於「種族科學」史，詳見Angela Saini, Superior: The Return of Race Science, Fourth Estate, 2019, in particular chapter 3, 'Scientific

Priestcraft'。也參見倫敦大學學院（UCL）文化策展人蘇布哈德拉・達斯（Subhadra Das）談論優生學發明人法蘭西斯・高爾頓（Francis Galton）的作品，達斯有關優生學的研究參見podcast BRICKS + MORTALS, available at https:// mediacentral. ucl.ac.uk/Player/9717 [last accessed 15.01.20]。

7. Nancy Leys Stepan, 'Race and Gender: The Role of Analogy in Science', Isis 77:2 (1986), p. 264.

8. Joanna De Groot, '"Sex" and "Race": The Construction of Language and Image in the Nineteenth Century', in Catherine Hall (ed.), Cultures of Empire: Colonizers in Britain and the Empire in the Nineteenth and Twentieth Centuries: A Reader, Manchester University Press, 2000, p. 49.

9. 白人女性與黑人男性之間的動態關係，在下列作品中有更多揭露：Marcus Wood, Slavery, Empathy and Pornography, Oxford University Press, 2003, and bell hooks, 'Doing It for Daddy: Black Masculinity in the Mainstream', in Reel to Real: Race, Sex, and Class at the Movies, Routledge, 1996。

10. 關於這幅畫作的種族政治學，詳見Lynda Nead, 'The Secret of England's Greatness', Journal of Victorian Culture 19:2 (2014), pp. 161–82。

11. Marsh, p. 65.

12. Susan Thorne, 'Religion and Empire at Home', in Catherine Hall and Sonya O. Rose (eds), At Home with the Empire: Metropolitan Culture and the Imperial World, Cambridge, 2011, p. 165.

13. Ibid., pp. 153–4.

14. For more on the Doctrine of Discovery, see www.un.org/esa/socdev/unpfii/ documents/ E.C.19.2010.13%20EN.pdf.

第11章 盾牌 | The Shield

1. Sarah Keenan, 'Give Back the Gweagal Shield', Critical Legal Thinking, 11 November 2016, available at http:// criticallegalthinking. com/2016/11/11/ give-back-gweagal-shield/ [last accessed 15.01.20].

2. 'Episode 89 – Australian Bark Shield', A History of the World in 100 Objects, BBC Radio 4,

October 2010, transcript available at http://www.bbc.co.uk/ ahistoryoftheworld/about/transcripts/ episode89/ [last accessed 27.01.20].

3. https://research.britishmuseum. org/research/collection_online/ collection_object_details.aspx?objectId=490919&partId=1 [last accessed 27.01.20].

4. Nicholas Thomas, 'A Case of Identity: The Artefacts of the 1770 Kamay (Botany Bay) Encounter', *Australian Historical Studies* 49:1 (February 2018), p. 13.

5. 關於米勒的繪圖，詳見Thomas, p. 11。湯瑪斯以此插圖為證據，加上他自身的視覺分析，判定大英博物館那只盾牌並非為1770年取得。

6. Therese Osborne and Julie Simpkin, *Encounters: Revealing Stories of Aboriginal and Torres Strait Islander Objects from the British Museum,* National Museum Australia Press, 2015, pp. 48, 5.

7. http://www.abc.net.au/news/2016- 09-23/rodney-kelly-lobby-britshmuseum-return-cooman-artifacts/7 868150?&section=video&date=(none) [last accessed 16.01.20].

8. Keenan.

9. Paul Daley, 'The Gweagal Shield and the Fight to Change the British Museum's Attitude to Seized Artefacts', *The Guardian,* 25 September 2016, available at www.theguardian. com/australia-news/2016/sep/25/ the-gweagal-shield-and-the-fight-tochange-the-british-museums-attitudeto-seized-artefacts [last accessed 15.01.20].

10. www.legislation.gov.uk/ ukpga/1963/24/section/5 [last accessed 16.01.20].

11. https://www. gov.uk/government/publications/ report-of-the-spoliation-advisorypanel-british-museum。

12. see www.britishmuseum. org/research/collection_online/ collection_object_details.aspx?objectId=607047&partId=1 and Martin Bailey, 'British Museum Considers Loan of "Invisible" Objects back to Ethiopia', The Art Newspaper, 20 May 2019, available at www.theartnewspaper.com/news/britishmuseum-considers-loan-of-invisibleobjects [last accessed 16.01.20]。

13. Gaye Sculthorpe, *Indigenous Australia: Enduring Civilisation,* British Museum Press, 2015, p. 245.

14. Thomas.

15. Maria Nugent and Gaye Sculthorpe. 'A Shield Loaded with History: Encounters, Objects and Exhibitions', *Australian Historical Studies* 49:1 (February 2018), p. 39.

16. Ibid.

Part III 紀念型 | The Memorial

Introduction

1. 皮特・里弗斯博物館正在為其大多數典藏重貼標籤，希望增進社群與典藏之間的良好關係。See Charlotte Moberly, 'Pitt Rivers Collaborates with Shuar Representatives to Review Shrunken Heads Display', Cherwell.com, 14 March 2019, available at https://cherwell.org/2019/03/14/ pitt-rivers-collaborates-with-shuarrepresentatives-to-review-shrunkenheads-display/ [last accessed 16.01.20]。

2. For more on this, see Jane Lydon, *Calling the Shots: Aboriginal Photographies,* Aboriginal Studies Press, 2014, and Brian Catling, 'Prologue', in Christian Thompson, Ritual Intimacy, exh. cat., Monash University Museum of Art, 2017, p. 44.

第12章 海達族雕像 | Haida Carving

1. Robin Wright, 'Nineteenth Century Haida Argillite Carvings: Documents of Cultural Encounter', in Mary Louise Elliot Krumrine and Susan C. Scott (eds) *Art and the Native American: Perceptions, Reality, and Influences,* Penn State University Press, 2001, p. 227.

2. 搜尋英國、美國和加拿大主要博物館的數據庫，找不到任何類似場景的雕像，事實上，連以女性為描繪主題的雕像都很稀少。

2. 關於唇環對海達婦女的重要性，詳見Marina La Salle, 'Labrets and Their Social Context on Coastal British Columbia', BC Studies, January 2014, pp. 123–53, particularly p. 143。

3. 我找不到維康研究院擁有該件雕像的日期，

而上述資訊是根據大英博物館的編目：
https://www.britishmuseum. org/research/
collection_online/ collection_object_details.
aspx?objectId=526433&partId=1 [last accessed
27.01.20]。

4. Wright, p. 228.

5. For more on this history, see Andrea
Smith, 'Not an Indian Tradition: The Sexual
Colonization of Native Peoples', *Hypatia* 18:2
(2003), pp. 70–85, and Tink Tinker, 'Redskin,
Tanned Hide: A Book of Christian History
Bound in the Flayed Skin of an American
Indian: The Colonial Romance, Christian
Denial and the Cleansing of a Christian School
of Theology', *Journal of Race, Ethnicity, and
Religion* 5:9 (October 2014), pp. 1–43. 這兩篇文
章都聚焦於美國的故事，但有很強的相似性。

6. Grayson Perry, *The Tomb of the Unknown
Craftsman*, British Museum, 2011, p. 71.

第13章 毛利族風乾頭顱 │ **Mokomokai**

1. Susan Sontag, *Regarding the Pain of Others*.
Farrar, Straus and Giroux, 2017, p. 102.

2. Horatio Gordon Robley, *Moko; or Maori
Tattooing ⋯ with 180 Illustrations from
Drawings by the Author and from Photographs*,
Chapman & Hall, 1896, pp. 136–8.

3. Joseph Banks, *The Endeavour Journal of Joseph
Banks*, 12 July 1769, available online at https://
en.wikisource.org/ wiki/The_Endeavour_
Journal_of_Sir_ Joseph_Banks.

4. 關於刺青在英國的歷史，詳見Matt Lodder,
Tattoo: An Art History, I B Tauris, 2018。

5. www.tepapa.govt.nz/about/ repatriation/
karanga-aotearoarepatriation-programme [last
accessed 16.01.20].

6. Robley, p. 183.

7. 關於《人體奧妙展》以及在科學場景中陳
列的人類遺體，詳見Angela Stienne, www.
mummystories.com/post/bodyworlds-london
[last accessed 16.01.20]。

8. www.tepapa.govt.nz/about/ repatriation/
international-repatriation [last accessed
16.01.20].

9. 紐西蘭國家博物館的歸還研究員Amber
Kiri Aranui舉了一些例子，指出博物館紀

錄中一些拼法誤植、錯誤和不準確之處，
參見'The Importance of Working with
Communities', in Larissa Förster et al. (eds),
*Provenienzforschung zu ethnografischen
Sammlungen der Kolonialzeit. Positionen in
der aktuellen Debatte*, Arbeitsgruppe Museum
der Deutschen Gesellschaft für Sozial- und
Kulturanthropologie, 2018, pp. 45–54。

10. www.britishmuseum.org/about_us/
management/human_remains/ repatriation_
to_new_zealand.aspx [last accessed 16.01.20].

第14章 挖掘博物館 │ **Mining the Museum**

1. Lisa G Corrin, 'Mining the Museum: An
Installation Confronting History', *Curator: The
Museum Journal* 36:4 (1993), p. 303.

2. Corrin, pp. 307, 309.

3. Wilson in conversation, 2017, quoted in
Kerr Houston, 'How Mining Changed the
Art World', *Bmoreart*, 3 May 2017, available
at http://www.bmoreart. com/2017/05/how-
mining-themuseum-changed-the-art-world.
html [last accessed 16.01.20].

4. Sarah E. Bond, 'Can Art Museums Help
Illuminate Early American Connections to
Slavery?', *Hyperallergic*, 25 April 2018, available
at https:// hyperallergic.com/439716/can-
artmuseums-help-illuminate-earlyamerican-
connections-to-slavery/ [last accessed 16.01.20].

第15章 人類動物園 │ **Human Zoos**

1. 關於這類展示以及十九世紀其他活展覽的通盤歷
史，參見Sadiah Qureshi, Peoples on Parade,
University of Chicago Press, 2011. Qureshi清
楚指出，他偏向使用「展示的族群」（displayed
peoples）一詞，勝過「人類動物園」，因為
就歷史而言比較準確，並承認參與者的能動
性：https://qualiasqualms. com/2016/09/27/
why-i-describemyself-as-a-historian-of-
displayedpeoples-not-human-zoos/ [last
accessed 16.01.20]。

2. Qureshi, Peoples on Parade, pp. 248–9.

3. Daniel Boffey, 'Belgium Comes to Terms
with "Human Zoos" of Its Colonial Past', *The
Guardian*, 16 April 2018, available at www.
theguardian.com/world/2018/ apr/16/belgium-

comes-to-termswith-human-zoos-of-its-colonialpast [last accessed 16.01.20]; Joanna Kakissis, 'Where "Human Zoos" Once Stood, a Belgian Museum Now Faces Its Colonial Past', NPR, 26 September 2018, available at www.npr. org/2018/09/26/649600217/wherehuman-zoos-once-stood-a-belgianmuseum-now-faces-its-colonialpast?t=1558867900809 [last accessed 16.01.20].

4. Nina Glick Schiller, Data Dea and Markus Höhne, 'African Culture and the Zoo in the 21st Century: The "African Village" in the Augsburg Zoo and Its Wider Implications', Report to the Max Planck Institute for Social Anthropology, available www.eth. mpg. de/3498271/zooCulture.pdf [last accessed 16.01.20].

5. Coco Fusco, 'The Other History of Intercultural Performance', *The Drama Review* 38:1 (1994), p. 143.

6. Ibid., p. 157.

7. Ibid., p. 159.

8. Ibid., p. 162.

9. www.change.org/p/withdraw-theracist-exhibition-exhibition-b-thehuman-zoo [last accessed 16.01.20].

10. See Brett Bailey, 'Yes, Exhibit B is challenging – but I never sought to alienate or offend', *The Guardian*, 24 September 2014, available at www.theguardian.com/ commentisfree/2014/sep/24/exhibitb-challenging-work-never-soughtalienate-offend-brett-bailey [last accessed 16.01.20].

11. https://www.theguardian.com/ culture/2014/sep/24/barbicancriticise-protesters-who-forcedexhibit-b-cancellation.

12. Peter Crawley, 'The Trials of Brett Bailey', *The Irish Times*, 11 July 2015, available at www.irishtimes.com/ culture/stage/the-trials-of-brettbailey-i-was-seen-as-a-racist-southafrican-that-typecast-me-1.2280455 [last accessed 16.01.20].

13. Doreen Carvajal, 'On Display, and on a Hot Seat', 25 November 2014, available at www. nytimes.com/2014/11/26/ arts/exhibit-b-a-work-about-humanzoos-stirs-protests.html

[last accessed 16.01.20].

14. Stella Odunlami and Kehinde Andrews, 'Is Art Installation Exhibit B Racist?', The Guardian, 27 September 2014, available at www.theguardian. com/commentisfree/2014/sep/27/isart-installation-exhibit-b-racist [last accessed 16.01.20].

第16章 棺木 | The Coffin

1. Krissah Thompson, 'Painful But Crucial: Why You'll See Emmett Till's Casket at the African American Museum', *Washington Post*, 18 August 2016, available at www. washingtonpost.com/ lifestyle/style/painful-but-crucialwhy-youll-see-emmett-tillscasket-at-the-african-americanmuseum/2016/08/1 8/66d1dc2e-484b11e6-acbc-4d4870a079da_ story. html?noredirect=on&utm_ term=.5e97c11b8f31 [last accessed 16.01.20].

2. See also https://museumandmemorial. eji.org/ [last accessed 16.01.20].

3. Matthew Haag, 'Emmett Till Sign is Hit with Bullets Again, 35 Days after Being Replaced', *New York Times*, 6 August 2018, available at www.nytimes. com/2018/08/06/us/emmett-till-signbullets.html [last accessed 16.01.20].

4. 下文有關《開棺》的時間軸發展，要大大感謝 Aruna D'Souza, *Whitewalling: Art, Race and Protest in 3 Acts*, Badlands Unlimited, 2018。

5. Ibid., pp. 36–7.

6. See Harry Burke and Whitney Mallett, 'Hamishi Farah's Painting of Dana Schutz's Son Exposes the Art World's White Fragility', i-d. vice.com, 28 June 2018, available at https:// i-d. vice.com/en_uk/article/nekyd8/ hamishi-farah-dana-schutz-soncontroversy [last accessed 16.01.20].

7. Michael Harriot, 'This White Woman's Painting of Emmett Till Belongs under the Definition of White-Peopleing, Not on a Museum Wall', *The Root*, 21 March 2017, available at www.theroot. com/this-White-womans-painting-ofemmett-till-belongs-under-1793483717 [last accessed 16.01.20].

8. J J Charlesworth, 'Violence and Representation', *ArtReview*, online version available at

https://artreview. com/opinion/opinion_24_
march_2017_ violence_and_representation/
[last accessed 16.01.20].

9. D'Souza, p. 20.

10. Ibid., p. 23.

11. Sarah Cascone, '"Black Pain is Not for
Profit": An Activist Collective Protests Luke
Willis Thompson's Turner Prize Nomination',
artnetnews, 25 September 2015, available
at https:// news.artnet.com/exhibitions/
lukewillis-thompson-turner-prize-135615 [last
accessed 16.01.20]; Rene Matic, 'Luke Willis
Thompson's Turner Prize Nomination is a Blow
to Artists of Colour', *Gal—Dem*, 3 May 2018,
available at http://gal-dem.com/ luke-willis-
thompsons-turner-prizenomination-is-a-blow-
to-artists-ofcolour/ [last accessed 16.01.20];
Alisha Harris, 'Fictional Police Brutality, Real
Emotional Toll', New York Times, 20 July 2018,
available at www.nytimes. com/2018/07/20/
movies/policeshootings-blindspotting-detroit.
html [last accessed 16.01.20].

Part IV 樂園型 | The Playground

第17章 博物館亮點 | Museum Highlights

1. Andrea Fraser, 'From the Critique of
Institutions to an Institution of Critique',
Artforum International, 1 September 2005,
available at www. artforum.com/print/200507/
fromthe-critique-of-institutions-to-
aninstitution-of-critique-9407 [last accessed
15.01.20].

2. Ibid.

3. Andrea Fraser, 'Museum Highlights: A Gallery
Talk', October 57 (1991), n.3. 這是佛雷澤自己對
解說員角色的分析—特別是年長的導覽員，或許
還退休了，這些人志願奉獻時間交換機會扮演這
類文化權威。這顯然不適用於所有解說員，但有
時間有資源以這種身分免費工作，確實需要不小
的優越地位。

4. Fraser, 'Museum Highlights', p. 120.

第18章 群眾控制 | Crowd Control

1. www.taniabruguera.com/cms/files/ tatlin_

s_whisper_tech_spec_1.pdf [last accessed
15.01.20].

2. Ibid.

3. .Jasmine Weber, 'Artists Arrested in Cuba
for Protesting Decree Censoring the Arts',
5 December 2015, available at https://
hyperallergic.com/474525/ artists-arrested-in-
cuba-forprotesting-decree-censoring-the-arts/
[last accessed 18.01.20].

4. www.taniabruguera.com/cms/112-0- Tatli
ns+Whisper+6+Havana+version. htm [last
accessed 18.01.20].

5. Asociación de Arte Útil: www.arteutil.org/
about/colophon/ [last accessed 18.01.20].

6. 這裡我對關係藝術與對抗主義的定義，源自於
Claire Bishop, 'Antagonism and Relational
Aesthetics', October 110 (2004), pp. 51–79。

7. Eddy Frankl, 'Tania Bruguera Review', *Time
Out*, available at www.timeout. com/london/
art/tania-bruguerareview [last accessed
18.01.20]; Hettie Judah, 'Tania Bruguera's
Tear-gas Installation at Tate Modern: "Not
unpleasant but unsettling"', i, 1 October 2018,
available at https://inews.co.uk/ culture/tania-
bruguera-tate-modernturbine-hall-london/
[last accessed 18.01.20].

8. 對此現象最棒的分析參見 Ruby Hamad, 'How
White Women Use Strategic Tears to Silence
Women of Colour', The Guardian, 7 May
2018, available at www.theguardian.com/
commentisfree/2018/may/08/howWhite-
women-use-strategic-tearsto-avoid-
accountability, or in White Fragility [last
accessed 18.01.20]。

9. ww.artforum.com/slant/astatement-from-
hannah-blackciaran-finlayson-and-tobi-
hasletton-warren-kanders-and-the-2019-
whitney-biennial-80328 [last accessed
18.01.20]. ww.artforum.com/slant/astatement-
from-hannah-blackciaran-finlayson-and-
tobi-hasletton-warren-kanders-and-the-2019-
whitney-biennial-80328 [last accessed
18.01.20]. ww.artforum.com/slant/astatement-
from-hannah-blackciaran-finlayson-and-
tobi-hasletton-warren-kanders-and-the-2019-
whitney-biennial-80328 [last accessed

10. Sarah Dawood, 'From Nope to Hope: The Exhibition Protesting the Design Museum', *Design Week,* 27 September 2018, available at www.designweek. co.uk/issues/24-30-september-2018/ from-nope-to-hope-anti-armsexhibition-protesting-designmuseum/ [last accessed 18.01.20].

11. www.tate.org.uk/art/tate-exchange/ art-social-change [last accessed 18.01.20].

第19章 船艦│The Ship

1. PMSA research and English Heritage Blue Plaques scheme: www.bbc.co.uk/ news/uk-43884726 [last accessed 18.01.20]. 2018年由「非零一」聯盟策劃的《推薦她》計畫發現，在英國，「山羊雕像」多於「非神話、非皇家」女性雕像（http://www.nonzeroone.com/ projects/put-her-forward/）。

2. www.bristolpost.co.uk/news/ bristol-news/ plaque-back--historicplaque-1146332 [last accessed 18.01.20].

3. Helena Horton, 'Edward Colston Plaque Listing His Links to Slavery Scrapped after Mayor Says Wording isn't Harsh Enough', The Telegraph, 25 March 2019, available at www. telegraph.co.uk/news/2019/03/25/ plaque-acknowledging-slave-owninghistory-edward-colston-scrapped/ [last accessed 18.01.20].

4. 'Mayoral Advisory Commission on City Art, Monuments, and Markers: Report to the City of New York January 2018', available at www1. nyc.gov/ assets/monuments/downloads/pdf/ mac-monuments-report.pdf [last accessed 18.01.20].

5. 參見第二十章卡拉・沃克對美國南方邦聯紀念碑的相關討論。

6. 參見www. nationalarchives.gov.uk/aboutapps/ trafalgarancestors/ [last accessed 18.01.20] and David Olusoga, Black and British: A Forgotten History, Palgrave Macmillan, 2018, p. 20.

7. Letter, Horatio Nelson to Simon Taylor, 10 June 1805, The Dispatches and Letters of Vice Admiral Lord Viscount Nelson, (ed. Nicholas Harris Nicolas), vol. VI, p. 45.

8. www.oriel.ox.ac.uk/sites/default/files/ statement_from_oriel_college_on_28th_ january_2016_regarding_the_college. pdf [last accessed 18.01.20].

第20章 糖寶貝│Sugar Baby

1. Kara L Rooney, 'A Sonorous Subtlety: KARA WALKER with KaraRooney',The Brooklyn Rail, 2 May 2014, available at https://brooklynrail. org/2014/05/art/kara-walker-withkara-rooney [last accessed 15.01.20].

2. Ibid.

3. Betty Farrell and Maria Medvedeva, 'Demographic Transformation and the Future of Museums', American Association of Museums, 2010, available at www.aam-us.org/ wp-content/uploads/2017/12/ Demographic-Change-and-theFuture-of-Museums.pdf[last accessed 18.01.20]. 報告顯示，在2008年的總人口中，黑人或非裔美人佔了12.3%。

4. Rooney.

5. Jamilah King, 'The Overwhelming Whiteness of Black Art', *Colorlines,* 21 May 2014, available at www. colorlines.com/articles/ overwhelmingWhiteness-black-art[last accessed 15.01.20].

6. Ibid.

7. Stephanye Watts, 'The Audacity of No Chill: Kara Walker in the Instagram Capital', *Gawker,* 6 April 2014, available at https://gawker. com/the-audacityof-no-chill-kara-walker-in-theinstagram-1585944103 [last accessed 15.01.20].

8. See Kirk Savage, *Standing Soldiers, Kneeling Slaves: Race, War, and Monument in Nineteenth-Century America,* Princeton University Press, 2018。

9. The full report, 'Whose Heritage? Public Symbols of the Confederacy', is available at www.splcenter. org/20190201/whose-heritage-public symbols-confederacy [last accessed 15.01.20].

10. See, for example, Vera Bergengruen and W J Hennigan , '"We are Being Eaten From Within": Why America is Losing the Battle against White Nationalist Terrorism', *Time,* 8 August 2019, available at https://time. com/5647304/

White-nationalistterrorism-united-states/ [last accessed 15.01.20].

11. Jamilah King, 'Kara Walker's Sugar Sphinx Evokes Call from Black Women: "We are Here"', *Colorlines,* 13 September 2016, available at https://www.colorlines.com/articles/ kara-walkers-sugar-sphinx-evokescall-black-women-we-are-here [last accessed 18.01.20].

12. Matthew Goodman Shen, 'We Are Here: People of Color Gather at Kara Walker Show', *Art in America,* 20 June 2014, archived from the original on 21 February 2017, available at https://web.archive. org/web/20170221073612/ http:// www.artinamericamagazine.com/ news-features/previews/we-are-herepeople-of-color-gather-at-kara-walkershow-/ [last accessed 27.01.20].

13. http://www.sableelysesmith.com/ We-Are-Here [last accessed 18.01.20].

14. Nicholas Powers, 'Why I Yelled at the Kara Walker Exhibit', *The Indypendent,* 30 June 2014, availale at https:// indypendent.org/2014/06/ why-iyelled-at-the-kara-walker-exhibit/ [last accessed 20.01.20].

第21章 更改國慶日 | Change the Date

1. www.cityartsydney.com.au/artwork/ captain-cook/ [last accessed 18.01.20].

2. Lily Mayers, 'Australia Day: Malcolm Turnbull Condemns Captain Cook Statue Vandalism as "Cowardly"', 26 August 2017, www.abc.net. au/ news/2017-08-26/australia-dayargument-intensifies-as-vandalshit-captain-cook/8845064 [last accessed 18.01.20].

3. Te Kuru o te Marama Dewes, 'Political Statement, Social Commentary or Vandalism', teao māori, https://teaomaori. news/ political-statement-socialcommentary-or-vandalism?utm_ source=The+Bulletin&utm_ campaign=134004b960- EMAIL_ CAMPAIGN_2018_03_01_ COPY_01&utm_medium=email&utm_ term=0_552336e15a134004b960- 533756713 [last accessed 18.01.20]; 'Councillors Vote to Remove 1969 Cook Installation', 28 September 2018, available at http://gisborneherald.co.nz/ localnews/3659686-135/councillorsvote-to-remove-1969-cook; Australian Associated Press, 'Captain Cook Statue Vandalised in Melbourne before Australia Day', The Guardian, 25 January 2018, www.theguardian. com/australia-news/2018/jan/25/ captain-cook-statue-vandalised-inmelbourne-before-australia-day [last accessed 18.01.20].

4. https://c21ch.newcastle.edu.au/ colonialmassacres/timeline.php [last accessed 18.01.20]; www.sea. museum/2017/08/25/ australiasslave-trade [last accessed 18.01.20]. 1850年代開始限制有色人種移民，特別是限制中國人移民澳洲，目的是為了回應將伍納吸引來澳洲的同一股淘金熱：see Iskhandar Razak, 'Victoria Apologises to Chinese Community for Racist Policies during Gold Rush Era', *ABC News,* 25 May 2017, available at www.abc.net. au/ news/2017-05-25/victoria-apologisesto-chinese-for-racism-during-goldrush-era/8558998 [last accessed 18.01.20]。

5. *The Journal of Philip Gidley King,* available at http://adc.library.usyd. edu.au/data-2/kinjour. pdf [last accessed 18.01.20].

6. Watkin Tench, *A Complete Account of the Settlement at Port Jackson: in New South Wales, Including an Accurate Description of the Situation of the Colony; of the Natives; and of Its Natural Productions: Taken on the Spot, by Captain Watkin Tench,* G Nicol and J Sewell, 1793, p. 89。

7. Gapps, p. 132.

8. Naaman Zhou 'Sydney to Get New $3m Captain Cook Memorial in "Inclusive Project"', The Guardian, 28 April 2018, available at www.theguardian.com/australianews/2018/ apr/28/sydney-to-getnew-3m-captain-cook-memorialin-inclusive-project [last accessed 18.01.20];https://theconversation. com/rough-seas-ahead-why-the governments-james-cook-infatuationmay-further-divide-the-nation-110275 [last accessed 18.01.20]。

9. https://collections.museumvictoria. com.au/ articles/2835 [last accessed 18.01.20]. At the time of writing, it is likely there will at least be boycotts in 2020。

第22章 回歸 | Return

1. Michael Rakowitz, *A House with a Date Palm will Never Starve: Cooking with Date Syrup: Forty-One Chefs and an Artist Create New and Classic Dishes with a Traditional Middle Eastern Ingredient,* Art Books Publishing Ltd in Association with Plinth, 2019, pp. 14, 18.
2. http://www.michaelrakowitz.com/ return [last accessed 18.01.20].
3. Store Log, 25 November 2006.
4. Ibid., 16 November 2006.
5. Claire Bishop, 'Antagonism and Relational Aesthetics', October, 110 (2004), pp. 51–79, p. 67.
6. Store Log, 18 September 2006 and 5 December 2006.
7. Ibid., 25 November 2006 and 3 December 2006.
8. Palko Karasz, 'British Museum to Return Looted Antiquities to Iraq', *New York Times,* 10 August 2018, available at www.nytimes. com/2018/08/10/arts/iraq-lootedobjects-british-museum.html [last accessed 18.01.20]。
9. Rakowitz, p. 106.

結論 | Conclusion

1. International Council of Museums (ICOM), *Statues: As amended and adopted by the Extraordinary General Assembly on 9th June 2017 (Paris, France),* available at https://icom. museum/ wp-content/uploads/2018/07/2017_ ICOM_Statutes_EN.pdf [last accessed 18.01.20].
2. Zachary Small, 'A New Definition of "Museum" Sparks International Debate', *hyperallergic. com,* 19 August 2019: https://hyperallergic. com/513858/icom-museum-definition/ [last accessed 18.01.20].
3. Vam.ac.uk/collections/rapid-responsecollecting [last accessed 18.01.20].
4. Sarah Cascone, 'Signs of the Times: Museums are Collecting Protest Posters from the 2018 Women's March', *artnet,* 22 January 2018, https:// news.artnet.com/art-world/museumsalready-enshrining-2018-womensmarch-us-history-1204031/amp-page [last accessed 18.01.20].
5. Manchester Together archive, Institute of Cultural Practices, University of Manchester, www.alc.manchester. ac.uk/icp/research/ projects/ manchester-together-archive/ [last accessed 18.01.20]; David Montero, 'Archiving Grief: Museums Learn to Preserve Memorials Left at Mass Shootings', *Los Angeles Times,* 25 February 2018, available at www. atimes. com/nation/la-na-museumsmass-shootings-20180225-story.html.
6. Mel Evans, Artwash, Pluto Press (UK), 2015.
7. ww.artforum.com/slant/a-statementfrom-hannah-black-ciaran-finlaysonand-tobi-haslett-on-warren-kandersand-the-2019-whitney-biennial-80328 [last accessed 18.01.20]; https:// forensic-architecture.org/ investigation/triple-chaser [last accessed 18.01.20].
8. https://artstuffmatters.wordpress. com/ museums-are-not-neutral/ [last accessed 18.01.20].
9. #NotAllCurators.
10. 《www. nonzeroone.com/projects/take-hold/ [last accessed 18.01.20]。
11. https://twitter.com/britishmuseum/ status/907 895752822751233?lang=en
12. https://twitter.com/davidolusoga/ status/9622 52398273224705?lang=en
13. https://twitter.com/SKbydesign/ status/988086031642714116
14. See Sumaya Kassim's excellent essay: https:// mediadiversified. org/2017/11/15/the-museum-will-notbe-decolonised/
15. Ursula K Le Guin, 'Foreword' in Tales from Earthsea, Orion 2003.

參考書目

Aranui, Amber Kiri. 'The Importance of Working with Communities', in Larissa Förster, Iris Edenheiser, Sarah Fründt and Heike Hartmann (eds), *Provenienzforschung zu ethnografischen Sammlungen der Kolonialzeit. Positionen in der aktuellen Debatte*, Arbeitsgruppe Museum der Deutschen Gesellschaft für Sozial- und Kulturanthropologie, 2018, pp. 45–54

Archer, Mildred. *The India Office Collection of Paintings and Sculpture: India Office Library and Records*. British Library, 1986.

Bailey, Brett. 'Yes, Exhibit B is challenging – but I never sought to alienate or offend', *The Guardian*, 24 September 2014, available at www.theguardian.com/commentisfree/2014/sep/24/exhibit-b-challenging-work-never-sought-alienate-offend-brett-bailey [last accessed 16.01.20].

Bailey, Martin. 'British Museum Considers Loan of 'Invisible' Objects back to Ethiopia', *The Art Newspaper*, 20 May 2019, available at www.theartnewspaper.com/news/british-museum-considers-loan-of-invisible-objects [last accessed 16.01.20].

Banks, Joseph. *The Endeavour Journal of Joseph Banks*, 12 July 1769, available online at https://en.wikisource.org/wiki/The_Endeavour_Journal_of_Sir_Joseph_Banks

Benjamin, Walter. 'The Work of Art in the Age of Mechanical Reproduction', in *Illuminations*, ed. Hannah Arendt, Fontana, 1968, pp. 214–18.

Bishop, Claire. 'Antagonism and Relational Aesthetics', *October*, 110 (2004), pp. 51–79, doi:10.1162/0162287042379810.

Boffey, Daniel. 'Belgium Comes to Terms with "Human Zoos" of Its Colonial Past', *The Guardian*, 16 April 2018, available at www.theguardian.com/world/2018/apr/16/belgium-comes-to-terms-with-human-zoos-of-its-colonial-past [last accessed 16.01.20].

Bond, Sarah E. 'Can Art Museums Help Illuminate Early American Connections to Slavery?', *Hyperallergic*, 25 April 2018, available at https://hyperallergic.com/439716/can-art-museums-help-illuminate-early-american-connections-to-slavery/ [last accessed 16.01.20].

Brittlebank, Kate. 'Sakti and Barakat: The Power of Tipu's Tiger: An Examination of the Tiger Emblem of Tipu Sultan of Mysore', *Modern Asian Studies* 29:2 (May 1995), pp. 257–69.

Britton, John. *The Union of Architecture, Sculpture, and Painting: Exemplified by a Series of Illustrations, with Descriptive Accounts of the House and Galleries of John Soane ...* Longman, 1827.

Burke, Harry, and Whitney Mallett. 'Hamishi Farah's Painting of Dana Schutz's Son Exposes the Art World's White Fragility', *i-d.vice.com*, 28 June 2018, available at https://i-d.vice.com/en_uk/article/nekyd8/hamishi-farah-dana-schutz-son-controversy [last accessed 16.01.20].

Burn, L. 'Sir William Hamilton and the Greekness of Greek Vases', *Journal of the History of Collections* 9:2 (1997), pp. 241–52.

Bush, Rebecca, and K Tawny Paul. *Art and Public History: Approaches, Opportunities, and Challenges*. Rowman & Littlefield, 2017.

Cascone, Sarah. '"Black Pain is Not for Profit": An Activist Collective Protests Luke Willis Thompson's Turner Prize Nomination', *artnetnews*, 25 September 2015, available at https://news.artnet.com/exhibitions/luke-willis-thompson-turner-prize-135615 [last accessed 16.01.20].

Césaire, Aimé, trans. Joan Pinkham, introduction by Robin D.G. Kelley. *Discourse on Colonialism*. NYU Press, [1950] 2000, p41.

Charlesworth, J J. 'Violence and Representation', *ArtReview*, online version available at https://artreview.com/opinion/opinion_24_march_2017_violence_and_representation/ [last accessed 16.01.20].

Chokron, Sylvie, and Maria De Agostini. 'Reading Habits Influence Aesthetic Preference', *Cognitive Brain Research* 10:1–2 (September 2000), pp. 45–9.

Christov-Bakargiev, Carolyn, and Marianna Vecellio (eds). *Michael Rakowitz*. Silvana Editoriale, 2019.

Christian Thompson: Ritual Intimacy, exh. cat. Monash University Museum of Art, 2017.

Clifford, James. 'Museums as Contact Zones', in *Routes: Travel and Translation in the Late Twentieth Century*. Harvard University Press, 1997, pp. 188–219.

Colville, Quentin, and Kate Williams (eds). *Emma Hamilton: Seduction and Celebrity*. Thames & Hudson, 2016.

Corrin, Lisa G. 'Mining the Museum: An Installation Confronting History', *Curator: The Museum Journal* 36:4 (1993), pp. 302–13, doi:10.1111/j.2151-6952.1993.tb00804.x.

Cowley, Des, and Brian Hubber, 'Distinct Creation: Early European Images of Australian Animals', *The La Trobe Journal* 66 (Spring 2000), pp. 3–32.

Crawley, Peter. 'The Trials of Brett Bailey', *The Irish Times*, 11 July 2015, available at www.irishtimes.com/culture/stage/the-trials-of-brett-bailey-i-was-seen-as-a-racist-south-african-that-typecast-me-1.2280455 [last accessed 16.01.20].

Daley, Paul. 'The Gweagal Shield and the Fight to Change the British Museum's Attitude to Seized Artefacts', *The Guardian*, 25 September 2016, available at www.theguardian.com/australia-news/2016/sep/25/the-gweagal-shield-and-the-fight-to-change-the-british-museums-attitude-to-seized-artefacts [last accessed 15.01.20].

Dalton, Cornelius Neale. *The Life of Thomas Pitt.*

Cambridge University Press, 1915, p. 243.

Davis, Richard H. *Lives of Indian Images*. Princeton University Press, 1999.

Dawood, Sarah. 'From Nope to Hope: The Exhibition Protesting the Design Museum', *Design Week*, 27 September 2018, available at www.designweek.co.uk/issues/24-30-september-2018/from-nope-to-hope-anti-arms-exhibition-protesting-design-museum/ [last accessed 18.01.20].

De Groot, Joanna. ' "Sex" and "Race" : The Construction of Language and Image in the Nineteenth Century ', in Catherine Hall (ed.), *Cultures of Empire: Colonizers in Britain and the Empire in the Nineteenth and Twentieth Centuries: A Reader*. Manchester University Press, 2000, pp. 37–60.

Dewes, Te Kuru o te Marama. 'Political Statement, Social Commentary or Vandalism', *teao maori*, https://teaomaori.news/political-statement-social-commentary-or-vandalism?utm_source=The+Bulletin&utm_campaign=134004b960-EMAIL_CAMPAIGN_2018_03_01_COPY_01&utm_medium=email&utm_term=0_552336e15a-134004b960-533756713 [last accessed 18.01.20].

DiAngelo, Robin. *White Fragility*. Beacon Press, 2018.

D'Souza, Aruna. *Whitewalling: Art, Race and Protest in 3 Acts*. Badlands Unlimited, 2018.

Duncan, Carol. *Civilizing Rituals*. Routledge, 1995.

Elsner, John. 'A Collector's Model of Desire: The House and Museum of Sir John Soane', in John Elsner and Roger Cardinal (eds), *The Cultures of Collecting*. Reaktion Books, 1997, pp. 155–76.

'Episode 89 – Australian Bark Shield'. *A History of the World in 100 Objects*, BBC Radio 4, October 2010, transcript available at http://www.bbc.co.uk/ahistoryoftheworld/about/transcripts/episode89/ [last accessed 27.01.20].

Evans, Mel. *Artwash*. Pluto Press (UK), 2015.

Faxon, Alicia Craig. 'Preserving the Classical Past: Sir William and Lady Emma Hamilton',

Visual Resources 20:4 (2004), pp. 259–73.

Frankl, Eddy. 'Tanya Bruguera Review', *Time Out*, n.d., available at www.timeout.com/london/art/tania-bruguera-review [last accessed 18.01.20].

Fraser, Andrea. 'From the Critique of Institutions to an Institution of Critique', *Artforum International*, 1 September 2005, available at www.artforum.com/print/200507/from-the-critique-of-institutions-to-an-institution-of-critique-9407 [last accessed 15.01.20].

Fraser, Andrea. 'Museum Highlights: A Gallery Talk', *October* 57 (1991), pp. 105–22, https://doi.org/10.2307/778874.

Fusco, Coco. 'The Other History of Intercultural Performance', *The Drama Review* 38:1 (1994), pp. 143–67, doi:10.2307/1146361.

Gapps, Stephen. *The Sydney Wars: Conflict in the Early Colony, 1788–1817*. NewSouth Publishing, 2018.

Gascoigne, John. *Science in the Service of Empire: Joseph Banks, the British State and the Uses of Science in the Age of Revolution*. Cambridge University Press, 2010.

Ghosh, Durba. *Sex and the Family in Colonial India: The Making of Empire*, Cambridge University Press, 2006.

Goethe, Johann Wolfgang von. *Italian Journey*, trans. W. H. Auden and Elizabeth Mayer, entry for 16 March 1787. Penguin, 1970.

Hackforth-Jones, Jocelyn. 'Mai/Omai in London and the South Pacific: Performativity, Cultural Entanglement, and Indigenous Appropriation', *Material Identities*, January 2007, pp. 13–30, doi:10.1002/9780470694091.

Hamad, Ruby. 'How White Women Use Strategic Tears to Silence Women of Colour', *The Guardian*, 7 May 2018, available at www.theguardian.com/commentisfree/2018/may/08/how-White-women-use-strategic-tears-to-avoid-accountability, or in White Fragility [last accessed 18.01.20].

Hamilton, William, and Pierre d' Hancarville. *Collection of Etruscan, Greek and Roman antiquities from the cabinet of the Honourable William Hamilton*. Naples, 1766.

Harriet, Michael. 'This White Woman's Painting of Emmett Till Belongs under the Definition of White-Peopleing, Not on a Museum Wall', *The Root*, 21 March 2017, available at www.theroot.com/this-White-womans-painting-of-emmett-till-belongs-under-1793483717 [last accessed 16.01.20].

Harris, Alisha. 'Fictional Police Brutality, Real Emotional Toll', *New York Times*, 20 July 2018, available at www.nytimes.com/2018/07/20/movies/police-shootings-blindspotting-detroit.html [last accessed 16.01.20].

Hawkesworth, John. *An Account of the Voyages undertaken ... for making discoveries in the Southern Hemisphere and performed by Commodore Byrone John Byron, Captain Wallis, Captain Carteret and Captain Cook (from 1702 to 1771) drawn up from the Journals ...* 3 vols. Admiralty, 1773.

Hornsby, Claire. *The Impact of Italy: The Grand Tour and Beyond*. British School at Rome, 2008, p. 127.

Horton, Helena, 'Edward Colston Plaque Listing His Links to Slavery Scrapped after Mayor Says Wording isn't Harsh Enough', *The Telegraph*, 25 March 2019, available at www.telegraph.co.uk/news/2019/03/25/plaque-acknowledging-slave-owning-history-edward-colston-scrapped/ [last accessed 18.01.20].

Houston, Kerr, 'How Mining Changed the Art World', *Bmoreart*, 3 May 2017, available at http://www.bmoreart.com/2017/05/how-mining-the-museum-changed-the-art-world.html [last accessed 16.01.20].

International Council of Museums (ICOM). *Statues: As amended and adopted by the Extraordinary General Assembly on 9th June 2017 (Paris, France)*, available at https://icom.museum/wp-content/uploads/2018/07/2017_ICOM_Statutes_EN.pdf [last accessed 18.01.20].

Jasanoff, Maya. *Edge of Empire: Conquest and Collecting in the East, 1750–1850.* Harper Perennial, 2006.

Jenkins, Ian, and Kim Sloan. *Vases & Volcanoes: Sir William Hamilton and His Collection.* British Museum Press, 1996.

Judah, Hettie. 'Tania Bruguera's Tear-gas Installation at Tate Modern: "Not unpleasant but unsettling"', *i*, 1 October 2018, available at https://inews.co.uk/culture/tania-bruguera-tate-modern-turbine-hall-london/ [last accessed 18.01.20].

Kakissis, Joanna. 'Where "Human Zoos" Once Stood, a Belgian Museum Now Faces Its Colonial Past', *NPR*, 26 September 2018, available at www.npr.org/2018/09/26/649600217/where-human-zoos-once-stood-a-belgian-museum-now-faces-its-colonial-past?t=1558867900809 [last accessed 16.01.20].

Karasz, Palko. 'British Museum to Return Looted Antiquities to Iraq', *New York Times*, 10 August 2018, available at www.nytimes.com/2018/08/10/arts/iraq-looted-objects-british-museum.html [last accessed 18.01.20].

Keenan, Sarah. 'Give Back the Gweagal Shield', *Critical Legal Thinking*, 11 November 2016, available at http://criticallegalthinking.com/2016/11/11/give-back-gweagal-shield/ [last accessed 15.01.20].

Kent, Susan Kingsley. *Queen Victoria: Gender and Empire.* Oxford University Press, 2016.

King, Jamilah. 'Kara Walker's Sugar Sphinx Evokes Call from Black Women: "We are Here"', *Colorlines*, 13 September 2016, available at https://www.colorlines.com/articles/kara-walkers-sugar-sphinx-evokes-call-black-women-we-are-here [last accessed 18.01.20].

King, Jamilah. 'The Overwhelming Whiteness of Black Art', *Colorlines*, 18 April 2015, available at www.colorlines.com/articles/overwhelming-whiteness-black-art [last accessed 15.01.20].

Knellwolf, Christa. 'Comedy in the OMAI Pantomime', in Michelle Hetherington and Iain McCalman (eds), *Cook & Omai: The Cult of the South Seas*, exh. cat. Canberra, 2001 pp. 17–22.

Koeppe, Wolfram, Clare Le Corbeiller, William Rieder, Charles Truman, Suzanne G. Valenstein and Clare Vincent. *Decorative Arts in the Robert Lehman Collection at the Metropolitan Museum of Art.* Metropolitan Museum of Art, 2012, p. 99.

La Salle, Marina. 'Labrets and Their Social Context on Coastal British Columbia', *BC Studies*, January 2014, pp. 123–53.

Le Guin, Ursula K. 'Foreword' in *Tales from Earthsea*. Orion 2003.

Lenman, Bruce, and Philip Lawson. 'Robert Clive, the "Black Jagir", and British Politics', *The Historical Journal* 26:4 (1983), pp. 801–29, doi:10.1017/s0018246x0001270x.

Longair, Sarah, and Cam Sharp Jones. 'Prize Possession: The "Silver Coffer" of Tipu Sultan and the Fraser Family', in Margot Finn and Kate Smith (eds), *The East India Company at Home, 1957–1857.* ULC Press, 2018, pp. 25–38.

Lydon, Jane. *Calling the Shots: Aboriginal Photographies.* Aboriginal Studies Press, 2014.

McLane, John R. *Land and Local Kingship in Eighteenth-Century Bengal.* Cambridge University Press, 1993.

McClintock, Anne. *Imperial Leather: Race, Gender and Sexuality in the Colonial Contest.* Routledge, 1997.

Madin, John. '"O Saviour, save me, your servant"', *Apollo Magazine*, 3 August 2006, also available at www.thefreelibrary.com/The+lost+African+slavery+and+portraiture+in+the+age+of+enlightenment%3A...-a0149840786 [last accessed 15.01.20].

Manley, Deborah, and Peta Rée. *Henry Salt: Artist, Traveller, Diplomat, Egyptologist.* Libri, 2001.

Marsh, Jan. *Black Victorians: Black People in British Art, 1800–1900.* Ashgate, 2005.

Matic, Rene. 'Luke Willis Thompson's Turner Prize Nomination is a Blow to Artists of

Colour', *Gal—Dem*, 3 May 2018, available at http://gal-dem.com/luke-willis-thompsons-turner-prize-nomination-is-a-blow-to-artists-of-colour/[last accessed 16.01.20].

Mayers, Lily. 'Australia Day: Malcolm Turnbull Condemns Captain Cook Statue Vandalism as "Cowardly"', 26 August 2017, www. abc.net.au/news/2017-08-26/australia-day-argument-intensifies-as-vandals-hit-captain-cook/8845064 [last accessed 18.01.20].

Moberly, Charlotte. 'Pitt Rivers Collaborates with Shuar Representatives to Review Shrunken Heads Display', *Cherwell.com*, 14 March 2019, available at https://cherwell.org/2019/03/14/pitt-rivers-collaborates-with-shuar-representatives-to-review-shrunken-heads-display/

Montero, David. 'Archiving Grief: Museums Learn to Preserve Memorials Left at Mass Shootings', *Los Angeles Times*, 25 February 2018, available at www.latimes.com/nation/la-na-museums-mass-shootings-20180225-story. html

Nead, Lynda. 'The Secret of England's Greatness', *Journal of Victorian Culture* 19:2 (2014), pp. 161–82.

Nochlin, Linda. 'Why Have There Been No Great Women Artists?', ARTnews January 1971, pp. 22–39, 67–71.

Nugent, Maria. *Captain Cook Was Here*. Cambridge University Press, 2009.

Nugent, Maria, and Gaye Sculthorpe. 'A Shield Loaded with History: Encounters, Objects and Exhibitions', *Australian Historical Studies* 49:1 (February 2018), pp. 28–43, doi:10.1080/103146 1x.2017.1408663.

Odunlami, Stella, and Kehinde Andrews. 'Is Art Installation Exhibit B Racist?', *The Guardian*, 27 September 2014, available at www.theguardian.com/commentisfree/2014/sep/27/is-art-installation-exhibit-b-racist [last accessed 16.01.20].

Olusoga, David. *Black and British: A Forgotten History*. Palgrave Macmillan, 2018.

Osborne, Therese, and Julie Simpkin. *Encounters: Revealing Stories of Aboriginal and Torres Strait Islander Objects from the British Museum*. Canberra, ACT: National Museum Australia Press, 2015, pp. 48, 5.

Paine, Crispin. *Religious Objects in Museums: Private Lives and Public Duties*. Bloomsbury Academic, 2013.

Perry, Grayson. *The Tomb of the Unknown Craftsman*. British Museum, 2011.

Phillip, Abby. 'Families Infuriated by 'Crass Commercialism' of 9/11 Museum Gift Shop' *Washington Post*, 19 May 2014. https://www.washingtonpost.com/news/post-nation/wp/2014/05/19/families-infuriated-by-crass-commercialism-of-911-museum-gift-shop/ [last accessed 15.01.20].

Pratt, Mary Louise. *Imperial Eyes: Travel Writing and Transculturation*. Routledge, Taylor & Francis Group, 2017.

Qureshi, Sadiah. *Peoples on Parade*. University of Chicago Press, 2011.

Qureshi, Sadiah. 'Tipu's Tiger and Images of India, 1799–2010', in Sarah Longair and John McAleer (eds), *Curating Empire: Museums and the British Imperial Experience*. Manchester, 2016, pp. 207–24.

Rakowitz, Michael. *A House with a Date Palm Will Never Starve: Cooking with Date Syrup: Forty-One Chefs and an Artist Create New and Classic Dishes with a Traditional Middle Eastern Ingredient*. Art Books Publishing Ltd in Association with Plinth, 2019.

Ramage, Nancy H. 'Sir William Hamilton as Collector, Exporter, and Dealer: The Acquisition and Dispersal of His Collections', *American Journal of Archaeology* 94:3 (1990), pp. 469–80, doi:10.2307/505798.

Ray, Romita. 'All That Glitters: Diamonds and Constructions of Nabobery in British Portraits (1600–1800)', in Julia Skelley (ed.), *The Uses of Excess in Visual and Material Culture, 1700–2010*. Ashgate, 2014, pp. 19–40.

Razak, Iskhandar. 'Victoria Apologises to Chinese Community for Racist Policies during

Gold Rush Era', *ABC News*, 25 May 2017, available at www.abc.net.au/news/2017-05-25/victoria-apologises-to-chinese-for-racism-during-gold-rush-era/8558998 [last accessed 18.01.20].

Reid, Donald M. *Whose Pharaohs?: Archeology, Museums, and Egyptian National Identity from Napoleon to World War I*. ACLS History E-Book Project, 2003.

Riggs, Christina. 'Ancient Egypt in the Museum: Concepts and Constructions', in Alan B. Lloyd (ed), *A Companion to Ancient Egypt*. Wiley, 2010, pp. 1129–53.

Robley, Horatio Gordon. *Moko; or Maori Tattooing ... with 180 Illustrations from Drawings by the Author and from Photographs*. Chapman & Hall, 1896.

Rooney, Kara L. 'A Sonorous Subtlety: KARA WALKER with Kara Rooney', *The Brooklyn Rail*, 2 May 2014, available at https://brooklynrail.org/2014/05/art/kara-walker-with-kara-rooney [last accessed 15.01.20].

Rosenthal, Laura J. *Infamous Commerce: Prostitution in Eighteenth Century British Literature and Culture*, repr. edn. Cornell University Press, 2015.

Saini, Angela. *Superior: The Return of Race Science*. Fourth Estate, 2019,

Salmond, Anne. *Aphrodite's Island: The European Discovery of Tahiti*. University of California Press, 2009.

Savage, Kirk. *Standing Soldiers, Kneeling Slaves: Race, War, and Monument in Nineteenth-Century America*. Princeton University Press, 2018.

Schiller, Nina Glick, Data Dea and Markus Höhne. 'African Culture and the Zoo in the 21st Century: The "African Village" in the Augsburg Zoo and Its Wider Implications', Report to the Max Planck Institute for Social Anthropology, available www.eth.mpg.de/3498271/zooCulture.pdf [last accessed 16.01.20].

Sculthorpe, Gaye. *Indigenous Australia: Enduring Civilisation*. The British Museum Press, 2015.

Shaw, George. *The Naturalist's Miscellany, or Coloured Figures of Natural Objects Drawn and Described Immediately from Nature*, 1799, vol. 10.

Shirley, Pippa, and Dora Thornton (eds). *A Rothschild Renaissance: A New Look at the Waddesdon Bequest in the British Museum*. British Museum Press, 2015.

Skelley, Julia (ed.). *The Uses of Excess in Visual and Material Culture, 1700–2010*. Ashgate, 2014.

Smith, Andrea. 'Not an Indian Tradition: The Sexual Colonization of Native Peoples', *Hypatia* 18:2 (2003), pp. 70–85.

Sontag, Susan. *Regarding the Pain of Others*. Farrar, Straus and Giroux, 2017.

Stepan, Nancy Leys. 'Race and Gender: The Role of Analogy in Science', *Isis* 77:2 (1986), pp. 261–77, doi:10.1086/354130.

Strong, Roy, *Gloriana: The Portraits of Queen Elizabeth I*, Thames & Hudson, 1987.

Stronge, Susan. *Tipu's Tigers*. V&A Publishing, 2009.

Talbot, Margaret. 'The Myth of Whiteness in Classical Sculpture', *New Yorker*, 22 October 2018, available online at www.newyorker.com/magazine/2018/10/29/the-myth-of-whiteness-in-classical-sculpture [last accessed 25.01.20].

Tench, Watkin. *A Complete Account of the Settlement at Port Jackson: in New South Wales, Including an Accurate Description of the Situation of the Colony; of the Natives; and of Its Natural Productions: Taken on the Spot, by Captain Watkin Tench*. G. Nicol and J. Sewell, 1793.

Tharoor, Shashi. *Inglorious Empire: What the British Did to India*. C Hurst & Co., 2017.

Thomas, Nicholas. 'A Case of Identity: The Artefacts of the 1770 Kamay (Botany Bay) Encounter', *Australian Historical Studies* 49:1 (February 2018), pp. 4–27, doi:10.1080/1031461x.2017.1414862.

Thompson, Krissah. 'Painful But Crucial: Why You'll See Emmett Till's Casket at the

African American Museum', *Washington Post*, 18 August 2016 www.washingtonpost.com/lifestyle/style/painful-but-crucial-why-youll-see-emmett-tills-casket-at-the-african-american-museum/2016/08/18/66d1dc2e-484b-11e6-acbc-4d4870a079da_story.html?noredirect=on&utm_term=.5e97c11b8f31 [last accessed 16.01.20].

Thorne, Susan. 'Religion and Empire at Home', in Catherine Hall and Sonya O. Rose (eds), *At Home with the Empire: Metropolitan Culture and the Imperial World*. Cambridge, 2011, pp. 143–65.

Tink Tinker. 'Redskin, Tanned Hide: A Book of Christian History Bound in the Flayed Skin of an American Indian: The Colonial Romance, Christian Denial and the Cleansing of a Christian School of Theology', *Journal of Race, Ethnicity, and Religion* 5:9 (October 2014), pp. 1–43.

Tobin, Beth Fowkes. *Picturing Imperial Power: Colonial Subjects in Eighteenth-Century British Painting*. Duke University Press, 1999.

Turner, Caroline. 'Images of Mai', in Michelle Hetherington and Iain McCalman (eds), *Cook and Omai: The Cult of the South Seas*, exh. cat. Canberra, 2001, pp. 23–30.

Warner, Marina. *Monuments and Maidens: The Allegory of the Female Form*. Vintage, 1996.

Waterfield, Giles. *The People's Galleries Art Museums and Exhibitions in Britain, 1800–1914*. Yale University Press, 2015.

Watts, Stephanye. 'The Audacity of No Chill: Kara Walker in the Instagram Capital', *Gawker*, 6 April 2014, available at https://gawker.com/the-audacity-of-no-chill-kara-walker-in-the-instagram-1585944103 [last accessed 15.01.20].

'"We Are Here": People of Color Gather at Kara Walker Show', *WBAI News*, August 2015, https://www.wbai.org/articles.php?article=2818 [last accessed 15.01.20].

Weber, Jasmine. 'Artists Arrested in Cuba for Protesting Decree Censoring the Arts', 5 December 2015, available at https://hyperallergic.com/474525/artists-arrested-in-cuba-for-protesting-decree-censoring-the-arts/ [last accessed 18.01.20].

Wood, Marcus. *Slavery, Empathy and Pornography*. Oxford University Press, 2003.

Wright, Robin. 'Nineteenth Century Haida Argillite Carvings: Documents of Cultural Encounter', in Mary Louise Elliot Krumrine and Susan C. Scott (eds), *Art and the Native American: Perceptions, Reality, and Influences*. Penn State University Press, 2001.

Yule, Sir Henry. *Hobson-Jobson: A Glossary of Colloquial Anglo-Indian Words and Phrases*, new edn ed. William Crooke. J Murray, 1903.

Zhou, Naaman. 'Sydney to Get New $3m Captain Cook Memorial in "Inclusive Project"', *The Guardian*, 28 April 2018, available at www.theguardian.com/australia-news/2018/apr/28/sydney-to-get-new-3m-captain-cook-memorial-in-inclusive-project [last accessed 18.01.20].

圖片出處

致謝

當我說，寫這本書是我做過最艱難的事，我並未誇大其辭，在這過程中，有很多人真心誠意幫我度過難關，我會試著長話短說。

首先且最重要的，是我的家人。Cate教我寫作，並總會接我驚慌失措的電話。Andrew在我可能還太年輕時就逼迫我看羅伯・休斯（Robert Hughes）與約翰・伯格（John Berger），以及所有書籍。George提供娛樂消遣還製作了許多免費藝術。Annie和Brian對我絕對信任，而且是我阿德萊德公關小組的成員。Bridget，感謝妳的愛與照顧，以及妳給我的一切，身為妳的姪女，我很驕傲（Lucien和Sebastien，身為你們的堂姊妹，我一點不敢居功只能看齊，我會努力）。還有Christopher，我的叔叔，真希望他能看到這本書。

我的朋友們，特別是Tom Sherborne、Ellie Armstrong 和Joe Thompson，感謝你們分別保住我的水分、咖啡因和酒精。Alice Marie Edwards，磨圓我的尖角，是個非凡的合作者。Rose Green，文稿編輯和最棒的午餐約會。Katie Broke，很抱歉妳被我纏住了，會讓我闖進屋子找的人只有妳，沒別人。Murder club，你們很棒，我愛你們。還有各種暖心的朋友，你們把我當雛鳥般餵養各種犯罪故事，回答我布魯克林仕紳化的比例，送我古怪藝術的圖片，還拿各種雞蛋博物館的書給我看，讓我測試每一個有問題的想法，在這一切都還尚未成為目標時就一直陪在我身邊。你們在不同的城市接待我，讓我影響你們的小孩和寵物，我很感激。

沒有「反大學」（Antiuniversity）這個組織，特別是Shiri Shalmay和Emma Winch，「不舒服藝術導覽」根本不會存在，你們給我工具和自信，讓我敢在博物館露臉並讓人們不安。感謝Roween Rawat的慷慨支持。

Grazyna Richmond，教我有關導覽的一切知識，Aaron Paterson，如此憤世嫉俗又充滿希望。Sarah Thomas、Susannah Walker、Alice Stevenson和Mirjam Brusius，你們提供支持與空間讓我淬鍊出我的論點：與你們的對話是本書的種子。Haidy Geismar，讓我在一年的時間內寫了一本書和碩士論文。Subhadra Das，我很抱歉妳最終成了這麼多年輕學術女性的教母，但妳真的長於此道——感謝妳逼我抓緊時間。

向我的治療師致敬，還有Pearl，貨真價實來自波洛克（Porlock）的貓。

沒有Claudia Young，這一切都不會發生，她處理危機與神經緊張的方式與眾不同，還有Greene & Heaton經紀公司的每個人，你們把我照顧得如此之好。

我非常幸運能得到Octopus出版團隊的支持，他們為工作注入驚人的慷慨寬容。Ellie Corbett，妳是奇蹟締造者和夢幻編輯——謝謝妳的耐心與信任。

我指導過的博物館前台與展廳人員，幾乎無一例外，都非常親切熱情；本書有部分就是獻給這群人，他們身為教育者和詮釋者，是最先面對公眾卻最後被欣賞的一群。

有太多人參與了這個過程，無法一一列舉，所以：如果你曾參加過我的導覽，曾在推特上說了一些好事，曾邀請我參加活動，或在圖書館給過我擁抱，在此謝謝你們。沒有你們就沒這本書，真心誠意。

The Whole Picture : The colonial story of the art in our museums & why we need to talk about it

誰的博物館？

讓殖民史現形，揭開頂尖博物館避而不談的暗黑故事&觀看思辨

作者	艾莉絲・普洛特 Alice Procter
譯者	吳莉君
封面設計	高偉哲
內頁構成	詹淑娟
文字編輯	溫智儀
校對	柯欣妤
企劃執編	葛雅茜
行銷企劃	王綬晨、邱紹溢、蔡佳妘
總編輯	葛雅茜
發行人	蘇拾平

國家圖書館出版品預行編目（CIP）資料

誰的博物館 / 艾莉絲・普洛特(Alice Procter)著；吳莉
君譯. -- 初版. -- 臺北市：原點出版：大雁文化事業
股份有限公司發行, 2022.09
312面；17×23公分
譯自：The Whole Picture : The colonial story of the
art in our museums & why we need to talk about it
ISBN 978-626-7084-42-7(平裝)

1.CST: 博物館典藏　2.CST: 蒐藏品　3.CST: 藏品研究

069.5　　　　　　　　　　　　111013583

出版　　　原點出版 Uni-Books
　　　　　Facebook: Uni-Books 原點出版
　　　　　Email: uni-books@andbooks.com.tw
　　　　　105401 台北市松山區復興北路333號11樓之4
　　　　　電話：（02）2718-2001　傳真：（02）2719-1308

發行　　　大雁文化事業股份有限公司
　　　　　105401 台北市松山區復興北路333號11樓之4
　　　　　24小時傳真服務（02）2718-1258
　　　　　讀者服務信箱Email: andbooks@andbooks.com.tw
　　　　　劃撥帳號：19983379
　　　　　戶名：大雁文化事業股份有限公司

初版 1 刷　2022年9月
初版 2 刷　2023年2月

定價　　　630元

ISBN 978-626-7084-42-7（平裝）
ISBN 978-626-7084-41-0（EPUB）

The Whole Picture: The colonial story of the art in our museums & why we need to talk about it
First published in Great Britain in 2020 by Cassell,
an imprint of Octopus Publishing Group Ltd
Carmelite House
50 Victoria Embankment
London EC4Y 0DZ
www.octopusbooks.co.uk
www.octopusbooks.com